O tesouro escondido

CIP-BRASIL. CATALOGAÇÃO NA PUBLICAÇÃO
SINDICATO NACIONAL DOS EDITORES DE LIVROS, RJ

O11t

Oaklander, Violet
O tesouro escondido : a vida interior de crianças e adolescentes / Violet Oaklander ; [tradução Débora Isidoro]. - 1. ed. - São Paulo : Summus, 2022.
240 p. ; 21 cm.

Tradução de: Hidden treasure : a map to the child's inner self
Inclui bibliografia
ISBN 978-65-5549-094-7

1. Gestalt-terapia. 2. Psicoterapia infantil. 3. Psicoterapia de Adolescentes. I. Isidoro, Débora. II. Título.

22-80730 CDD: 618.928914
CDU: 615.851:159.9.019.2

Gabriela Faray Ferreira Lopes - Bibliotecária - CRB-7/6643

O tesouro escondido

A vida interior de crianças e adolescentes

Violet Oaklander

Do original em língua inglesa
HIDDEN TREASURE — A map to the child's inner self

Editora executiva: **Soraia Bini Cury**
Edição: **Janaína Marcoantonio**
Tradução: **Débora Isidoro**
Revisão técnica: **Ênio Brito Pinto**
Capa: **Delfin [Studio DelRey]**
Arte de capa: **Delfin/Midjourney**
Projeto gráfico e diagramação: **Crayon Editorial**

Summus Editorial
Departamento editorial
Rua Itapicuru, 613 – 7º andar
05006-000 – São Paulo – SP
Fone: (11) 3872-3322
http://www.summus.com.br
e-mail: summus@summus.com.br

Atendimento ao consumidor
Summus Editorial
Fone: (11) 3865-9890

Vendas por atacado
Fone: (11) 3873-8638
e-mail: vendas@summus.com.br

Impresso no Brasil

Sumário

Introdução

Finalmente, depois de mais de 25 anos, concluí meu segundo livro. Tenho certeza de que vai agradar a todas aquelas pessoas que escreveram, pediram e me persuadiram a publicar outra obra. Espero que não se decepcionem, já que esta não é como *Descobrindo crianças – A abordagem gestáltica com crianças e adolescentes*. Por vários motivos, alguns pessoais e outros profissionais, *Descobrindo crianças* tocou o coração de quem o leu. Posso afirmar isso pelas centenas de cartas que recebi. Uma mulher disse que mantinha o livro ao lado da cama e, quando não conseguia dormir, o abria aleatoriamente para ler trechos. Pessoas me contaram que o apelido desse livro é "A Bíblia". "Pode me emprestar sua bíblia?" era um bordão comum, como me disseram em vários âmbitos de saúde mental.

O tesouro escondido é uma série de capítulos, cada um tratando de um assunto específico. Alguns desses capítulos foram escritos para outros livros com indicações de que foram escritos para um livro em andamento (este livro). Outros são roteiros reescritos de cinco das seis fitas de áudio que gravei desde que meu último livro foi publicado. Fiz essas gravações porque não tinha tempo para escrever outro livro, mas queria que essa nova informação estivesse disponível. Quatro capítulos foram escritos especificamente para este livro. Eu me orgulho desses textos, mas sei que não haverá o mesmo tipo de movimento proporcionado por *Descobrindo crianças*. Espero que meus leitores não fiquem decepcionados e leiam cada capítulo com a mente aberta.

A essa altura de minha vida (completei 77 anos em abril passado), eu me considero "semiaposentada". Há seis anos desisti da clínica particular e agora faço supervisão, leciono, escrevo e cuido do meu programa de treinamento de duas semanas no verão. Ainda viajava muito dando oficinas nos Estados Unidos e fora do país, mas agora estou me esforçando para limitar essas viagens, apesar de, nos últimos três anos, ter trabalhado na África do Sul, na Irlanda, na Áustria, no México e na Inglaterra, e também em alguns lugares nos Estados Unidos. A avidez por um bom trabalho com crianças é surpreendente.

Um grupo de pessoas criou uma fundação, The Violet Solomon Oaklander Foundation, para garantir que meu trabalho tenha continuidade, em caso de minha total aposentadoria (ou morte). Esse grupo está agora em seus estágios iniciais, e me sinto muito feliz por participar disso desde o início. Essas pessoas são comprometidas e apaixonadas pelo trabalho que abracei. Algumas trabalharam comigo antes mesmo de eu escrever meu primeiro livro. Nem preciso dizer que são o que há de melhor e enchem meu coração de orgulho e gratidão.

Meu trabalho me deu grande alegria. Espero que vocês, que estão fazendo esse trabalho, sejam auxiliados por este livro e recebam o mesmo presente que eu recebi: o de ajudar crianças na direção de seu legítimo caminho de vida e crescimento.

VIOLET OAKLANDER
Santa Bárbara, Califórnia
Fevereiro de 2005

1. O que leva crianças à terapia: uma perspectiva da psicologia do desenvolvimento

O que leva crianças à terapia? Provavelmente, você responderia a essa pergunta dizendo que elas têm algum tipo de incômodo; não vão bem na escola; são agressivas ou retraídas; sofreram trauma; estão reagindo mal ao divórcio dos pais; e assim por diante. Todos esses são sintomas e reações. O que os está causando?

Pensei muito nisso, e gostaria de apresentar minha tese. O que vou dizer pode parecer muito básico e elementar. Na verdade, estou olhando para o óbvio, que tendemos a ignorar. Às vezes só precisamos nos levar de volta a esse lugar óbvio. A maioria das crianças que atendi ao longo dos anos tinha dois problemas básicos. Primeiro, elas tinham dificuldade para fazer bom contato: contato com professores, pais, colegas, livros. Segundo, geralmente apresentavam um senso de *self* fraco.

A expressão "autoconceito" é usada mais frequentemente para descrever como as crianças se sentem em relação a si mesmas. Eu gosto de usar "senso de *self*", já que evita uma postura crítica e é um conceito mais integrado.

Para fazer bom contato com o mundo, é necessário ter bom uso das funções de contato que rotulamos como olhar, ouvir, tocar, sentir o sabor, cheirar, mover-se, expressar sentimentos, ideias, pensamentos, curiosidades e assim por diante (Polster e Polster, 1973). Essas são as mesmas modalidades que compõem o *self*. Crianças que são emocionalmente perturbadas devido a algum trauma ou outra razão tendem a se isolar de algum jeito; elas anestesiam os sentidos, restringem o corpo, bloqueiam as emoções e fecham a mente. Essas atitudes afetam profundamente seu crescimento saudável e exacerbam seus problemas. Elas não conseguem fazer bom contato quando alguma dessas coisas acontece; além disso seu *self* é inibido.

O que percebo é que não são só traumas e outras situações de vida problemáticas que fazem as crianças se envolverem nessas práticas prejudiciais. Vários fatores desenvolvimentais contribuem para isso!

Acredito que a criança saudável vem ao mundo com a capacidade de fazer uso pleno de seus sentidos, de seu corpo, de suas expressões emocionais, de seu intelecto. O bebê chega ao mundo como um ser SENSORIAL: precisa sugar para viver; precisa ser tocado para desabrochar. À medida que cresce, a criança usa ativamente todos os sentidos. Olha com atenção para tudo, toca tudo que consegue alcançar, sente o sabor de tudo que consegue pôr na boca.

Seu CORPO está em constante movimento. De repente, a *awareness* é nítida. Ela derruba acidentalmente o chocalho que segurava. Vai chorar, e alguém vai pegá-lo e colocá-lo em sua mão. Mas ela não quer segurá-lo, quer derrubá-lo. Repete isso muitas vezes, até ter dominado essa nova habilidade. Olha para as mãos muitas vezes e, de repente, parece perceber que é capaz de alcançar alguma coisa. À medida que cresce, ela não restringe os movimentos do corpo. Quando engatinha, anda, sobe, corre, faz tudo com exuberância e muita energia.

O bebê expressa EMOÇÕES desde o início. Sorri. Ri. Parece satisfeito deitado no berço. Mas então começa a chorar. Até a mãe mais perceptiva tem dificuldade para determinar o que a criança quer. Está com fome? Molhada? Assustada? Brava? Solitária? À medida que desenvolve expressão gestual, sonora e facial, e particularmente a linguagem, sua expressão emocional se torna clara. A criança pequena é congruente com seus sentimentos. Você SABE, por exemplo, quando uma criança de 2 anos está com medo, triste, feliz ou brava. Ela não esconde as emoções, como aprende a fazer mais tarde.

E quanto ao INTELECTO? Ficamos fascinados com quanto o bebê e a criança pequena conseguem aprender. Ela aprende a linguagem, é curiosa, explora e faz muitas perguntas. Quer saber tudo. Faz o melhor que pode para entender o mundo. Sua mente é uma coisa maravilhosa.

O organismo, feito de sentidos, corpo, intelecto e capacidade de expressar emoções, está funcionando de um jeito bonito, integrado, como deve ser enquanto a criança cresce.

Mas alguma coisa começa a acontecer com toda criança, com algumas mais que outras, e interfere no crescimento saudável. Os sentidos se tornam anestesiados, o corpo é restringido, emoções são bloqueadas e o intelecto não é o que poderia ser.

POR QUE isso acontece? Certamente, vários traumas — como abuso, divórcio, rejeição, abandono e doença, para citar alguns — podem fazer a criança se retrair de algum jeito. Ela faz isso instintivamente, para se proteger. Mas existem vários estágios de desenvolvimento e fatores sociais na vida da criança que também a levam a se restringir, bloquear, inibir!

Esses fatores desenvolvimentais consistem em: confluência e separação, egocentrismo, introjetos, ter necessidades atendidas, estabelecer fronteiras e limites, o efeito de uma variedade de sistemas, expectativas culturais e as respostas dos pais a ela, sobretudo às suas expressões de raiva. Há muitos fatores, sem dúvida. A criança é um animal social e não vive (nem deve viver) em isolamento. Como ela se relaciona com o mundo e a resposta dos outros a ela a afetam em grande medida. Muitos acreditam que a criança é predestinada pela biologia. Até certo ponto, isso é verdade. Mas toda criança, independentemente de temperamento e personalidade, é afetada por esses fatores desenvolvimentais em maior ou menor extensão.

CONFLUÊNCIA

A criança chega ao mundo confluente com a mãe; é um só ser com a mãe. Ela tem esse senso de *self* a partir da mãe: a voz, os gestos, o olhar, o toque da mãe. Essa confluência é muito importante para o bem-estar da criança. A primeira tarefa da criança é separar-se, e sem esse vínculo não há realmente nada de que separar-se, o que causa grande ansiedade na criança em crescimento. Ela luta para separar-se e, ao mesmo tempo, precisa ter esse sentimento de unicidade com a mãe. Isso é crucial. A luta pela separação começa nesses anos no início da infância, e não na adolescência, como em geral se acredita. Segue periodicamente enquanto a criança se desenvolve — por dentro e por fora —, avançando e recuando ao longo da vida. É essencial que a criança se sinta como um ser separado. Mas isso é um dilema para ela, que tem pouco apoio próprio. A resposta a essa luta ajuda ou prejudica essa tarefa.

EGOCENTRISMO

O egocentrismo sempre parece algo ruim quando dizemos "essa pessoa é muito egocêntrica, só pensa em si mesma. Acha que o mundo todo gira em torno dela". No entanto, as crianças em geral são egocêntricas. Basicamente, não entendem a existência separada. Ficam confusas com o fato de eu experimentar o mundo de um jeito diferente de como elas o experimentam. Imaginam que a experiência de todo mundo é a mesma que a sua, e que sua experiência é igual à minha. É um importante processo de aprendizado entender a existência separada, e as crianças passam por isso ainda novas. Por exemplo, uma menina de 3 anos e meio disse à avó: "Vovó, você mora sozinha?" Quando ela respondeu que sim, a criança disse: "Sinto muito", e seus olhos se encheram de lágrimas. Como a avó não estava feliz morando sozinha, sentiu que a neta era extremamente perceptiva e compassiva. Na verdade, a criança estava projetando os próprios sentimentos. Não conseguia se imaginar sozinha sem os pais. Piaget escreveu extensivamente sobre egocentrismo e acreditava que, quando a criança tem 7 ou 8 anos, é cognitivamente capaz de entender uma experiência separada (Phillips, 1969). Em meu trabalho, descobri que, emocionalmente, o egocentrismo persiste por muito mais tempo. Na verdade, emocionalmente, muitos adultos recuam para um estado de egocentrismo. Por exemplo, quando algo terrível acontece, dizemos: "Ai, o que foi que eu fiz!", ou "Como eu poderia ter impedido isso?", ou "É tudo minha culpa!" E isso é o que acontece com as crianças. Elas se culpam por tudo de ruim que acontece em sua vida por causa de seu egocentrismo e sua dificuldade para separar a experiência individual. As crianças pequenas se culpam se há alguma doença, se são abandonadas, se são rejeitadas de algum jeito, se um dos pais tem uma dor de cabeça, se o pai está zangado e mal-humorado, se são molestadas e se ocorre algum tipo de trauma. Em segredo, sentem que qualquer coisa ruim que tenha acontecido é culpa delas. Eu sempre soube disso sobre crianças pequenas, desde que estudei Piaget quando escrevia minha dissertação de mestrado sobre educação especial de crianças com transtornos. Mas, em algum momento do meu trabalho de psicoterapeuta de crianças e adolescentes, percebi que a idade não fazia diferença. Crianças de todas as idades se culpam por todo tipo de coisas terríveis.

Um exemplo: um menino de 12 anos foi enviado ao meu consultório depois de uma avaliação no tribunal, porque os pais enfrentavam um divórcio muito cheio de raiva e uma batalha pela custódia. As notas dele estavam caindo, ele passava cada vez mais tempo sozinho no quarto e demonstrava uma variedade de sintomas físicos. Em sessão comigo, negou completamente qualquer interesse no que os pais estavam fazendo. "É problema deles. Não presto a menor atenção." Olhando em volta, viu as caixas de areia no meu consultório e perguntou para que serviam. Expliquei que as pessoas escolhiam miniaturas nas prateleiras e as colocavam em uma das caixas, formando uma cena. Sugeri que ele experimentasse. Ele examinou as diversas miniaturas, escolheu três surfistas (decorações de bolo) e, depois de mover um pouco a areia com as mãos, os posicionou. "Pronto", disse. Pedi que ele me contasse o que estava acontecendo. "Bom, são três surfistas, e eles estão surfando." É típico de muitas crianças descrever sua cena com uma frase curta. Começamos um diálogo para aprimorar e construir uma história.

"Queria que você fosse um dos surfistas", pedi. "Me mostre qual você seria."

(Zack aponta um deles.)

"Oi, surfista. Como estão as ondas?"

Zack: "Ótimas."

E começamos a falar sobre surfar, as ondas, o oceano de maneira geral, tudo em que consigo pensar. Enquanto ele fala, um dos surfistas cai.

"Ah! O que aconteceu com ele?"

Zack: "Caiu da prancha."

"O que vai acontecer com ele?"

Zack: "Vai se afogar, porque a prancha acerta sua cabeça antes que ele consiga se levantar."

"O que esse outro surfista faz?"

Zack: "Só surfa para longe."

"E você (apontando para o que ele havia escolhido)?"

Zack: "Bom, acho que eu podia ter ajudado, mas não ajudei, e ele se afogou."

Nesse ponto, Zack se fecha, rompe o contato e começa a se afastar da caixa de areia.

"Antes de pararmos, eu só queria perguntar se sua cena e a história fazem você se lembrar de alguma coisa na sua vida."

Zack: "Bom, eu gosto de surfar."

"Sim, e sabe muito sobre surfe. Na sua história, o surfista que você escolheu se sente responsável pelo afogamento do outro. Você se sente responsável por alguma coisa na sua vida? Acha que alguma coisa é sua culpa?"

Zack: (Ele começa a chorar.) "É tudo minha culpa! Eles estão sempre brigando por minha causa. Não sei o que fazer!"

A caixa de areia oferece uma oportunidade para uma técnica de projeção muito poderosa. A história da criança é, muitas vezes, uma metáfora potente para algum aspecto de sua vida. Geralmente, se perguntam a um menino de 12 anos como ele está, ele responde "bem", sem ter muita consciência de seus reais sentimentos. Ele ignora e nega (como o surfista que só se afastou) e não se permite enxergar que talvez esteja "se afogando". Quando esses sentimentos ocultos são trazidos à superfície, a cura começa e ele aprende que a raiva que os pais têm um do outro não é culpa dele. Aprende a expressar seus sentimentos de maneiras saudáveis. Aprende jeitos de lidar com a situação. Posso dar o suporte de que ele precisa. Em uma sessão subsequente com os pais, Zack conseguiu dizer a eles o que estava sentindo.

(Nota: não sei aonde teríamos ido com a história se um dos surfistas não tivesse caído, mas tenho certeza de que teria surgido alguma coisa.)

Terapeutas que trabalham com crianças e adolescentes precisam entender o fenômeno do egocentrismo e como este afeta a vida deles.

INTROJETOS

Um introjeto é uma mensagem que ouvimos sobre nós mesmos e tornamos parte de quem somos. Crianças muito pequenas são incapazes de discriminar a validade dessas mensagens. Não têm capacidade cognitiva para dizer: "Sim, isso se aplica a mim", ou "Não, isso não se aplica a mim". Acreditam em tudo que ouvem sobre si mesmas, apesar de qualquer evidência em contrário. Algumas dessas mensagens são disfarçadas. Se a criança derruba leite, um dos pais talvez não diga: "Ah, você é muito desastrada", mas sua expressão facial transmite essa mensagem. Como as crianças são egocêntricas e assumem a culpa por tudo, ela sente que é uma menina má quando a mãe, por exemplo, está de mau humor ou tem uma dor de cabeça. Levamos essas mensagens negativas pela vida. (Na verdade, funcionamos com o sistema de crenças de uma criança de 4 anos.) Mesmo quando passamos anos em terapia lidando com essas mensagens e sentimos que elas se foram, descobrimos que voltam quando estamos sob pressão. Um terapeuta que conheço me disse uma vez: "Passei anos em terapia trabalhando a relação com meus pais e achava que havia trabalhado tudo. Mas na semana passada fui visitá-los, e todos aqueles sentimentos ruins que eu tinha quando criança, sentimentos ruins por mim mesmo, apareceram de novo!" Acredito que nunca nos livramos de verdade desses introjetos negativos. O melhor que podemos fazer é reconhecê-los e aprender a administrá-los.

Até afirmações positivas podem ser prejudiciais. Afirmações globais como "Você é o melhor menino do mundo" são confusas para a criança. Ele sabe que não é o melhor — no fundo, sabe que foi mau outro dia. E, por isso, transforma essa mensagem em outra negativa. As afirmações globais tendem a fragmentar a criança, já que uma parte dela adora ouvi-las, enquanto outra parte sabe que não são verdadeiras. Esse menino talvez cresça se sentindo uma farsa.

Digo aos pais que eles precisam ser específicos, dizendo coisas como "Gosto de como você recolheu seus brinquedos", ou "Adoro as cores que usou na sua pintura — elas me fazem sentir bem". Essas afirmações não são introjetos, mas mensagens que fortalecem o *self* da criança.

TER NECESSIDADES ATENDIDAS

A criança pequena faz de tudo para ter suas necessidades atendidas. Ela sabe que não é capaz de supri-las sozinha. Não pode arrumar um emprego, dirigir um carro, comprar comida e assim por diante. A autonomia é um ingrediente essencial do desenvolvimento infantil, já que dá à criança alguma sensação de controle e poder. Mas, basicamente, ela depende por completo dos adultos para sobreviver. Não pode correr o risco de despertar ira, abandono ou rejeição dos pais e faz de tudo para impedir que isso aconteça. A criança pequena desabrocha quando, além de ter suas necessidades básicas atendidas, recebe amor e aprovação. O problema é que ela nem sempre sabe o que fazer para ter aquilo de que precisa, e às vezes seu processo é inadequado e causa mais dificuldades. Ou ela desenvolve um jeito de ser que tem o propósito de proteger, mas, em vez disso, elimina aspectos do *self*. Por exemplo, a criança que é sexualmente molestada em geral se anestesia para não sentir nada, e isso ficará com ela pela vida toda se não houver uma intervenção apropriada para devolvê-la a si mesma.

AUTORREGULAÇÃO ORGANÍSMICA

O organismo regula a si mesmo em sua tentativa de nos manter saudáveis (Perls, 1969). Entendemos essa ideia de um ponto de vista físico: o organismo nos diz quando comer e quando parar de comer, quando ir ao banheiro, quando dormir e assim por diante. Nem sempre ouvimos, mas o organismo persiste. Quando estou falando em um seminário, odeio parar para beber água, porque posso perder o fio da meada do raciocínio. Mas se não dou atenção a essa necessidade, minha garganta fica seca e posso acabar perdendo a voz. Então, bebo um gole de água e sinto aquele momento de homeostase, um sentimento de equilíbrio. Aquela necessidade foi atendida e agora dá espaço para que outras necessidades também sejam supridas. Esse fenômeno é real no sentido emocional, psicológico, cognitivo, espiritual. Sentimos várias necessidades nos perturbando, e quando prestamos atenção e fazemos o que precisamos fazer, resolvemos uma necessidade em particular, permitindo que outras apareçam. Esse é o processo de vida e crescimento, e nunca termina.

RAIVA

Aqui vai um exemplo do que acontece com a criança: ela sente raiva do pai quando este lhe diz que fique quieta e pare de amolar. Aprendeu anteriormente que expressar sua raiva é inaceitável e só vai piorar a situação. Talvez seja até perigoso. Então, engole o sentimento. No entanto, seu organismo, em sua eterna busca de saúde, se esforça para pôr esse sentimento para fora, expressá-lo de algum jeito. Infelizmente, ele é expressado, de maneira geral, de forma imprópria ou até prejudicial, danosa ao próprio bem-estar.

A criança pode retrofletir o sentimento, isto é, empurrá-lo de volta para dentro de si mesma para garantir que não seja expressado. E empurra tão fundo que não tem nenhuma *awareness* dele. Essa é a criança que tem dores de cabeça, dores de estômago, ou é muito quieta e retraída. Outra criança deflete o sentimento — isto é, afasta-se dele. Mas seu organismo precisa se livrar dessa energia. Essa é a criança que briga, esperneia e se descontrola de maneira geral. Perguntei a um cliente de 8 anos o que o faz brigar tanto com outras crianças no parquinho, se antes ele não fazia isso. A resposta dele foi: "Tenho que brigar, porque as crianças são más". Ele não disse: "porque meu pai nos deixou, e acho que ele não se importa comigo, e minha mãe chora o tempo todo e talvez a culpa seja minha". Só depois de muito trabalho projetivo ele conseguiu articular seus sentimentos autênticos. Depois disso, seu comportamento mudou de forma drástica.

Crianças ficam hiperativas, desligadas, molham a cama, tornam-se encopréticas, amedrontadas e até fóbicas, em vez de expressarem sentimento diretamente. Em geral, elas se dissociam dos sentimentos e não têm consciência deles. É necessário trabalhar muito para descobrir esses sentimentos submersos — e, muitas vezes, descobrimos que a raiva está misturada a tristeza ou vergonha.

Eu poderia especular sobre por que uma criança escolhe defletir sentimentos e outra escolhe alguma outra coisa, mas seriam necessários alguns estudos controlados para encontrar a resposta. Provavelmente, isso se baseia em uma variedade de fatores como desenvolvimento inicial, dinâmicas familiares, personalidade inata etc.

A maioria desses comportamentos se manifesta sem que a criança perceba; mas há momentos em que a decisão é tomada de maneira consciente. Uma cliente adulta me disse que se lembra de ter decidido, aos 4 anos, ser sempre muito, muito quieta. Quando tinha essa idade, ela, uma menina muito ativa, cheia de vida e energia, estava brincando com o tio favorito, lutando com ele no chão, e de repente ele fez barulhos horríveis, ficou rígido e morreu. (Isso ela descobriu mais tarde.) Ela gritou aterrorizada, e a mãe foi correndo até lá. A mãe ficou histérica, mas conseguiu chamar a emergência. Os paramédicos chegaram e tentaram reanimá-lo, mas ele estava morto. Eles o levaram. Enquanto isso, minha cliente insistia em puxar a mãe e perguntar pelo tio. A mãe, que chorava muito, lhe disse que ficasse quieta e não a aborrecesse. Como tinha apenas 4 anos, a menina teve certeza de que havia feito algo terrível ao tio e que a mãe estava muito zangada com ela. Foi então que tomou a decisão de se retrair o máximo que pudesse. Disse que teria gostado de desaparecer, se soubesse como. Ela recebeu grande reforço por ser uma menina muito quietinha, e aos 16 anos entrou para um convento, tornou-se freira e fez votos de silêncio. Quando, aos 45 anos, decidiu sair de lá, estava totalmente despreparada para o mundo e resolveu procurar terapia. Ela sentia que a quietude interferia em sua vida e em sua capacidade de fazer amigos. A lembrança do incidente com o tio emergiu quando lhe pedi que voltasse a um tempo em que não era tão quieta. (Pedi a ela que voltasse a um tempo em que se sentia mais cheia de vida na infância.) Ela havia esquecido completamente esse incidente, até que fiz esse pedido em particular.

De forma paradoxal, a maior parte dos comportamentos ocorre em consequência de uma autorregulação organísmica e da busca de saúde travada pelo organismo. Os comportamentos problemáticos são vistos como "resistências" ou "perturbações da fronteira de contato", embora sejam o jeito de a criança proteger o *self*, sobreviver, lidar, crescer. Mas, em vez disso, os comportamentos envolvem a criança em problemas, causam preocupação, afetam a saúde física, consomem muita energia e, acima de tudo, se generalizam. Com qualquer estresse, a criança fica hiperativa, ou tem dor de estômago, ou seja qual for seu processo específico. Se dizemos à criança "Pare de fazer isso", damos sermão e castigamos, é inútil, porque ela não tem o poder de controlar essas respostas. Se ela para, outro comportamento impróprio substitui aquele que foi interrompido. Uma menina de 13 anos me disse algo no fim do nosso tempo juntas que vou lembrar para sempre com gratidão e carinho. Quando perguntei o que se destacava, para ela, em nosso trabalho conjunto, ela disse: "Nunca vou me esquecer da nossa primeira sessão. Você me levou em uma viagem de fantasia e me pediu para desenhar o lugar para onde eu fui. Nunca, jamais fez sermões, como todo mundo fazia. Nunca disse para eu me comportar. Jamais vou me esquecer disso". Essa criança chegou à terapia como parte de um programa experimental de tratamento para crianças com todo tipo de transtorno emocional. Ela havia estado em sete lares de acolhimento quando a recebi e estava prestes a ser internada na ala para adolescentes de um hospital psiquiátrico, uma ala para jovens "incorrigíveis". Em quatro meses (o tempo que me foi dado) de uma sessão semanal, ela se transformou a ponto de não ser enviada para o hospital, frequentar a escola e sentir-se muito orgulhosa de si mesma. A verdade é que ela não se transformou — ela se encontrou.

Quando somos restritos e bloqueados, o *self* é muito diminuído. Para algumas crianças, a perda do *self* é tão intensa que elas fazem qualquer coisa para encontrá-lo. Algumas vão buscá-lo tornando-se confluentes com outrem, isto é, obtendo o senso de *self* de outra pessoa. Elas literalmente se agarram a alguém, tentando agradar constantemente, não conseguem fazer uma escolha ou assumir um compromisso, nem concluir uma tarefa por medo de fracassar. Outras tentam encontrar esse *self* exercendo todo o poder que conseguem reunir, seja fazendo birra, brigando, ateando fogo às coisas ou se envolvendo em disputas de poder de maneira geral.

ASPECTOS SOCIAIS QUE AFETAM O DESENVOLVIMENTO DA CRIANÇA

Estabelecer limites

É claro que precisamos estabelecer limites para manter a criança segura. A criança aprende, ainda muito nova, sobre os perigos de atravessar a rua correndo, pular de um lugar muito alto e assim por diante. É a maneira como fazemos isso que faz toda a diferença. Os pais às vezes esperam que a criança se lembre dos limites. Na verdade, é função deles monitorar as atividades da criança pequena o tempo todo, até que ela tenha mais maturidade e *awareness* cognitiva. Não é incomum ver um pai advertir duramente a criança por alguma coisa que ela foi avisada uma vez para não fazer. A criança aprende pela repetição gentil, amorosa. É igualmente importante ampliar os limites à medida que a criança cresce, para permitir experimentação. Ainda lembro quando meu filho Michael, então com 4 anos, adorava se afastar da segurança da porta de casa para explorar a rua e ir cada vez mais longe. Os vizinhos e eu costumávamos nos sentar do lado de fora com os filhos pequenos, muitas vezes esperando um filho mais velho voltar da escola. Eu deixava o bebê com os vizinhos e o seguia de longe, torcendo para ele não me ver. Via como ele examinava os arbustos, coisas que encontrava na calçada, buracos no chão, diversos insetos e assim por diante. Os vizinhos me criticavam por não o agarrar e trazer de volta para casa. Mas eu queria nutrir sua independência e sua natureza exploradora, desde que ele estivesse seguro. A certa distância, ele se virava, e eu fingia olhar com atenção as folhas de uma planta. Ele me chamava alegre e voltava correndo, ansioso para me contar alguma coisa incrível que tinha descoberto. Meu filho Michael morreu quando tinha quase 15 anos, e essa é uma das muitas lembranças que me enchem de alegria e, de certa forma, diminuem minha dor.

Expectativas culturais

As crianças aprendem o que é esperado delas com seu grupo cultural particular. Em algumas culturas, temos que ficar muito quietos na igreja, por exemplo. Em outras, respondemos aos gritos para expressar sentimentos. Em algumas culturas, a criança aprende a guardar seus sentimentos. Em outras, há mais espaço para expressão. Em algumas culturas, a criança aprende a não encarar um adulto que fala com ela. Em outras, é advertida por não fazer contato visual. É importante que os terapeutas aprendam e respeitem essas diversas considerações, crenças, valores e experiências culturais. Muitas vezes surgem dificuldades quando a criança se encontra entre duas culturas. Tenho uma experiência pessoal em relação a esse fenômeno. Meus pais eram imigrantes judeus russos que chegaram aos Estados Unidos no fim da adolescência. Embora, mais tarde, tenham aprendido a ler e escrever em inglês e se tornado cidadãos americanos, eles falavam principalmente iídiche em casa, e a cultura judaica era importante para eles. Fui criada nesse ambiente caloroso, expressivo, cercada de livros (em iídiche), música e discussões políticas. Minha vida em Cambridge, Massachusetts, fora de casa foi drasticamente diferente. Eu amava muito meus pais, mas confesso que sentia vergonha do sotaque e de suas maneiras do leste europeu. Um dia, quando eu tinha 10 anos, fui convidada para a festa de aniversário de uma colega de escola. Nunca tinha ido a uma dessas festas e fazia grandes visualizações sobre o que deveria acontecer. Na minha família, minha mãe costumava fazer um jantar especial com sobremesa no dia do meu aniversário. Eu ganhava um livro deles e dos meus irmãos mais velhos, esse era meu presente. Fiquei muito empolgada com esse convite. Minha mãe, que era costureira, fez um bonito vestido de veludo verde para eu usar, um vestido digno de uma coroação. E lá fui eu. Assim que cheguei à casa da menina, soube que havia algo errado. Parei e fiquei olhando para as outras crianças com suas roupas de brincar, cada uma delas segurando um presente embrulhado em papel colorido. Eu não sabia que as pessoas levavam presentes a esse tipo de festa. Tive vontade de correr de volta para casa, mas a mãe da aniversariante me viu e se aproximou, me deu as boas-vindas, passou um braço sobre meus ombros e me levou para a sala. Acho que ela deve ter percebido a situação e tentou me deixar à vontade. Ela me pôs sentada no meio de uma mesa comprida. Na frente de cada lugar tinha um chapéu de festa, um copo de papel cheio de doces, um presentinho, um apito e várias outras parafernálias associadas a aniversários. Eu nunca tinha visto nenhuma daquelas coisas, e 65 anos depois, enquanto escrevo isto, ainda consigo me lembrar de tudo claramente, e ainda tenho o mesmo sentimento de humilhação. Lembro de querer que o chão se abrisse e me engolisse. Havia um bolo com velas (novidade para mim), brincadeiras como "prender o rabo no burro" e outras festividades. Apesar de me sentir muito diferente e deslocada, provavelmente me comportei como se estivesse me divertindo, já que tinha muita prática disso na escola. Na escola, eu era adepta de me comportar como "americana", como todo mundo. O principal na festa de aniversário é que eu nunca, jamais contei à minha mãe sobre isso. Eu sabia, mesmo aos 10 anos de idade, que ela ficaria arrasada. Sempre penso no que poderia ter acontecido para tornar aquela experiência melhor para mim. Talvez hoje sejamos mais atentos às diferenças e as escolas abordem diferenças culturais. Sim, acho que se tivéssemos essas discussões na escola, eu teria tido uma experiência melhor.

SISTEMAS QUE AFETAM O DESENVOLVIMENTO DA CRIANÇA

Tendemos a culpar o sistema familiar por tudo. No entanto, existem muitos outros sistemas em nossa estrutura social que afetam a criança. Alguns em que consigo pensar são: o sistema escolar, o jurídico, o da igreja, o do bem-estar social, o de serviço social e, é claro, o político. Sem falar no sistema de saúde. Quando eu tinha 5 anos, sofri uma queimadura grave e passei muito tempo no hospital, o que resultou em enxertos de pele e um longo período de recuperação. As experiências que tive lá afetaram profundamente toda minha vida. Ainda me lembro dos médicos e das enfermeiras me avisando: "Seja boazinha e pare de chorar", apesar da dor horrível que eu sentia, de ser ainda bem pequena, da minha evidente confusão e do sentimento de abandono. Ouvi essas palavras muitas vezes, em especial quando eles estavam cuidando das queimaduras. Essa é uma longa história carregada de experiências terríveis naquele hospital. Hoje, apesar de trabalhar extensamente essa experiência em terapia, tenho dificuldades para admitir que sinto alguma dor. De algum jeito, experimento um sentimento profundo de que sou uma má pessoa por ter alguma dor. Falo com meu *self* de menina pequena e digo que ela tem o direito de chorar, que ela é uma boa menina. Mas esse sentimento incômodo e profundo persiste. Quando chorava na frente dos meus pais, eu era confortada e amada, mas aos 5 anos de idade, não era capaz de articular e transmitir a eles meus sentimentos mais profundos. Às vezes imagino como teria sido ter um terapeuta, como eu, ao lado da cama, me ajudando a descobrir esses pensamentos e sentimentos escondidos, suprimidos, por intermédio de desenhos, bonecos ou histórias.

As crianças reagem ao trauma de muitas maneiras diferentes. Eu escolhi esconder a dor tanto quanto podia para ser uma boa menina. As crianças fazem o que podem para alcançar algum tipo de equilíbrio e neutralizar um sentimento de desintegração.

O QUE FAZER COM TUDO ISSO

Quando a criança chega à terapia, sei que ela perdeu o que teve um dia, o que, quando bebê, era seu por direito: o pleno e alegre uso dos sentidos, do corpo, do intelecto e da expressão de suas emoções. Meu trabalho é ajudá-la a encontrar e recuperar essas partes perdidas de si mesma. Para isso, tenho utilizado diversas técnicas criativas, expressivas. Essas técnicas são projeções poderosas e oferecem uma ponte para a vida interior da criança. Ajudam-na a expressar emoções suprimidas quando as palavras são insuficientes. São técnicas usadas há milhares de anos como modos de expressão por culturas antigas. Proporcionam experiências para ajudar a criança a conhecer as partes perdidas de si mesma e oferecem oportunidades para novas e saudáveis maneiras de ser — e por fim, mas não menos importante, são divertidas.

No meu livro *Descobrindo crianças*, discuti a fundo essas técnicas. O capítulo a seguir, "O processo terapêutico", descreve seu uso específico. É importante notar que, antes de qualquer uma delas ser usada, é preciso que se estabeleça uma relação entre o terapeuta e a criança, mesmo que incipiente. Se a criança não consegue estabelecer relações, o foco da terapia deve ser ajudá-la a adquirir essa forma mais básica de confiança.

2. O processo terapêutico com crianças e adolescentes

Notei que há uma progressão natural no meu trabalho terapêutico com crianças, que chamo de "o processo de terapia". De uma certa perspectiva, parece que não está acontecendo muita coisa, que estamos brincando, quando, na verdade, existe um processo muito definido — uma sequência, se você preferir — no encontro terapêutico com crianças. Apesar de a palavra "sequência" implicar a progressão de uma coisa a outra, esse processo nem sempre é linear, embora a relação venha primeiro. No entanto, com os aspectos subsequentes do processo terapêutico, tendo a olhar para trás e para a frente enquanto avalio as necessidades da criança. Muita gente presume que meu trabalho consiste em usar uma variedade de técnicas projetivas, expressivas. Embora isso seja verdade em alguma medida, muitas outras coisas requerem atenção antes que essas técnicas sejam usadas.

RELAÇÃO

Nada acontece sem que haja ao menos um fio de relação. A relação é algo tênue que precisa de nutrição cuidadosa. Ela é a base do processo terapêutico e pode, por si só, ser poderosamente curativa. Essa relação eu-tu*, baseada nos textos de Martin Buber (1958), tem certos princípios fundamentais que são extremamente significantes no trabalho com crianças. Nós nos encontramos como dois indivíduos separados, um não superior ao outro. É minha responsabilidade sustentar essa posição. Sou tão autêntica quanto sei ser — sou eu mesma. Não uso uma voz professoral ou condescendente. Não vou manipular nem julgar. Embora seja sempre otimista em relação ao potencial

* Aqui a autora comete um erro muito comum entre as/os terapeutas brasileiras/os: a descrição da vivência eu-tu, de Buber, como se fosse sinônimo de encontro amoroso, algo bastante diferente daquilo que Buber conceitua em seu livro. Para o filósofo, os momentos eu-tu são fortuitos e raros, praticamente momentos de êxtase. Todo o resto é eu-isso, mesmo os mais amorosos relacionamentos. Para Buber, sempre que há um propósito no encontro, é eu-isso. [N. R. T.]

de saúde da criança que recebo no consultório, não vou colocar expectativas sobre ela. Vou aceitá-la como ela é, de qualquer jeito que se apresentar a mim. Vou respeitar seu ritmo e, de fato, tentar me juntar a ela nesse ritmo; vou estar presente e em contato. Desse jeito nosso relacionamento floresce.

A transferência costuma entrar em qualquer relacionamento, por mais que eu não a incentive. A criança reage a mim como a uma figura parental; no entanto, não sou mãe dela. Tenho meu ponto de vista, meus limites e minhas fronteiras, meu jeito de responder. Ao me relacionar com o cliente como um ser separado, dou a ele a oportunidade de expressar o próprio *self*, os próprios limites — de, talvez, experimentar a si mesmo de um jeito novo. Não sou irremediavelmente entrelaçada a ele, como uma mãe ou pai pode ser. Enquanto mantenho minha integridade como uma pessoa distinta, dou ao cliente a oportunidade de experimentar mais do próprio *self*, aperfeiçoando assim seu senso de *self* e melhorando e fortalecendo suas habilidades de contato.

Além disso, tenho a responsabilidade de estar atenta a qualquer coisa que me provoque reações intensas que, possivelmente, não sejam respostas emocionais genuínas à situação contextual e de explorar essas respostas de contratransferência a fim de eliminar o prejuízo delas ao cliente. Também sou verdadeira comigo. Não tenho medo de meus sentimentos e minhas respostas, e conheço meus limites. Honro o que é importante em mim. Começamos na hora e terminamos na hora. Controlo o ritmo da sessão para que a criança tenha tempo de me ajudar a arrumar tudo (exceto as cenas na caixa de areia). Desse modo, o encerramento é evidente.

Assim que a resistência inicial é superada, consigo começar a sentir esse fio de relação com a maioria das crianças. Porém, algumas delas não conseguem compor uma relação, pelo menos por algum tempo. São crianças que sofreram grave prejuízo emocional ainda muito novas, ou ao nascer, e têm dificuldade de confiar. Para elas, o foco da terapia se torna a relação. É claro que honrar e respeitar a resistência da criança é vital, porque é a única maneira de se proteger que ela aprendeu. Encontrar vias criativas, não ameaçadoras de acesso à criança, é a tarefa do terapeuta.

CONTATO

O próximo tema que abordo no processo terapêutico é o do contato. A criança é capaz de fazer e sustentar bom contato? Talvez seu contato seja intermitente ou ela tenha dificuldade para estabelecer qualquer contato. Em todas as sessões, o contato é um tema existencial, vital. Pouca coisa acontece sem algum contato presente. O que acontece fora da sessão pode ser semelhante ou diferente, e só consigo trabalhar com o que temos juntos.

Às vezes a criança tem tanta dificuldade de sustentar contato comigo que o foco da terapia se torna ajudá-la a sentir-se confortável com fazer e sustentar contato. O contato implica a capacidade de estar completamente presente em uma situação específica com todos os aspectos do organismo — sentidos, corpo, expressão emocional, intelecto — prontos e disponíveis para uso. Crianças que têm problemas, que estão preocupadas e ansiosas, com medo, enlutadas ou furiosas vão se fechar em armaduras e restringir, se retrair, eliminar partes de si mesmas, inibir a expressão saudável. Quando os sentidos e o corpo são restringidos, a expressão emocional e um forte senso de *self* tornam-se insignificantes.

Um bom contato também implica a capacidade de se retrair apropriadamente, em vez de se tornar enrijecido em um espaço supostamente cheio de contato. Quando isso acontece, não é mais contato, mas uma tentativa forjada de se manter em contato. Um exemplo disso é a criança que nunca para de falar, ou que nunca consegue brincar sozinha e precisa estar com pessoas o tempo todo.

Falamos de habilidades de contato — o *como* do contato. Essas habilidades envolvem tocar, olhar e ver, escutar e ouvir, sentir o gosto e o cheiro, falar, som, gestos e linguagem, mover-se no ambiente. Às vezes, em nossa jornada terapêutica, é necessário dar às crianças muitas experiências para abrir os caminhos para o contato. Crianças que foram abusadas, particularmente, se dessensibilizam, como a maioria daquelas que sofreram algum tipo de trauma.

Às vezes, noto que uma criança que tem capacidade de fazer bom contato chega para a sessão e parece distraída. Sei de imediato que alguma coisa aconteceu antes do nosso horário. Posso lhe pedir casualmente que me conte algo que aconteceu na escola e de que ela não gostou, ou algo que aconteceu no caminho para o meu consultório. Preciso avaliar o nível de contato da criança a cada encontro.

RESISTÊNCIA

As crianças demonstram uma variedade de manifestações comportamentais, chamadas de resistências, a fim de tentar resistir, sobreviver e fazer contato com o mundo da melhor maneira possível para elas. Às vezes funciona, mas é mais comum que não consigam aquilo de que precisam quando adotam esses comportamentos. Eles são considerados impróprios por outras pessoas e só pioram as coisas. Como elas têm pouca *awareness* de causa e efeito, empenham-se ainda mais, geralmente acelerando os comportamentos, mas os esforços são inúteis e a vida fica longe de ser satisfatória. Quando adquirem mais autossuporte por meio de um senso de *self* mais forte, os comportamentos malsucedidos são abandonados e substituídos por maneiras mais satisfatórias e efetivas de contato com o mundo.

Quase todas as crianças resistem — se protegem — em algum grau. Se não há nenhuma resistência, sei que o *self* dessa criança é tão frágil que ela precisa fazer tudo que lhe dizem a fim de sentir que consegue sobreviver. Quero ajudar essa criança a se fortalecer, de forma que possa sentir alguma resistência, ter suporte suficiente para parar e considerar.

A resistência é aliada da criança; é o jeito de ela cuidar de si mesma. Espero resistência e respeito essa resistência. Fico mais surpresa quando ela não aparece do que quando está lá. Em algumas situações, articulo para a criança: "Sei que provavelmente você não quer fazer esse desenho, mas quero que desenhe assim mesmo. O que quer que faça, não quero que faça o seu melhor. Não temos tempo para isso". Quero ajudar a criança a amolecer um pouco e atravessar a resistência em algum grau por algum tempo. O próprio fato de eu aceitar sua resistência muitas vezes a ajuda a enfrentar o risco de fazer algo novo.

Quando a criança começa a sentir-se segura em nossas sessões, ela abandona a resistência por um tempo. No entanto, quando ela experimentou ou revelou tanto quanto suporta, tanto quanto tem suporte interno para aguentar, a resistência retorna. Dessa maneira, a resistência emerge muitas e muitas vezes, e em todas deve ser respeitada. Não podemos forçar a criança a ir além de suas capacidades. A resistência também é um sinal de que, além desse lugar de defesa, tem material extremamente significante a ser explorado e trabalhado. A criança sabe, em algum nível intuitivo, visceral, quando é capaz de lidar com esse material, e aprendi a confiar nesse processo. Quando trabalhamos com atividades de autoexpressão e expressão emocional, as questões emergem repetidamente. O trabalho terapêutico com a criança é feito em pequenos segmentos.

Vejo a resistência como uma manifestação de energia, bem como uma indicação do nível de contato da criança. Quando ela se envolve comigo ou com alguma atividade ou técnica, é possível que haja de repente uma perceptível queda de energia, e o contato é transferido de mim ou da tarefa em questão. Muitas vezes consigo ver essa manifestação antes que a própria criança a perceba, observando sua resposta corporal ao momento. Posso dizer: "Vamos parar isso por enquanto e jogar um jogo", para grande alívio da criança (evidente no corpo). Ela está de novo em contato comigo. Algumas crianças mostram sua resistência de maneira passiva; isto é, ignoram, agem de um jeito distraído, parecem não ouvir o que eu digo — ou começam, sem resposta, a fazer algo diferente do que sugeri. Se essa criança finalmente chega a um ponto em que diz claramente "Não, eu não quero fazer isso", eu logo reforço essa declaração direta, repleta de contato, respeitando-a no mesmo instante.

SENTIDOS

Para melhorar a sensação tátil, posso incentivar a criança a pintar com os dedos ou trabalhar com argila, usando muita água. Também usamos a caixa de areia e deslizamos as mãos pela areia enquanto conversamos. Levo uma variedade de texturas para tocar e comparar, ou examinamos várias texturas no consultório. Ouvimos os sons dentro e fora do consultório, ou os sons de música ou percussão. Olhamos flores, cores, fotos, luz, sombra, objetos, um ao outro. Livros sobre educação na primeira infância fornecem muitas ideias de atividades para aperfeiçoar os sentidos, e são eficientes com pessoas de todas as idades. No meu livro *Descobrindo crianças* descrevo como usei o Exercício da Laranja, descrito originalmente em *Human teaching for human learning* [A educação humana para a aprendizagem humana] (Brown, 1972, 1990) para abrir e aprimorar os sentidos. Dei uma laranja a cada criança em um grupo. Lentamente, investigamos cada aspecto da fruta — examinamos, cheiramos, pesamos, sentimos sua temperatura e textura, lambemos. Descascamos a laranja e a examinamos com muito cuidado, mordendo e sentindo seu sabor. Removemos a camada fibrosa e a examinamos. Admiramos a camada brilhante e protetora sobre a fruta e notamos que ela não tinha sabor. Dividimos cada laranja em gomos, pegamos um gomo e, com todo cuidado, nos dedicamos ao procedimento de examiná-lo. Depois trocamos gomos com todos no grupo, descobrindo, com espanto, que cada um era diferente em sabor e textura, mas todos eram deliciosos. Uma menina de 12 anos comentou mais tarde: "Nunca mais consegui comer uma laranja, ou qualquer fruta, como comia antes. Agora realmente a conheço". Essa criança se referia à sua *awareness* aumentada e a suas capacidades sensoriais aguçadas.

Quando as crianças se sentem seguras no meu consultório, em geral retornam e se permitem ter experiências consideradas mais apropriadas para uma criança mais nova. Quando isso acontece, eu comemoro dentro de mim. Crianças que vivem em famílias disfuncionais, ou foram traumatizadas de algum jeito, tendem a crescer depressa demais. Elas pulam muitas etapas importantes do desenvolvimento. Algumas crianças jogam muita água na argila, replicando inconscientemente o ato de brincar com lama. Outras usam água de maneiras muito criativas. Um menino de 12 anos, depois de saber que teria de me ajudar a limpar, insistiu em lavar todas as ferramentas usadas na argila. Expliquei que normalmente não as lavava, mas ele insistiu. Ao vê-lo na pia, me lembrei da minha filha de 3 anos em pé sobre um banquinho na frente da pia, lavando seus pratinhos de brinquedo. O menino não precisava de um banquinho, mas estava tão envolvido na lavagem dos objetos quanto a minha filha esteve. Ele se permitia uma experiência de que precisava: isso era evidente no corpo relaxado e no rosto sorridente.

O CORPO

Nosso foco seguinte é o corpo. Toda emoção tem uma conexão com o corpo. Perceba como o seu reage na próxima vez em que sentir raiva ou alegria. Note a constrição da cabeça quando segura a raiva. Perceba a contração da garganta e do peito quando tenta segurar o choro, o encolhimento dos ombros quando fica ansioso ou com medo. As crianças desenvolvem padrões corporais ainda bem novas, muitas vezes criando nesse período os defeitos de postura que costumamos ver com mais clareza em adolescentes e adultos.

Crianças que têm transtornos restringem o corpo e se desconectam dele. Quero ajudá-las a desbloquear, relaxar, respirar profundamente, conhecer o próprio corpo, sentir orgulho desse corpo, sentir o poder que reside dentro desse corpo. Começamos muitas vezes pela respiração. Crianças e adultos, quando ansiosos e amedrontados, restringem a respiração, isolando-se cada vez mais de si mesmos. Inventamos brincadeiras que impliquem respirar. Fazemos exercícios de respiração. Enchemos balões e os movimentamos soprando para ver quem consegue manter o balão no ar por mais tempo. Fazemos exercícios de meditação e relaxamento envolvendo a respiração. Sopramos bolas de algodão sobre uma mesa para ver quem consegue levar primeiro a sua até o outro lado. Brincamos de fazer barulhos, cantar e gritar. Os adolescentes são particularmente fascinados pelo poder da respiração. Muitas vezes, eles me contam como lembraram de respirar fundo durante provas na escola, imaginando o ar banhando o corpo e a mente, e como isso lhes foi útil. O ganho secundário de sentir poder sobre a própria vida, em vez de sentir-se vítima dela, é incomensurável.

Fazemos muitos exercícios envolvendo o corpo. Dançamos pela sala, jogamos bola, caímos sobre almofadas, lutamos com bastões acolchoados, brincamos de luta. Crianças hiperativas se beneficiam particularmente de experimentos corporais controlados como ioga, ou jogos de movimento físico, quando experimentam controle do corpo com o movimento. Os que molham a cama se beneficiam muito do trabalho corporal, já que, em geral, são muito desconectados do próprio corpo. Encenações criativas, em particular pantomima, são uma tremenda ajuda para as crianças conhecerem seu corpo. Cada movimento deve ser exagerado para transmitir a ideia. Fazemos inúmeras brincadeiras envolvendo mímica.

Não passamos necessariamente uma sessão inteira fazendo atividades sensoriais, corporais e de respiração. Se me parece indicado, sugiro uma atividade que a criança pode ou não se dispor a fazer. Muito depende do meu entusiasmo e da minha disponibilidade para me envolver nessas atividades com a criança, bem como de minha habilidade ao apresentá-las. Passamos cinco minutos ou uma sessão inteira nessas atividades. Talvez tenhamos que negociar e nos comprometer, passar parte do tempo fazendo o que a criança quer e parte do tempo fazendo o que eu sugiro. Uma vez que a criança se permite estar envolvida nessas experiências, geralmente gosta muito delas. Terapia com crianças é como dançar: às vezes eu conduzo, às vezes a criança conduz.

FORTALECER O *SELF*

Ajudar a criança a desenvolver um forte senso de *self* é um importante pré-requisito para ajudá-la a expressar emoções suprimidas. Além disso, ela começa a ter um sentimento de bem-estar e uma sensação positiva em relação a si mesma. Quero lembrar que essas etapas relacionadas nesta discussão do processo terapêutico não são todas consecutivas. Progredimos e recuamos conforme a necessidade. Podemos estar focados no trabalho sensorial e, enquanto a criança está apreciando a sensação tátil da argila molhada, por exemplo, junto com a experiência cinestésica inerente ao trabalho com cerâmica, experimenta um senso de *self* aumentado. Esse maior sentimento de *self* muitas vezes evoca espontaneamente a expressão emocional.

Fortalecer o *self* implica, além de experiências sensoriais e corporais:

» definir o *self*;
» fazer escolhas;
» experimentar autonomia;
» reconhecer projeções;
» o estabelecimento de fronteiras e limites;
» ter a capacidade de brincar e de usar a imaginação;
» experimentar poder e controle;
» entrar em contato com a própria energia agressiva.

Definir o *self*

Para fortalecer o *self* é preciso conhecê-lo. Muitas experiências são proporcionadas para ajudar as crianças a fazerem afirmações do *self*. A criança é incentivada a falar sobre si mesma por meio de desenho, colagem, argila, bonecos, encenação criativa, música, metáforas, sonhos — qualquer técnica que a ajude a focar em si mesma. "Isso é quem eu sou" e "Isso é quem eu não sou" é o que a criança está aprendendo e integrando à sua *awareness*. Eu faço listas, que a criança dita para mim, de comidas de que ela gosta e comidas que odeia, coisas de que não gosta na escola e de que gosta, se houver. A criança faz um desenho de todas as coisas que deseja, ou do que a deixa feliz, ou triste, ou com raiva, ou com medo, ou de todas as coisas que gosta de fazer. Ou eu lhe peço que faça estátuas ou figuras abstratas de argila para representar a si mesma quando se sente bem ou mal. Respeitar os pensamentos, opiniões, ideias e sugestões da criança é um aspecto importante do fortalecimento do *self*. Às vezes, com adolescentes, uso um livro de astrologia, ou o manual depois de aplicar um teste projetivo. Leio várias frases relacionadas ao seu signo, ou a interpretação do manual para o teste que ele fez, e então pergunto: "Isso combina com você?" Toda vez que a criança consegue dizer "sim, isso é quem eu sou", ou "não, eu não sou assim", ou até "bem, às vezes sou assim, às vezes não sou", está estabelecendo mais de quem ela é. Quanto mais a criança é assistida para se definir, mais forte o *self* se torna e mais oportunidades há para o crescimento saudável.

Escolhas

Dar à criança várias oportunidades para fazer escolhas é outro jeito de prover força interior. Muitas crianças temem fazer até as menores escolhas por medo de escolher errado. Ofereço tantas escolhas não ameaçadoras quantas forem possíveis: "Quer se sentar no sofá ou na mesa? Quer marcadores ou giz pastel?" Mais tarde, as escolhas se tornam um pouco mais complicadas: "Que tamanho de papel você quer?" (três opções) "O que você quer fazer hoje?" Uma resposta típica é "não sei", ou "tanto faz", ou "o que você quiser que eu faça". Sorrio e insisto pacientemente para que eles façam a escolha, a menos, é claro, que veja que é doloroso demais escolher nesse momento. Incentivo os pais a darem aos filhos a oportunidade de fazer escolhas sempre que possível.

Autonomia

Crianças que vivem em famílias disfuncionais, famílias alcoólatras, que foram abusadas, negligenciadas ou molestadas muitas vezes crescem depressa demais e pulam várias experiências de autonomia que são vitais para o desenvolvimento saudável. Em alguns casos, os pais fazem demais pela criança, frustrando sua necessidade de esforço; em outros, os pais são tão rígidos que não permitem que a criança explore e experimente. Alguns pais acreditam que a frustração melhora o poder de permanência. Crianças NUNCA aprendem a realizar tarefas por meio de frustração. Existe uma linha fina entre esforço e frustração, e é importante ser sensível a isso. O bebê se esforça para colocar a caixa menor dentro da maior, mas quando fica frustrado, começa a chorar. A criança mais velha perde energia — corta o contato. As experiências de autonomia aparecem em muitas formas. Algumas são planejadas, como propor um novo jogo e tentar entendê-lo juntos, construir uma estrutura de peças de Lego ou bloquinhos de construção, ou montar um quebra-cabeça. Quando começam a se sentir seguras com o terapeuta, algumas crianças criam as próprias experiências, como jogar água na argila ou lavar, com grande concentração, as ferramentas usadas para moldar o material. Experiências desse tipo estão intimamente relacionadas à regressão. A própria criança cria oportunidades para reviver o tipo de experiência que perdeu, ou da qual precisava mais. Uma menina de 14 anos notou uma caixa registradora de brinquedo com dinheiro de brinquedo e decidiu que íamos brincar de loja. Ela pôs objetos sobre a mesa, colou folhas de ***post-it*** neles com o preço e anunciou, animada, que era a dona da loja e eu seria a cliente. Foi uma verdadeira regressão para aquela menina dura, esperta, o que revelou que se sentia segura o bastante comigo para isso. Quando foi embora, ela sussurrou: "Não conta pra ninguém que fizemos isso!"

É claro, crianças que usam muitas das técnicas projetivas experimentam autonomia não porque eu diga "Esse é um belo desenho, ou uma maravilhosa cena na areia", e sim por sua própria satisfação intrínseca. Eu recomendo aos pais que evitem declarações gerais exageradas, como "Esse é um lindo desenho" ou "Você é um gênio musical". As crianças costumam transformar essas afirmações em introjetos negativos. É mais eficiente usar afirmações que comecem com "Eu", como "Eu gosto das cores desse desenho" ou "Eu gosto de como você limpou seu quarto".

Projeções

Muitas das técnicas que usamos são de natureza projetiva. Quando a criança cria uma cena na caixa de areia, faz um desenho ou conta uma história, ela está acessando a própria individualidade e experiência. Muitas vezes, essas expressões são representações metafóricas da vida dela. Quando a criança consegue reconhecer aspectos dessas projeções, está fazendo uma afirmação sobre si mesma e sobre seu processo na vida. Sua *awareness* de si mesma e suas fronteiras se intensificam. Quando a criança descreve seu lugar seguro desenhando para mim, sente-se ouvida e respeitada enquanto eu escuto com atenção. Quando lhe peço que faça uma declaração sobre esse lugar, algo que eu possa escrever em seu desenho, ela se sente ainda mais validada. Quando relacionamos essa declaração à sua vida atual, ela começa a sentir o próprio significado no mundo. Um menino de 14 anos desenha uma caverna de gelo como seu lugar seguro, e escrevo o que ele dita: "Estou andando pela minha caverna de gelo e pensando". Pergunto em que ele está pensando. "Estou pensando em tudo, na escola, na minha vida". Pergunto se tem mais alguém lá. "Não, ninguém sabe chegar aqui, eu sou o único que conhece o caminho para chegar e sair daqui." Pergunto como esse lugar se relaciona com a realidade da vida dele. "Preciso de um lugar assim. É difícil pensar em alguma coisa quando meu irmão está por perto." (Ele é um gêmeo idêntico!) O menino amplia um pouco essa situação e faz um desenho que representa como ele se sente quando o irmão está por perto — um emaranhado de linhas de cores escuras. Ele admite que não sabe como se sentir livre sem encontrar uma caverna de gelo onde se esconder. Demos um passo à frente para ajudar esse menino a se encontrar e se reconhecer.

Fronteiras e limites

A boa parentalidade implica estabelecer limites claros apropriados para a faixa etária da criança, de forma que ela possa conhecer, experimentar e testar suas fronteiras. Quando uma fronteira não está disponível, a criança tende a sentir-se ansiosa e a se debater em busca dessa fronteira. Seu senso de *self* se torna amorfo. Os pais precisam saber quando é apropriado ampliar as fronteiras para que a criança, em cada estágio de seu desenvolvimento, possa encontrar novas áreas de exploração. Em nossas sessões, meus limites e fronteiras são claros. Começamos na hora determinada; terminamos na hora determinada. Não atendo ao telefone — na verdade, elas percebem que geralmente o desligo. Minha mesa não é acessível para elas, e não respingamos tinta pela sala. No fim de cada sessão, a criança me ajuda com a limpeza (exceto com as cenas na caixa de areia). O encerramento da sessão fica claro com essa atividade. Não articulo essas "regras"; elas são abordadas naturalmente à medida que aparecem. Acredito que meu respeito por mim e por meus limites liberta as crianças para se conhecerem melhor. Além disso, conheço meus limites de outro jeito — sei, e às vezes aprendo no processo, o que posso ou não posso fazer. Se estou me recuperando de uma gripe, não vou brincar de luta com uma criança, por exemplo. Se, em uma brincadeira, sou solicitada a pular cem vezes, informo a criança quando chego ao meu limite. Também posso respeitar a necessidade da criança de limitar-se, às vezes, e preciso estar atenta às minhas expectativas irreais.

Brincadeira, imaginação e humor

Crianças pequenas naturalmente têm maior propensão para brincadeiras e imaginação e amam rir de coisas engraçadas. Ainda não se restringiram ou inibiram. A brincadeira imaginativa é parte integral do desenvolvimento da criança. Muitas vezes, esses recursos naturais são sufocados na criança que foi traumatizada de algum jeito. Oferecer muitas oportunidades para a brincadeira imaginativa é um componente necessário da terapia com crianças e serve para libertar e fortalecer o *self*. O terapeuta precisa saber como brincar com a criança. Se essa qualidade de vida foi obscurecida ou perdida, o terapeuta deve encontrar um jeito de recuperar esse comportamento alegre. Felizmente, nunca perdi a capacidade de brincar, e esse atributo me foi útil com meus filhos e com as muitas crianças com quem trabalhei. Embora a vida adulta ofereça poucas oportunidades para a brincadeira e a imaginação, tenho a grande sorte de ter encontrado minhas próprias vias para essas expressões. Muitos pais têm dificuldade para se permitir brincar alegremente com os filhos. Quando sei disso, passamos algum tempo no consultório apenas brincando. Posso ser um bom modelo para essa atividade.

Poder e controle

Quando as crianças começam a confiar em mim e se sentem à vontade no meu consultório, elas passam a dominar as sessões. Para mim, esse passo é uma das partes mais empolgantes da terapia. Quando vejo isso acontecer, sei que estamos fazendo progresso. As crianças com quem trabalho (e a maioria das crianças, na verdade) não têm poder sobre a própria vida. Elas brigam pelo controle, se envolvem em disputas de poder, mas sentem uma terrível falta dele. O tipo de controle que acontece nas sessões não se assemelha à luta por poder — é uma interação com pleno contato, mas na qual a criança, na brincadeira (e a criança sempre sabe que é brincadeira), tem a experiência do controle. Essa é uma das ações mais autoafirmadoras que acontecem em nossas sessões. Aqui vai um exemplo com um pouquinho da história da criança. (No trabalho com a criança, é essencial que eu conheça sua "história" — a vida de onde ela vem, a vida em que está agora. Sem essa compreensão do campo da criança, a experiência perde conexão e substância.)

Joey foi encontrado em um carro abandonado quando tinha 5 anos. Estava amarrado ao banco com cordas, e concluiu-se que ele era amarrado com frequência e impedido de se movimentar muito, já que seu corpo tinha sinais de ferimentos por cordas, e os músculos eram bem atrofiados. Ele estava perto da morte quando foi encontrado. Depois de um tempo no hospital e dois lares provisórios, foi adotado. (Os pais biológicos nunca foram encontrados.) Os pais adotivos o levaram para a terapia quando ele tinha 10 anos por causa do comportamento extremamente hiperativo (apesar da medicação) e de episódios graves de raiva explosiva e destrutiva.

Joey passou as quatro primeiras sessões correndo em volta da sala, pegando coisas e as jogando no chão. Nessas sessões, meu foco era estabelecer uma relação e ajudá-lo a sustentar contato comigo ou com alguma coisa na sala, e por isso tentei me juntar a ele, correndo com ele, pegando o objeto que ele jogava, fazendo um comentário breve sobre ele e correndo atrás dele para o próximo objeto. Notei que na segunda sessão, quando fiz meu comentário, ele parou por um segundo, e na quarta sessão tinha reduzido o ritmo consideravelmente e estava respondendo e interagindo comigo. O relacionamento floresceu e participamos juntos de várias atividades sensoriais, de melhoria de contato. Os instrumentos musicais eram os grandes preferidos de Joey, e passávamos algum tempo nos comunicando sem palavras, por intermédio de tambores e outros instrumentos de percussão. Ele passou uma sessão inteira olhando através de um caleidoscópio, descobrindo desenhos interessantes, me convidando a olhar para eles e esperando eu encontrar alguma coisa para a qual ele pudesse olhar. (Um episódio de pleno contato por excelência.) De repente tudo mudou, e ele começou a assumir o controle das sessões de um jeito novo. Via um par de algemas e criava o cenário para uma encenação. "Você é um ladrão e eu sou o policial. Você rouba esta carteira (uma carteira velha que ele encontrou na estante) e eu vou atrás de você e te pego." Brincamos assim, animados, com Joey dando várias direções novas. Claramente, ele estava no comando. Na segunda sessão, quando criamos o cenário, ele disse: "Eu queria ter corda para te amarrar". Levei a corda na sessão seguinte e ele me amarrou alegremente. Uma ou duas vezes, saí do meu papel para lhe dizer que a corda estava apertada demais, e ele a afrouxou depressa. Representamos essa cena — eu roubando a carteira, ele me perseguindo e me agarrando, colocando as algemas em mim e me amarrando — em várias sessões. Joey adicionava diversos elementos e novos diálogos a cada sessão. Quando se cansou desse jogo, decidiu brincar de "sala do diretor". Cercou-se de um grampeador, um telefone de brinquedo e vários itens de escritório. Disse que eu seria a terapeuta no meu consultório, e que o chamava para dar conselhos sobre várias crianças na escola. Ele também adorou essa brincadeira, e a repetimos em várias sessões. Durante esse período, a mãe contou que ele estava transformado — feliz, calmo, não mais destrutivo.

Começamos a trabalhar vários outros aspectos do processo terapêutico entre outras cenas de teatro inventadas por Joey, participando de atividades que lhe permitiam definir a si mesmo e focavam na expressão das emoções, em particular a raiva. Ele era muito responsivo, e várias vezes me aconselhou, quando brincamos de sala do diretor, a dizer à minha criança problemática (normalmente, um grande urso de pelúcia) que desenhasse seus sentimentos de raiva, além de outras atividades que ele mesmo havia tentado. Estive com Joey semanalmente durante um ano e meio, incluindo os pais em várias sessões. Em nossa última sessão, Joey trouxe uma fita cassete com músicas de que gostava e, a pedido dele, dançamos durante toda a sessão, com grande desembaraço e rindo muito!

É tentador interpretar a dramatização de Joey — a maior parte dela é óbvia. As palavras interpretativas parecem superficiais se comparadas à profundidade da experiência dele. Uma nota final sobre Joey: ele perguntou à mãe por que ia me ver. Ela respondeu: "Quando você era pequeno, nunca teve uma chance de brincar. Violet está te dando essa chance agora".

Energia agressiva

A expressão "energia agressiva" ofende algumas pessoas, porque as faz pensar em comportamento hostil e destrutivo. Uma das definições dadas em meu dicionário para a palavra "agressiva" é "marcada por forte energia propulsora ou iniciativa". É a energia de que se necessita para expressar um sentimento forte. É uma energia que dá ao indivíduo uma sensação de poder e provê o autossuporte necessário para agir. As crianças ficam confusas com esse tipo de energia; equivalem-na a problemas para si mesmas. Crianças que são medrosas, tímidas, retraídas e parecem ter um *self* frágil carecem, obviamente, de energia agressiva. Crianças que batem, agridem, têm declaradas disputas de poder e agem de maneira "agressiva" de modo geral também carecem desse tipo de energia. Estão agindo além de suas fronteiras, e não de um lugar sólido dentro de si mesmas.

Ofereço muitas oportunidades para a criança experimentar energia agressiva e sentir-se confortável com ela. O autossuporte que ela ganha com essas atividades é pré-requisito para a expressão de emoções suprimidas. A criança que foi traumatizada precisa de ajuda para expressar emoções suprimidas a fim de trabalhar esse trauma, seja ele doença, a morte de uma pessoa amada, a perda de um animal de estimação, um divórcio, abuso, testemunhar violência ou ser molestada. Como, para a criança, tudo gira em torno dela (isso é parte de seu processo normal de desenvolvimento), quando enfrenta um trauma, ela se sente responsável e se culpa por ele. Culpar-se diminui drasticamente o *self* e torna muito difícil para a criança expressar as emoções que precisam ser expressadas para promover a cura. Além disso, ela assume vários introjetos negativos, crenças defeituosas a seu respeito. Essas mensagens negativas fragmentam a criança, inibem o crescimento saudável e a integração e são as raízes de sua atitude autodepreciativa, da baixa autoestima e dos sentimentos de vergonha. Um ponto de partida para reverter esse processo desanimador é ajudá-la a desenvolver um forte senso de *self*, o que proporciona uma sensação de bem-estar e um sentimento positivo de *self*. As atividades de autossuporte são essenciais para essa tarefa.

Para que sejam eficientes, as atividades de energia agressiva têm vários requisitos. Primeiro, devem acontecer em contato com o terapeuta. Se a criança se dedica a essas experiências sozinha em casa, ou sob o olhar passivo do terapeuta, o impacto não é o mesmo de quando o terapeuta se envolve ativamente com ela. Esse envolvimento é necessário para que ela se sinta confortável com a força interior da qual talvez tenha medo. Em segundo lugar, essas atividades acontecem em um ambiente seguro. A criança sabe que o terapeuta está no comando e não vai permitir que nenhum mal interfira na experiência. Terceiro, há um clima de diversão e brincadeira na interação. Quarto, a encenação é exagerada. Como a criança evitou esse tipo de energia (por retroflexão ou deflexão), ela precisa ir além do ponto central antes de poder voltar ao equilíbrio.

As atividades de energia agressiva envolvem amassar argila, atirar dardos, tocar tambor, bater carrinhos ou bonecos, bichos comendo uns aos outros, lutar com bastões acolchoados e assim por diante. Essas são algumas brincadeiras que promovem esse tipo de energia, mas infelizmente não há muitas. Dois jogos que tenho e têm excelente energia agressiva, mas não são mais fabricados, são Hawaiian Punch [apresentado na p. 59] e Whack Attack. Um jogo chamado Splat, no qual insetos de massinha são esmagados, chega perto deles. Don't Break the Ice é um jogo adequado para crianças que têm medo de demonstrar essa energia de início. Bater no "gelo" com uma marretinha é bem brando. Quero enfatizar de novo que a experiência da energia agressiva em um contexto terapêutico requer o envolvimento do terapeuta com a criança.

Janine tinha 10 anos quando sofreu um grande trauma que incluiu abuso físico e sexual e abandono. Ela havia passado por várias casas de acolhimento e lares provisórios, e finalmente foi adotada por uma família. Seu processo era ser tão boa quanto podia e sorrir o tempo todo. Antes que eu pudesse começar a ajudá-la a expressar externamente sua variedade de sentimentos, inclusive raiva e tristeza, sabia que ela teria de adquirir um forte senso de *self* e sentir sua energia agressiva. O ponto de transformação aconteceu com os fantoches. Um dia, lhe pedi que pegasse um deles e, estranhamente, ela pegou um jacaré com uma grande boca (sua escolha habitual seria um gatinho ou coelhinho). Peguei outro jacaré e disse: "Oi. Você tem a boca grande e muitos dentes. Aposto que vai me morder". "Ah, não!", respondeu o boneco de Janine. "Sou seu amigo. Podemos brincar juntos." "Ah, é?", retruquei, e aproximei um pouco o meu jacaré da boca do dela. "Sei que vai me morder." Janine recuou seu jacaré quando aproximei o meu, mas logo o coloquei diretamente na boca do boneco que ela manipulava. Quase involuntariamente, o jacaré de Janine fechou um pouco a boca em torno do meu fantoche. "Ai! Ai! Você me mordeu!!!", gritei, enquanto meu jacaré caía no chão de um jeito dramático. "Faz isso de novo! Faz isso de novo!", Janine gritou. E fizemos muitas vezes, incluindo outros bichinhos "maus", como um tubarão e um lobo para que ela mordesse. Em pouco tempo, Janine estava mordendo meus vários fantoches com muita força, e meu fantoche e o dela se envolviam em uma grande luta antes de o meu cair no chão. No fim dessa sessão, Janine exibia um largo sorriso (em vez do habitual sorriso forçado), mantinha-se ereta e saiu com movimentos vigorosos. Nas sessões seguintes, começamos a lidar com sucesso com suas emoções suprimidas.

Danny, 8 anos, foi testemunha de violência doméstica até que a mãe dele fugiu, levando-o consigo e deixando para trás tudo que ele conhecia, inclusive o pai. Danny parecia ter dificuldades para se adaptar ao novo ambiente: era disruptivo na escola, praticava *bullying* com outras crianças e abusava física e verbalmente da mãe. No meu consultório, ele ficava apavorado com quaisquer atividades de energia agressiva. Recusava-se a lutar comigo com os bastões acolchoados e exigia que eu parasse e desistisse se meu boneco falasse com ele de um jeito agressivo.

Quando se sentiu mais seguro e confortável comigo, Danny começou a sugerir algumas ações mais enérgicas. Depois de um tempo, ele mesmo iniciava jogos de ataque comigo envolvendo bonecos do He-Man, atirar no alvo com uma pistola de dardos de borracha e outros jogos semelhantes. Ao mesmo tempo, seu comportamento na escola e em casa melhorou drasticamente.

Muitos terapeutas alegam que crianças que testemunharam violência, sobretudo em casa, não deveriam ser apresentadas a brincadeiras "violentas" no consultório do terapeuta. Essas crianças são particularmente contidas e isoladas de si mesmas. Culpam-se pelo caos e pela ruptura da família. Sentem-se culpadas se ficam com raiva por terem de sair de casa, ou tristes por deixarem o pai. Ao mesmo tempo, querem proteger a mãe. São tão confusas que o único recurso é conter-se e sufocar as emoções. Como ocorreu com Danny, o organismo, em sua busca de saúde, rompe as fronteiras com comportamento agressivo inaceitável. Acredito que essas crianças precisam de oportunidades para encontrar o poder dentro de si a fim de se libertar das restrições que inibem sua capacidade de aceitar e expressar emoções variadas, e viver com liberdade e alegria.

EXPRESSÃO EMOCIONAL

Ajudar crianças a libertar emoções suprimidas e aprender maneiras saudáveis de expressar suas emoções na vida diária não é tarefa simples. Uma variedade de técnicas criativas, expressivas e projetivas auxiliam nesse trabalho. Entre elas estão desenhos, colagem, argila, fantasia e imaginário, dramatização criativa, música, movimento, contação de histórias, a caixa de areia, fotografia, uso de metáforas e uma variedade de brincadeiras. Muitas dessas técnicas foram usadas durante centenas de anos por pessoas em todas as culturas para se comunicar e expressar. É possível dizer que estamos devolvendo às crianças modos de expressão que são inerentemente delas. Essas modalidades se prestam a poderosas projeções que evocam sentimentos fortes. Tudo que a criança cria é uma projeção de alguma coisa dentro dela ou, no mínimo, alguma coisa que a interessa. Então, se a criança conta uma história, tenha certeza de que há, nessa história, material que reflete sua vida ou quem ela é, e expressa alguma necessidade, desejo, carência ou sentimento que ela tem.

Se a criança cria uma cena na caixa de areia com as variadas miniaturas expostas nas prateleiras, o simples ato de projetar esse material simbólico é, em si mesmo, terapêutico. Alguma coisa de dentro dela foi expressada. Se ela conta uma história sobre essa cena, ainda mais de si é expressado, talvez em outro nível. Se a criança consegue reconhecer vários aspectos da cena, a integração acontece muito mais depressa.

Por exemplo, Jimmy tem 7 anos e está muito absorto na criação de uma cena na caixa de areia. Enquanto o observo, consigo ver que toda sua energia é dedicada à atividade. Ele está plenamente presente e em completo contato com a tarefa. Não interrompo nem falo, a menos que ele me peça para ajudá-lo a encontrar determinado objeto. Olho para o relógio para dar um ritmo à sessão e garantir que ele faça algum tipo de encerramento antes de nosso tempo terminar. Posso dizer: "Você precisa terminar agora", (embora a maioria das crianças anuncie "terminei" com muito tempo de sobra). Se não temos tempo para conversar sobre a cena, tudo bem. Posso ver, por seu nível de energia, que o que está fazendo é muito importante para ele e precisa ser concluído. Agora Jimmy olha para mim e diz que terminou. Faltam dez minutos para o fim da sessão. Ele diz: "Isso é o melhor que já fiz!" Jimmy, que adora criar cenas na caixa de areia, diz isso cada vez que faz uma, revelando sua satisfação e prazer. Ele descreve a cena para mim. Há vários bonecos de monstros em encontros conflituosos. Há uma caverna com alguns cristais. Há muitas, muitas árvores e, escondida entre elas, uma lagartinha verde. Jimmy olha para a cena e explica o que faz sentido para ele. (A maioria das crianças olha para as cenas que cria e tenta dar algum sentido a elas, uma parte importante do processo integrativo. As crianças sempre tentam dar sentido ao que acontece em sua vida, e na maior parte do tempo se sentem frustradas e confusas. Precisam sentir a satisfação e o poder de dar sentido às próprias criações, pelo menos.) Jimmy diz que os monstros estão brigando, que ele pôs muitas árvores porque gosta muito de árvores e que nem sempre é possível ver o que tem embaixo delas, como a lagarta escondida. Pergunto por que os monstros estão brigando, e ele responde que não sabe, mas que talvez seja para pegar o tesouro na caverna. "Nenhum deles vai pegar o tesouro, porque estão muito ocupados brigando. Mas a lagarta está segura, porque os monstros não a veem." (Ele agora está desenvolvendo uma história/metáfora.) Pergunto então que boneco ou objeto ele é, e, depois de uma cuidadosa avaliação, ele diz que é a lagarta. (Se tivéssemos mais tempo, eu teria tido uma conversa com a lagarta.) "O que a lagarta tem que faz você querer ser ela?", pergunto. Ele responde sem hesitar: "Ela está escondida e segura". Pergunto, então, com um tom muito suave: "Jimmy, você queria ter um lugar seguro como esse em sua vida?" Ele abaixa a cabeça, olha para os próprios pés e fala baixinho: "Sim. Preciso de um". Depois começa a tagarelar sobre minha câmera polaroide e a foto que vou tirar da cena. Sei que sua resistência emergiu e ele desviou a atenção para outro lugar. O que quer que tenha acontecido, é o bastante para ele nesse momento.

Há muitos níveis terapêuticos nesse trabalho. Jimmy expressou sua vida real de maneira metafórica na cena, algo que nunca teria sido capaz de articular nessa idade. O conflito, o perigo, a bondade e a esperança inacessíveis, o sentimento de ser pequeno e impotente, a necessidade de estar seguro e escondido, seus medos e sua raiva. É claro que essas são minhas interpretações, embora provavelmente bem precisas, uma vez que conheço Jimmy e a vida dele. Mas minhas interpretações não são terapêuticas. O que é curador é Jimmy expressar o que precisava expressar em sua cena — entendida por ele talvez em um nível intuitivo muito profundo, o sentimento de segurança em meu consultório, a relação calma que desenvolvemos, o fato de ele sentir-se aceito e respeitado por mim, o conhecimento de que há limites e fronteiras que eu estabeleço e pelos quais me responsabilizo (como o tempo, por exemplo) e seu sentimento de controle e poder dentro desses limites para fazer o que precisava fazer sem interrupção. O que também é terapêutico é nossa interação em relação a essa cena, meu interesse por ela e como a aceito como um trabalho sério. Faço perguntas, mas não pressiono por mais do que ele vai me dar. Para mim, o aspecto mais terapêutico dessa sessão foi a declaração de Jimmy sobre precisar de um lugar seguro. Sua expressão, que emergiu do fundo dele, é agora solo fértil para explorarmos mais tarde, não mais um sentimento escondido bloqueando o funcionamento organísmico saudável. A resistência que surgiu, evidenciada quando Jimmy mudou de assunto, me disse que ele chegou ao limite nesse trabalho e que não tinha suporte suficiente para ir além disso. O tempo também pode ter contribuído para essa resistência, uma vez que ele sabia que o nosso estava acabando. De certa forma, ele entrou em contato com a realidade.

Muitas vezes, quando o tempo acaba, preciso ajudar a criança a entrar em contato com a realidade fazendo perguntas superficiais, como: "O que você acha que vai comer no jantar hoje?" É essencial ajudar a criança a voltar à terra se ela ficar muito empolgada e agitada durante a sessão.

Ajudar a criança a expressar emoções muitas vezes tem uma sequência própria. Há ocasiões em que as crianças enterraram tão fundo seus sentimentos que estão completamente desconectadas de todo o conceito. Então, quando isso fica evidente, começamos a falar SOBRE sentimentos. O que são sentimentos? Exploramos, no nível cognitivo, todos os aspectos da raiva, da tristeza, do medo, da alegria. É possível sentir uma leve irritação, por exemplo, ou, no outro extremo do espectro, uma raiva que cega. E há estados do corpo que muitas vezes rotulamos como sentimentos, como frustração, tédio, confusão, ansiedade, impaciência, solidão. Examinamos esses estados também. Olhamos imagens, brincamos, fazemos caretas, movemos o corpo ao som de tambores, dramatizamos vários sentimentos, usamos bonecos, desenhamos, usamos argila, fazemos listas, contamos histórias, lemos histórias — tudo relacionado a sentimentos e estados do corpo. A linguagem também desempenha papel importante. Quando as crianças crescem e dominam a linguagem, são muito mais capazes de perceber e expressar as nuances de seus sentimentos de maneira mais satisfatória.

Uma menina de 8 anos que havia sido sofrido grave abuso físico por parte do pai não conseguia expressar sentimento algum. Era como se ela não tivesse o entendimento do que eram sentimentos. Fizemos um jogo chamado O Jogo da Cara Feliz, e ela ficou desorientada. O jogo consiste em cartas com várias carinhas; independentemente da carta que pegava, ela dizia a mesma coisa: "Fico feliz quando é meu aniversário. Fico brava quando é meu aniversário. Fico triste quando é meu aniversário". Embora ouvisse minhas afirmações com algum interesse quando eu pegava uma carta, ela insistia nas declarações sobre seu aniversário. Fizemos muitos jogos sobre sentimentos, como esse mencionado acima. Um dia estávamos brincando de escolinha, a pedido dela, e ela, no papel de professora, me pediu que escrevesse alguma coisa que me deixava triste, com raiva e feliz. Enquanto atendia ao pedido, notei que ela também escrevia as próprias frases com giz na lousa presa à parede. Ela escreveu: "Estou triste porque minha gata fugiu e não sei onde ela está. Estou com raiva porque minha mãe não me deixou ver TV ontem à noite. Estou feliz porque meu pai agora não me bate".

As crianças nem sempre passam de falar sobre sentimentos a expressar os próprios sentimentos. Usamos projeções como um fórum para expressão.

Os desenhos, as histórias, as cenas na caixa de areia são repletos de material ao qual recorremos para ajudar a criança com seus sentimentos. Por exemplo, Terri, uma menina de 13 anos, desenhou uma serpente em um deserto depois de um exercício de fantasia. Pedi a ela que fosse a cobra e descrevesse sua existência como cobra. Naturalmente, houve alguma resistência à minha solicitação. Eu disse: "Sei que é maluco, mas diga apenas 'sou uma cobra'. Imagine que a cobra é um dos bonecos e você precisa falar por ela, dar voz a ela". Então ela disse: "Sou uma cobra" (revirando os olhos). Imediatamente, comecei um diálogo com a cobra, fazendo perguntas como "Onde você mora?", "O que faz o dia todo?" e assim por diante. Finalmente, perguntei: "Como é estar no deserto sozinha, cobra?" Depois de uma pausa, ela respondeu baixinho, de cabeça baixa: "Solitário". A mudança em sua energia, postura corporal e voz me disse que alguma coisa estava acontecendo dentro dela, que ela talvez estivesse se conectando de algum jeito àquela cobra. Então perguntei, num tom muito suave: "Você, como menina, já se sentiu assim?" Terri olhou para mim, e quando olhei em seus olhos, começou a chorar. A partir daí, ela descreveu seus sentimentos de isolamento e desesperança.

Gostaria de enfatizar alguns pontos aqui. Primeiro, é fundamental que eu faça as perguntas importantes de um jeito muito suave, quase casual. Segundo, aprendi que chorar é mortificante para a criança (sobretudo aos 13 anos de idade). Se eu focasse nas lágrimas, como faria com um adulto, provavelmente facilitaria o processo de fechamento. Então, continuei: "Fale sobre sua solidão, Terri", e ela falou. Quando a sessão terminou, Terri desenhou uma silhueta rápida ao lado da cobra. "Aquela cobra sou eu, não é?", disse. Nem todas as crianças se identificam tão prontamente com suas projeções. Com frequência, preciso dizer: "Tem alguma coisa nessa história que combina com você?" ou "Às vezes você sente vontade de atacar alguém, como o leão na sua cena?"

Como as emoções sempre têm uma contraparte física, passamos algum tempo ajudando a criança a se tornar mais consciente de suas reações físicas. Quando as crianças entram em sintonia com o próprio corpo, muitas vezes usam essas respostas como pistas. Por exemplo, Susan, 16 anos, afirmou que nunca sentia raiva. Fizemos uma experiência de fantasia em que lhe pedi que imaginasse alguma coisa que pudesse provocar raiva nela ou em alguém e prestasse atenção ao que sentia no corpo. Ela então fez um desenho de uma nuvem sobre uma cabeça. Chamou de "A nuvem de confusão". Sugeri que ela usasse isso como pista — que sempre que se sentisse confusa, verificasse se estava acontecendo alguma coisa de que não gostava. ("Não gostar" é um eufemismo, uma expressão menos ameaçadora para algumas crianças.) Se conseguisse saber que estava com raiva, ela poderia escolher um jeito apropriado para expressar esse sentimento.

A criança e eu discutimos longamente as várias maneiras possíveis para ela expressar sentimentos de raiva com privacidade, sem criar mais problemas para si mesma. A essa altura, espero tê-los convencido da necessidade do organismo de se livrar dessa energia negativa, em vez de a engolir. Fazemos uma lista dessas atividades e as praticamos no consultório. Alguns dos métodos mais populares incluem rasgar revistas, desenhar um rosto e pular em cima dele, bater em uma almofada específica, gritar em uma almofada, correr ou fazer outra atividade física enquanto se concentra no sentimento de raiva, escrever uma carta (que não será enviada) para o objeto da raiva e assim por diante. É necessário que a criança tenha vias de escape como essas. A expressão direta é o ideal, certamente, mas difícil para todos nós, em especial para as crianças. Quando elas tentam dizer diretamente a um professor ou a um dos pais o que as está deixando com raiva, são, muitas vezes, acusadas de mau comportamento e punidas. Crianças tendem a falar em voz mais alta quando estão com raiva; ainda não aprenderam a arte da diplomacia.

A criança em geral se empenha para evitar lidar com sentimentos profundos — sentimentos que são mantidos escondidos e interferem no desenvolvimento saudável. Ela quase nunca diz: "Hoje eu gostaria de falar sobre o meu pai". Tem tão pouco suporte para lidar com a intensidade e o peso desses sentimentos que os suprime a ponto de realmente ter pouca *awareness* deles. No entanto, seu comportamento e seu processo de vida são muito afetados por esses sentimentos, e ajudá-la a descobri-los e expressá-los é essencial no trabalho terapêutico. John, 11 anos, exibia comportamentos e sintomas que interferiam em sua vida. Suas notas estavam caindo, ele se tornou esquecido e tinha frequentes dores de cabeça e de estômago. Quando perguntei à mãe quando ele começou a ter esses sintomas, ela afirmou vagamente que o quadro se mantinha havia uns dois anos, mas havia piorado nos últimos meses. Quando perguntei se alguma coisa havia acontecido dois anos antes, ela disse que o irmão dele havia morrido, mas que ela sentia que todos tinham lidado muito bem com o luto. Sei que as crianças precisam de muita assistência para enfrentar o luto e são tão boas em sufocar os sentimentos que, normalmente, diz-se que estão progredindo bem. Além disso, sei que mudanças no comportamento e novos sintomas aparecem aos poucos e se aceleram com o passar do tempo. A criança não diz: "Isso não está funcionando para mim. Vou tentar outra coisa". Os comportamentos e sintomas se intensificam e aumentam. Em uma de nossas sessões, pedi a John que fizesse uma escultura de argila do irmão e conversasse com ele. Ele ficou muito agitado e se recusou. Perguntei com gentileza: "Em que está pensando, John?" (Raramente pergunto à criança o que ela está sentindo, já que em geral elas respondem "bem" ou "não sei".) John gritou: "ODEIO aqueles médicos!" Rapidamente, pus uma bola de argila na frente dele e lhe entreguei a marreta de argila. "Dê isso àqueles médicos", falei. John começou a bater na argila com a marreta. Eu me tornei uma espécie de líder de torcida, incentivando-o a continuar. (Esse não é um momento para o terapeuta ficar quieto.) Ele batia com muita energia. "Isso. Mostre para eles. Conte por que está bravo com eles." John começou a gritar: "Odeio vocês! Não me deixaram ver o meu irmão. Eu nunca mais o vi. Odeio vocês". Depois de um tempo, pedi a John que fizesse um boneco do irmão. Ele fez um boneco na cama de hospital. "Se pudesse dizer a ele qualquer coisa, o que diria?" Lágrimas desceram por seu rosto quando ele disse ao irmão quanta falta sentia dele. Houve um período de silêncio enquanto ele olhava intensamente para o irmão de argila. Ele falou baixinho, "Adeus", pegou o boneco e o beijou, o deitou com todo cuidado e me perguntou: "Temos tempo para uma partida de Connect 4?" Passamos mais algumas sessões focados no irmão dele, e seu comportamento mudou drasticamente. Hoje John é um menino feliz, produtivo e bem ajustado.

AUTONUTRIÇÃO

Um passo fundamental no processo terapêutico é o que chamo de trabalho de autonutrição. Em essência, meu objetivo é ajudar as crianças a serem mais receptivas, carinhosas consigo mesmas e se nutrirem ativamente. Essa é uma tarefa difícil, pois elas são criadas com a ideia de que é egoísta e errado cuidar do *self*. Se a criança diz "Sou muito bom nisso", talvez seja acusada de ser exibida. As crianças com quem trabalho introjetaram, assimilaram, engoliram inteiras muitas mensagens falhas sobre si mesmas desde muito novas, num momento em que não tinham maturidade e habilidade cognitiva para discriminar o que se ajustava a elas ou não. Esses introjetos as fazem restringir e inibir aspectos do *self* e interferem no crescimento saudável. Essas mensagens negativas para si mesmas tendem a permanecer com elas por toda a vida, e vêm à tona sobretudo em situações de estresse. As crianças, em seu egocentrismo (que é parte do seu desenvolvimento), se culpam pelos traumas que ocorrem na vida delas. Descubro que, mesmo que os pais mudem sua maneira de se relacionar e se comunicar com os filhos, seu sistema de crenças defeituoso persiste, muitas vezes suprimido, para emergir em tempos de tensão e pressão. Mesmo ainda nova, a criança, especialmente a que tem transtornos, tem um *self* crítico muito bem desenvolvido. Ela desenvolve poderosos introjetos negativos e faz um trabalho melhor que o dos pais ao se criticar. Essa atitude crítica, por vezes bem escondida dos outros, é prejudicial ao crescimento saudável. A criança diz a si mesma que deveria ser boazinha, mas agir de acordo com esse desejo está além de seu poder e sua compreensão. A vontade de "ser melhor" aumenta seu desespero. A autoaceitação de todas as partes do indivíduo, inclusive as mais detestáveis, é um componente vital do desenvolvimento sólido e saudável.

A fragmentação é uma consequência desastrosa da autodepreciação. A integração começa a acontecer quando ajudamos a criança a aprender a aceitar as partes de si que odeia e a entender a função e o propósito dessas partes. Por meio desse processo, as crianças adquirem habilidades para tratar bem a si mesmas.

Esse é um conceito revolucionário para a maioria das crianças, uma vez que, como vimos, elas aprenderam que é egoísta, autocentrado e reprovável tratar-se bem. Vão, então, procurar outras pessoas para fazer esse serviço, e vão se sentir desapontadas quando não acontecer, o que reforça ainda mais o introjeto negativo. Os adolescentes sentem culpa quando fazem coisas boas por si mesmos, o que os debilita, em vez de fortalecer.

A primeira parte do processo de autonutrição envolve desenterrar essas partes detestáveis do *self*. Embora a fragmentação permaneça, a criança tende a identificar-se totalmente com cada parte detestável. Se a mensagem é "sou burro", ela sente que a burrice é sua identidade inteira. Compreender que a parte detestável é só um aspecto dela é, em geral, um conceito novo. Uma vez que uma parte é identificada, podemos pedir à criança para desenhar, esculpir em argila ou encontrar um boneco que represente essa parte. A parte é totalmente descrita, retratada e exagerada. A criança é incentivada a falar com essa parte, e, muitas vezes, declarações críticas e raivosas são dirigidas a esse demônio odioso. Assim, ela coloca sua agressão para fora, em vez de voltá-la para si mesma. Com esse tipo de derramamento de energia, ela ganha autossuporte para o próximo passo, que envolve encontrar um componente nutritivo dentro do *self*. Às vezes a parte detestável torna-se uma criança mais nova, de uns 4 ou 5 anos, idade em que as crianças absorvem muitas mensagens negativas sobre si mesmas. A criança, então, dialoga com esse *self* mais novo. Perceber que a parte é, na verdade, uma crença de quando era muito mais nova a ajuda a desenvolver uma atitude de autonutrição. Às vezes usamos uma técnica projetiva, como um boneco de fada-madrinha que é amorosa, receptiva e cuidadosa com a parte detestável. A criança é então incentivada a repetir as palavras da fada-madrinha para ver qual é a sensação de dizê-las a si mesma. Joseph, 11 anos, expressou muita raiva e repulsa pelo desenho da parte desajeitada de si mesmo, que chamou de "sr. Klutz". O sr. Klutz não conseguia fazer nada direito, caía e tropeçava nas coisas o tempo todo. Como boneco da fada-madrinha, ele disse ao sr. Klutz depois de um tempo: "Pelo menos você tenta!" Joseph olhou para mim surpreso e disse: "É isso mesmo, eu tento fazer as coisas!" Uma parte da integração aconteceu naquele momento bem diante dos meus olhos. Sugeri a Joseph que imaginasse sua fada-madrinha sentada sobre seu ombro cada vez que ele fizesse alguma coisa desajeitada, dizendo que gostava dele mesmo quando ele caía ou tropeçava nas coisas e que estava feliz por ele ter tentado. Joseph relatou em sessões posteriores que realmente não era tão desajeitado quanto costumava pensar.

Lisa, 7 anos, achava que era burra porque teve dificuldade para aprender a ler. Seu boneco de fada-madrinha disse: "Você é boa em matemática, então não é burra como pensa". (Essas foram as palavras projetadas pela própria Lisa.) Lisa foi capaz de dizer essas palavras para o desenho de seu *self* burro, sem usar o boneco, com sinceridade. Mais tarde, ela relatou que estava lendo muito bem.

Zachary, 12 anos, admitiu que, no fundo, se sentia uma pessoa muito má e merecia abuso e abandono. Ele fez um boneco do Zach de 4 anos, idade em que se lembrava de ter levado a primeira surra. Não foi difícil para ele ver que aquele bonequinho de uma criança pequena não merecia aquele tratamento, e ele foi capaz de falar com seu *self* de menino pequeno de um jeito cuidadoso. Pedi a Zachary que encontrasse alguma coisa em casa para representar essa parte dele de criança pequena, um travesseiro, um bicho de pelúcia, uma bola, e conversasse com ela todas as noites antes de dormir, dizendo que era uma criança boa e que não merecia as surras. Eu queria sobretudo que ele dissesse a essa parte que estaria sempre com ela, que nunca a deixaria. Praticamos isso no consultório depois de eu explicar que, apesar de o exercício parecer estranho e esquisito, era extremamente importante que ele seguisse essas orientações. Ele as seguiu, e exibiu uma melhora marcada em sua atitude.

PROCESSO INADEQUADO PERSISTENTE

Em geral, os comportamentos inadequados que levam a criança à terapia diminuem ou desaparecem por completo depois que trabalhamos os vários componentes do processo terapêutico. Depois de vários meses de terapia, Janine passou a confiar nos outros e desenvolveu um forte senso de *self*. Ela começou a expressar suas emoções com clareza; a criança mansa e tímida se transformou em alguém capaz de se posicionar confortavelmente. Joseph, que se apresentou como extremamente hiperativo, não precisava mais se mover de maneira incessante para evitar contato. Ele agora tinha boas habilidades de contato, e era calmo e presente na maioria das situações. Conseguimos focar as emoções mais profundas de raiva e tristeza que existiam dentro dele.

Há ocasiões, no entanto, em que certos comportamentos tendem a persistir, e é nesse momento que me concentro neles. Quando a criança começa a terapia, não confronto os comportamentos. Não digo: "Vamos falar sobre suas brigas". Posso pedir a ela que descreva a experiência de brigar, pinte seus sentimentos durante uma briga ou faça um desenho de uma delas. Mas não discutimos a briga com a intenção de mudar seu comportamento naquele momento. (Porém, confronto o trauma bem antes.) Vejo o comportamento como um sintoma de algo mais profundo. Quando a criança não parece estar mais feliz, mais forte e funcionando bem na vida, preciso antes avaliar meu trabalho cuidadosamente. Se temos uma boa relação, ela é capaz de sustentar contato, tem sido responsiva e demonstrado um processo saudável durante nosso tempo juntas, sei que preciso focar naquele comportamento que ainda está causando preocupação e inquietação.

Como a Gestalt-terapia é uma terapia orientada para o processo, e não focada em conteúdo, ajudar as crianças a se tornarem conscientes de seu processo em particular precede a modificação do comportamento por meio de solução específica do problema, recompensas, sermões ou outros tipos de intervenção. É pela *awareness* e experiência de suas ações que a mudança começa a acontecer. A mudança, nesse contexto, é muitas vezes de natureza paradoxal. Arnold Beisser (1970) afirma: "A mudança ocorre quando o indivíduo se torna o que ele é, e não quando tenta se tornar o que não é". Seguindo esse princípio, vou conceber atividades e experimentos para que a criança se torne *aware* de seu comportamento. São pré-requisitos para esses experimentos os novos sentimentos da criança de autovalor e autossuporte, bem como habilidades para expressar adequadamente esses sentimentos. James, 12 anos, era muito tímido. Ele vivia com uma família grande, caótica, e tinha se perdido nessa atmosfera. Eu trabalhava com a família e com James individualmente, e apesar de ter feito avanços, ele continuava muito tímido com outras crianças. Um grupo de terapia teria sido útil, mas não havia um disponível. Juntos, mergulhamos mais fundo em sua timidez. Ele fez uma escultura de argila representando seu *self* tímido e outra para o *self* que desejava. Descobriu que seu *self* tímido era muito novo, de menino pequeno, e teve diálogos pungentes com ele. Descobriu que tinha uma razão muito boa para ser tímido naquela época, um jeito de funcionar e se proteger. Pensei em um experimento no qual ele se aproximaria de um grupo de crianças na hora do almoço na escola e daria toda atenção aos sentimentos em seu corpo e aos pensamentos em sua cabeça. Esse era um experimento doloroso, mas, com seu senso de *self* recém-desenvolvido, ele concordou em colocá-lo em prática. Na sessão seguinte, desenhou uma imagem de seus sentimentos usando cores diferentes e relacionou seus pensamentos: "Eles não gostam de mim. Não sou bom o bastante". James ficou surpreso ao reconhecer esses pensamentos como mensagens antigas sobre si mesmo. Sugeri outro experimento, que consistia em pegar o pequeno James pela mão (no sentido figurado) e conversar com um menino de sua turma sobre uma tarefa. Falamos sobre rejeição, algo que ele costumava esperar. E, com meu apoio e a ideia de que isso era um experimento, James cumpriu a tarefa com grande sucesso. Outros experimentos como esse e o sucesso de cada um deles o ajudaram a perceber que podia descartar aquele velho *self* tímido.

FIM DA TERAPIA

Muitas vezes me perguntam como sei quando é hora de parar a terapia. Se a criança está indo bem na vida e nosso trabalho adquiriu uma aura de só passarmos um tempo juntos, é hora de parar. Se a criança, que um dia mal podia esperar para vir às sessões, torna-se muito ocupada com sua vida, com amigos e atividades, e diz que não tem tempo para vir, provavelmente é hora de parar. Se a criança está indo bem na vida e nossas sessões ainda são frutíferas, NÃO é hora de parar. Se não acontece mais muita coisa nas nossas sessões e os sintomas persistem em casa, é hora de eu dar uma boa olhada no que estou — ou não — fazendo. Se a resistência surge e persiste, embora eu saiba que há mais trabalho a ser feito, às vezes temos de parar por um tempo. Isso acontece frequentemente com crianças que sofreram trauma severo, em particular molestamento. A criança só consegue trabalhar certos aspectos do trauma no nível de desenvolvimento específico em que se encontra. Se uma criança de 4 anos sofreu algum trauma, ela consegue trabalhar ansiedades e sentimentos relacionados ao trauma, mas só na medida de suas habilidades cognitivas e emocionais de 4 anos de idade. Em vários estágios de sua vida podem aparecer questões relacionadas ao trauma, causando comportamentos inadequados ou provocando sintomas, o que pede mais terapia adequada ao seu nível de desenvolvimento atual. Além disso, as crianças sempre chegam a um platô no trabalho e precisam de tempo para integrar o que foi realizado. Às vezes os pais tiram os filhos da terapia por várias razões, como limitações financeiras, de tempo ou do convênio médico. Quando isso acontece, tenho que respeitar a vontade dos pais e deixar a porta aberta para um trabalho subsequente.

O tempo com a criança em terapia é bem variável; depende de diversos fatores. Às vezes trabalhamos por algumas poucas sessões, às vezes por três ou quatro meses ou um ano letivo, e às vezes por dois anos. Independentemente da duração ou do motivo para parar, o encerramento recebe atenção especial. O encerramento não é algo que se trate sem o devido cuidado — é um aspecto importante do processo terapêutico. De certa forma, a terapia foi o primeiro plano, uma figura vital na vida da criança, e o fechamento dessa *gestalt* permite que ela progrida para um lugar novo. Com necessidades atendidas, novas habilidades adquiridas, novas descobertas feitas, sentimentos bloqueados expressados, há um período de homeostase e satisfação. Isso é o encerramento, e a partir desse lugar a criança consegue crescer e se desenvolver de maneira saudável.

Nossa última sessão pode representar um rito de passagem. Para honrar esse evento, fazemos uma homenagem às nossas sessões. Falamos sobre as várias atividades que aconteceram. A criança e eu olhamos juntas sua pasta como se fosse um álbum de fotos, lembrando os vários desenhos e fotos de cenas da caixa de areia. Dependendo da idade da criança, decidimos o evento final. Fazemos cartões de despedida uma para a outra, ou a criança escolhe um jogo favorito para jogar. Falamos sobre fins e começos. Pedi a adolescentes que criassem uma cena representando nosso tempo juntos, ou os sentimentos que acompanham o fim, ou algo que se destaque para eles de nosso tempo juntos. Algumas crianças fazem desenhos de seus sentimentos mistos: tristeza por partir e felicidade por partir. Esses desenhos aliviam a confusão decorrente de sentimentos opostos. O que fazemos para honrar nosso último encontro é uma decisão conjunta.

PAIS E FAMÍLIAS

O foco deste capítulo foi o processo terapêutico com crianças e adolescentes. Trabalhar com os pais e a família é certamente parte desse processo, embora em um nível diferente. Como regra geral, vejo os pais com a criança a cada quatro ou seis semanas, pelo menos, se estiver atendendo a criança individualmente. Trago outros membros da família, se for necessário, e às vezes recebo a criança e os irmãos sem os pais. Ocasionalmente recebo uma criança sozinha a cada duas semanas, e com a mãe ou os dois pais na semana alternada.

Educar os pais sobre o processo de terapia é essencial. A menos que eles entendam e saibam o que estou fazendo, podem facilmente sabotar o trabalho. Educá-los se torna uma parte vital do processo de terapia e a maioria deles é grata por isso. Se os pais são hostis e raivosos, tenho de respeitar essa resistência, oferecer meu apoio e continuar tentando estabelecer uma relação funcional com eles. Sei que muitas vezes a hostilidade é uma máscara para sua dor, ansiedade e sentimentos de fracasso como pais. Se eles se recusam a participar, mas continuam levando os filhos à terapia porque não têm alternativa, como no caso de uma ordem judicial, continuo trabalhando com a criança, abordando frequentemente a questão da atitude dos pais com ela. Cada sessão dá à criança força interior para lidar com sua família.

Mesmo quando os pais participam dessas sessões de boa vontade, há uma clara diferença entre o trabalho com a família e o trabalho individual com a criança. As crianças certamente se sentem aliviadas e felizes quando os pais mudam o jeito disfuncional de se relacionar com elas, mas muitas vezes os introjetos negativos estão apenas enterrados bem fundo e vêm à tona em um momento posterior. A criança não se torna emocionalmente saudável de forma automática quando a família começa a fazer mudanças. Ela ainda precisa adquirir um forte senso de *self*, expressar emoções suprimidas, aprender a ter suas necessidades atendidas ou atender às próprias necessidades adequadamente, aprender a autonutrição e a autoaceitação e começar a aprender a administrar mensagens defeituosas do *self* que já se tornaram arraigadas em seu sistema de crenças sobre si mesma.

3. Fortalecer o senso de *self* de crianças e adolescentes

As crianças precisam de apoio dentro do *self* a fim de expressar emoções bloqueadas. Aquelas que sofreram trauma, seja por molestamento, abuso, morte de pessoa amada ou divórcio dos pais, bloqueiam as emoções relacionadas ao trauma e têm pouca experiência em saber expressá-las. Por serem basicamente egocêntricas e interpretarem tudo pessoalmente como parte de seu processo normal de desenvolvimento, elas assumem a responsabilidade e se culpam por qualquer trauma que aconteça. Esse fenômeno as faz reprimir ainda mais as emoções, já que elas não têm a força de ego para reconhecê-las, muito menos expressá-las. As crianças também assumem inúmeros introjetos negativos — crenças negativas sobre si mesmas —, pois não têm capacidade cognitiva para discriminar entre o preciso e o impreciso. Essas mensagens negativas causam fragmentação, inibem o crescimento saudável e a integração; além disso, constituem as raízes da baixa autoestima e de uma atitude autodepreciativa.

Ajudar a criança a desenvolver um forte senso de *self* dá a ela uma sensação de bem-estar e um sentimento positivo em relação a si mesma, bem como a força interior para expressar aquelas emoções suprimidas. Sabemos que as emoções não expressadas sabotam o processo de cura.

Gostaria de apresentar um jeito de olhar a tarefa de fortalecimento do *self* que descobri ser bem-sucedida em meu trabalho com crianças de todas as idades. Esse modelo não é necessariamente linear — as atividades e experiências são apresentadas conforme a necessidade, determinada pela observação e por minha interação com a criança. Em outro capítulo discuti meu modelo de trabalho baseado no desenvolvimento normal da criança. Para recapitular, a criança saudável vem ao mundo como um ser sensorial; precisa de colo para se desenvolver e de sucção para receber nutrição. À medida que cresce, ela olha tudo, ouve tudo, toca e leva tudo à boca. Seus sentidos estão em plena atividade. Ela percebe o que o corpo é capaz de fazer e o usa com entusiasmo. Suas emoções são expressadas sem inibição. Ela usa o intelecto em sua total capacidade para absorver o mundo e aprender sobre ele. Faz uso de todos os aspectos de seu organismo de maneira integrada, vigorosa. Mas, quando amadurece, vários aspectos desenvolvimentais começam a moldar sua existência, e essas modalidades que compõem o organismo são, muitas vezes, restritas e inibidas. A criança que sofre trauma na vida é gravemente propensa à perda de sua capacidade natural de usar as várias modalidades de seu organismo para conhecer o mundo. Pode restringir os sentidos, inibir o uso do corpo, bloquear as emoções, desligar o intelecto. Sabe-se bem, por exemplo, que crianças que foram molestadas anestesiam-se como forma de proteção. Quando isso acontece, é difícil de desfazer e se torna o jeito de a criança lidar com todo tipo de estresse, se não com toda a vida. Seu *self* é inibido e, muitas vezes, perdido. Dar à criança experiências com esses aspectos perdidos do *self* é essencial para ajudá-la a construir seu senso de *self*.

A maioria das crianças que atendi tinha dois grandes problemas gerais, independentemente do que as havia levado à terapia. Um, não se sentiam bem em relação a si mesmas (mesmo que não admitissem), e dois, tinham dificuldade para fazer bom contato — relacionar-se bem com os pais, professores, colegas, livros. Para fazer bom contato, é preciso fazer bom uso dos aspectos do organismo: os sentidos, o corpo, a *awareness* e expressão das emoções e o uso do intelecto. Todos eles, funcionando juntos e de maneira integrada, fornecem os meios para que cada um de nós faça bom contato com nosso mundo. Esses aspectos (sentidos, corpo, intelecto, emoções) são os mesmos que compõem o organismo — o *self*. Então, faz sentido que, se algum deles estiver prejudicado, afete tanto o *self* quanto a capacidade de fazer bom contato — de estar plenamente presente em toda situação.

O que exatamente é o *self*? Quando falamos sobre problemas com o *self*, em geral usamos termos como "baixa autoestima" ou "autoconceito". Neste capítulo, vou usar a expressão "senso de *self*", porque acredito que essa é uma definição mais integradora. Ter baixa autoestima, por exemplo, implica julgar a si mesmo, como, da mesma maneira, ter autoestima elevada. Ter um autoconceito ruim refere-se a como nos vemos e experimentamos. Essas duas expressões me parecem fragmentadoras, uma divisão da pessoa. Acredito que não é tão importante ter uma ótima opinião sobre nós mesmos, mas sim estar inteiramente conscientes de nós mesmos e do que está disponível para nós — em que consistem os organismos — para interagir com o mundo.

É interessante notar que o dicionário Webster define *self* como 1. A identidade, o caráter ou as qualidades essenciais de qualquer pessoa; 2. A identidade, personalidade, individualidade de determinada pessoa; a pessoa como alguém distinto de outros; 3. Um indivíduo em suas melhores condições; e 4. A união de elementos (como corpo, emoções, pensamentos e sensações) que constituem a individualidade e identidade de alguém. É com esta última definição que concordo particularmente. Acredito que a criança nasce com potencial para um senso de *self* bom e forte. Embora de início possa ter esse senso de *self* a partir da voz, do rosto e do toque da mãe, a criança, desde o princípio, se empenha para encontrar o próprio *self*. Com cuidados adequados, ela aprecia seu *self* e, à medida que cresce e se desenvolve, descobre mais e mais de si mesma. Infelizmente, esse fenômeno se atrofia.

Relacionei diversos elementos que vejo como essenciais para o *self* da criança. Para a aquisição de um senso de *self* forte, integrado, cada um desses elementos deve ser fortalecido. São eles:

1. os sentidos: visão, audição, tato, paladar, olfato;
2. o corpo: perceber tudo que o corpo é capaz de fazer, bem como a respiração e a voz;
3. o intelecto: fazer escolhas, definir o *self*, reconhecer projeções;
4. autonomia;
5. poder e controle;
6. o uso de fronteiras e limites;
7. brincadeiras, imaginação, humor;
8. olhar para os introjetos negativos a fim de alcançar integração;
9. o uso de sua energia agressiva;
10. o sexto sentido: usar a intuição e confiar no *self*.

Posso começar dando à criança experiências que estimulam e intensificam o uso dos sentidos, um passo importante na direção do fortalecimento do *self*. Experiências com visão, audição, tato, paladar e olfato — modalidades que são, na verdade, as funções de contato — direcionam nova *awareness* para os sentidos do indivíduo. É claro, as atividades são planejadas para corresponder ao nível de desenvolvimento da criança. A partir dessa base, seguimos para outros exercícios de fortalecimento do *self*.

Nas páginas seguintes, vou discutir cada um desses elementos dando exemplos de atividades que usei. Você talvez conheça outras, e muitas vezes as crianças dão boas sugestões. Cada uma é apresentada como um jogo ou experimento que ocupa a sessão inteira ou cinco minutos dela.

ESTIMULAR E APRIMORAR OS SENTIDOS

Tato

» Pôr objetos em uma bolsa e adivinhar o que são apenas pelo tato.
» Descrever a sensação de várias texturas com os dedos ou os pés descalços.
» Pintar com os dedos, usar argila molhada, passar a mão na areia.
» Listar palavras que descrevem alguma sensação de tato (como encaroçado, fofo, escorregadio, duro, mole, liso, pegajoso, quente, morno, frio, gelado, áspero, esburacado, espinhoso, formigante, emplumado, emborrachado, fino, esponjoso, molengo, sedoso, peludo).
» Designar cores a essas palavras.
» Fazer desenhos para representar essas palavras.
» Dramatizar essas palavras de algum jeito, para que o terapeuta ou as crianças do grupo as adivinhem.

Audição

» Meditar sobre quaisquer sons que alcancem a *awareness*.
» Pintar enquanto ouve música (pintar com os dedos é especialmente bom).
» Fazer barulhos altos e baixos, aumentando e diminuindo, com instrumentos de percussão.
» Parear sons.
» Ter uma conversa com sons.
» Jogo de reconhecimento de som.
» Comparar sons com sentimentos.

Visão

» Livros *Onde está Wally?*
» Olhar para imagens com muitos detalhes.

- » Desenhar, pintar ou esboçar flores, frutas, árvores.
- » Experimentar a sensação de alguma coisa, como argila, de olhos fechados e depois de olhos abertos.
- » Olhar para coisas através de vidro, água, celofane, lentes de aumento, caleidoscópio.

Olfato

- » Falar sobre os cheiros de que mais gostam e os de que menos gostam.
- » Fazer mímica com cheiros de várias coisas para as outras pessoas adivinharem. (Um favorito entre as crianças é minha imitação de estar andando alegremente, sentir um cheiro horrível e perceber o que tem no meu sapato.)
- » Proporcionar experiências com vários tipos de cheiro, como flores, frutas, grama; colocar aromas diferentes em recipientes opacos (perfume, mostarda, banana, maçã e cebola, por exemplo) e pedir ao cliente que adivinhe o cheiro.
- » Falar sobre lembranças evocadas por cheiros específicos (ou fazer desenhos delas).

Paladar

- » Fazer o Exercício da Laranja descrito no Capítulo 2.
- » Discutir os sabores de que mais gostam e os de que menos gostam.
- » Levar amostras de coisas para saborear e comparar gostos e texturas.
- » Fazer mímica comendo vários alimentos.

Um exemplo de caso

Eric era extremamente hiperativo quando o conheci. Nas primeiras sessões, não fazia nada, literalmente, além de correr pela sala, e eu tentava participar correndo com ele ou atrás dele. Eric tinha um grave "transtorno de contato" — isto é, era incapaz de ficar quieto por tempo suficiente para fazer contato com alguém. A medicação não tinha feito diferença. Um dia, na sessão, ele notou um objeto no parapeito da janela que chamou sua atenção. Era um caleidoscópio. Sugeri que olhasse dentro dele e, para minha surpresa, ele aceitou a sugestão. Passamos a sessão inteira nos revezando para olhar tudo na sala e pelas janelas com o caleidoscópio, compartilhando o que víamos. "Violet, olha isso!", ele dizia, e me entregava o caleidoscópio; na minha vez, eu falava: "Eric, você tem que ver isso!" Eric esteve em contato comigo durante essa sessão e em todas dali em diante.

Outro exemplo de caso

Eli me fazia pensar em um boneco de madeira cada vez que ele andava. Era cooperativo, inteligente e incapaz de expressar sentimentos. Na verdade, parecia nem saber o que eram sentimentos. Decidi fazer um experimento com ele, para ajudá-lo a se soltar. Eu havia tido ótimos resultados usando pintura a dedo com um grupo de meninos muito transtornados com idade entre 11 e 14 anos e decidi apresentar essa atividade a ele. Eli disse que não podia fazer essa coisa de "bebê", mas peguei duas bandejas com vários compartimentos, pus um pouco de tinta nelas e comecei a pintar. Ele me observou por um tempo e depois se juntou a mim, usando apenas os dedos indicadores. Pus um papel sobre a minha bandeja, pressionei e pronto! Uma bela impressão colorida. Eli viu e disse: "Eu consigo fazer isso!" Imediatamente se dedicou de corpo inteiro à tarefa, e logo tinha feito uma maravilhosa impressão (quatro, na verdade). Houve uma mudança decisiva em Eli depois dessa experiência, e ele ficou entusiasmado para experimentar outros exercícios sensoriais e corporais interessantes. Pintou ouvindo música furiosa, por exemplo, e logo se tornou receptivo a ditar uma lista de coisas que o deixavam com raiva, triste, com medo e até feliz.

O CORPO, A RESPIRAÇÃO E A VOZ

» Experimentar maneiras diferentes de respirar e como a respiração afeta o corpo.
» Encher balões e mantê-los no ar soprando.
» Soprar bolas de algodão sobre uma mesa em uma corrida.
» Tocar gaita.
» Experimentar sons da voz com instrumentos de percussão.
» Cantar.
» Imitar várias vozes (como suplicante, raivosa, amedrontada etc.).
» Fazer uma competição de gritos.
» Cair sobre as almofadas de maneiras criativas.
» Fazer mímica de vários jogos e esportes.

- » Fazer uma luta com bastões acolchoados. Fazer uma luta com bastões acolchoados entre diferentes personagens: rei e rainha, duas pessoas muito velhas, dois bebês etc.
- » Jogar bolas macias de várias maneiras.
- » Usar uma bola muito grande (do tipo em que se pode sentar ou deitar).
- » Exagerar vários movimentos.
- » Mostrar todos os movimento que você consegue fazer com várias partes do corpo.
- » Jogar Twister.
- » Dançar com músicas gravadas.
- » Mostrar como você consegue se exercitar sentado.
- » Fazer mímicas de situações, começando com os dedos e depois usando diferentes partes do corpo.

Um exemplo

Eu me lembro de uma sessão em que joguei um jogo chamado Hawaiian Punch [Soco Havaiano] com Jenny, uma cliente de 14 anos. Esse é um jogo de tabuleiro (não está mais disponível comercialmente) em que você move um abacaxi de massinha feito com moldes plásticos de acordo com o número sorteado em um dado. Cada pessoa joga com um abacaxi de cor diferente, e o tabuleiro tem casas de cores correspondentes. Se eu caísse em uma casa da cor da minha cliente, ela poderia me dizer: "Gostaria de um soco havaiano?" e, qualquer que fosse minha resposta, socaria meu abacaxi até ele parecer uma panqueca. Eu teria então de mover essa panqueca até ela cair em uma casa de "remoldar". Enfim, para tornar o jogo mais interessante, sugeri que experimentássemos diferentes vozes para tentar convencer a outra pessoa a não socar o abacaxi. Havia vozes de choro, choramingo, súplica, gritos, solicitação, argumentação, ordem autoritária e assim por diante. Uma vez, Jenny parou na minha cor e eu disse a frase "Gostaria de um soco havaiano?" Ela ficou em silêncio (certamente, outra resposta) e, quando comecei a bater no abacaxi (usávamos uma marreta de borracha em um tabuleiro de madeira separado), Jenny decidiu gritar. No começo, foram gritos hesitantes e fracos, mas depois ficaram mais fortes e altos, até que se tornaram aterrorizantes. Alarmada, parei de bater, olhei para Jenny e disse: "Esses gritos foram impressionantes. Já gritou desse jeito antes?" Jenny respondeu: "Não, é a primeira vez.

Mas queria ter gritado assim quando meu pai ia ao meu quarto à noite e me tocava". Eu sabia que Jenny havia sido molestada sexualmente; mas essa foi a primeira vez que ela falou sobre o abuso abertamente e de forma espontânea. Foi o começo de sua cura.

AUTONOMIA

Crianças que vivem em famílias disfuncionais, sofreram trauma ou tiveram pais alcoólatras muitas vezes deixam de experimentar autonomia. A experiência de autonomia é parte fundamental do desenvolvimento da criança. Um componente essencial da autonomia é o esforço, que não deve ser confundido com frustração. O bebê aprende com o esforço e, a cada experiência de autonomia, desenvolve força para lidar com a frustração. O bebê se esforça para encaixar um bloco em outro maior. Ele usa toda sua energia e concentração. Quando finalmente é bem-sucedido, a autonomia acontece. Se ele tenta encaixar um bloco em outro menor, logo fica frustrado e chora. Os pais precisam saber a diferença entre esforço e frustração e deixar a criança perseguir seu objetivo sem interferir; quando a frustração se instala, devem encontrar rapidamente o bloco maior para ajudar a criança a ter aquele sentimento maravilhoso que vem com a autonomia.

Muitas crianças chegam à terapia claramente deficientes em experiências de autonomia. Às vezes, elas são rotuladas como portadoras de "transtorno narcisista", já que nunca parecem ficar satisfeitas com nada, querem sempre coisas novas, desistem com facilidade, não conseguem se manter em uma tarefa por tempo suficiente. É como se não tivessem tido muitas oportunidades para se esforçar. Isso acontece por várias razões: os pais fizeram demais pela criança desde o início, não permitiram que ela experimentasse o esforço tão necessário para a autonomia; a criança experimentou muita frustração sem o apoio adequado dos pais, que pensavam que frustração era o caminho para ensinar; a criança não recebeu cuidados suficientes quando bebê — talvez a mãe tenha adoecido nos primeiros anos da criança e ninguém assumiu a tarefa de proporcionar as experiências de autonomia necessárias; e assim por diante. Qualquer que tenha sido a razão, a criança agora, nesse momento de sua vida, precisa de tantas experiências de autonomia quantas forem possíveis. Como não consegue sustentar sozinha e por muito tempo o contato com dada tarefa, o terapeuta precisa encontrar meios de proporcionar experiências de autonomia e estar junto dela.

Das minhas anotações de caso

Um menino de 11 anos tentou fazer um pássaro voar em uma cena que criava na caixa de areia. Ele me pediu um palito e um pedaço de barbante. Eu sabia que o barbante não ia funcionar, mas não falei nada. Ele descobriu logo, depois de várias tentativas, que não conseguiria amarrar o pássaro no alto do palito com barbante. Sua energia começou a desaparecer, o contato com a tarefa foi rompido, e eu soube que a qualquer minuto ele decidiria parar de trabalhar na cena na caixa de areia. Sentindo a frustração se aproximar, eu disse, com tom suave: "Eu tenho uma ideia que pode dar certo. Quer ouvir?" O menino assentiu e eu disse: "Talvez arame funcione, ou até fita adesiva. Não sei. O que você acha?" Ele decidiu usar arame de pendurar quadros. Funcionou, e sua energia, o sorriso e um grande suspiro me mostraram sua experiência de autonomia. (Eu não disse: "Não esqueça, essa ideia foi minha".)

FAZER ESCOLHAS

Dou opções às crianças sempre que possível. Ofereço três tamanhos de papel de desenho e giz de cera, giz pastel seco e oleoso, marcadores coloridos, lápis de cor (os de cera são os últimos a ser escolhidos). Pergunto: "Hoje você quer usar argila ou fazer um desenho?" Ou então: "Vamos jogar Connect 4 ou Uno nos últimos dez minutos?" Sempre que a criança tem opções, o *self* é fortalecido. Algumas crianças têm o *self* tão frágil que escolher as deixa ansiosas. "E se eu fizer a escolha errada?" Vi uma criança olhar por muito tempo para uma pilha de papel cartão colorido, sem conseguir se comprometer com as três cores que lhe pedi que escolhesse. Quando noto sua energia desaparecendo, digo: "Que tal vermelho, azul e amarelo?" Ela fica aliviada por não ter de fazer a escolha. Ou diz: "Não. Acho que quero verde no lugar do azul".

Recomendo aos pais que deem opções aos filhos quando for adequado e viável. Não pergunte a uma criança o que ela quer comer no jantar, dê alternativas. Não inclua frango se não há frango disponível.

PODER E CONTROLE

As crianças não têm muito controle sobre a própria vida e certamente não têm muito poder neste mundo. A maioria não se preocupa com sua falta de poder no mundo de maneira geral. Elas não têm consciência de que são, na verdade, cidadãs de segunda classe, particularmente porque não votam. (Os políticos têm uma visão muito estreita e tendem a esquecer que as crianças são futuros eleitores.) Ficam satisfeitas em dar aos pais o poder e o controle sobre sua vida, desde que se sintam ouvidas, incentivadas a expressar suas opiniões, e saibam que as regras são justas. Desse modo, sentem algum poder e controle sobre si mesmas. Quando a criança tem um bom senso de *self*, não é ameaçada pelo poder dos pais e, de fato, o recebe bem pela própria segurança. Ela sente que tem algum controle sobre sua vida quando os pais lhe dão opções, a escutam, honram e respeitam. Crianças que são rebeldes ou se envolvem em disputas de poder sentem muito pouco poder ou controle. Na verdade, muitas vezes as coisas estão fora do controle em sua família. Ou os pais são muito autoritários, ou muito vagos. No meu consultório, tento dar a essa criança tanto poder quanto posso dentro de limites e fronteiras adequados. Essa experiência costuma acontecer na brincadeira: a criança sabe disso, mas o que conta é a experiência de controle e poder. Às vezes ela assume o controle de repente nas sessões, de um jeito maravilhoso. Isso representa, para mim, uma boa evidência do movimento terapêutico.

Exemplos de caso

Eric, a mesma criança hiperativa que mencionei antes, um dia assumiu a sessão de repente. Ele se tornou o dramaturgo e diretor de nossa interação. Ele notou um distintivo, um par de algemas e uma carteira velha na estante. Enquanto prendia o distintivo em si mesmo, disse com muito entusiasmo: "Vamos brincar, você é o ladrão e rouba esta carteira, e eu sou o policial, vou pegar você e colocar essas algemas em você". E encenamos essa cena, com grande carga dramática. Enquanto representávamos, muitas vezes ele me dizia o que eu devia fazer e dizer. E, no fim da sessão, comentou: "Queria ter uma corda para poder amarrar você".

Nessa peça, Eric não só experimentou um sentimento de poder como abriu a possibilidade de encenar seu trauma. Ele e o irmão foram encontrados em um carro abandonado quando tinham 4 e 5 anos. Estavam amarrados com uma corda para que não se mexessem. Antes, Eric havia se recusado a falar sobre essa experiência, alegando que não se lembrava de nada. Na sessão seguinte, levei um pedaço de corda e, durante a encenação, ele me amarrou. Quando a corda me apertou demais, saí do meu papel e disse a ele que não queria ser amarrada com tanta força. Eric me atendeu. No papel, chorei, gritei e reclamei, seguindo a clara direção de Eric. Representamos essa cena várias vezes antes de ele sentir que tinha acabado e desistir dela. Embora não reconhecesse a própria experiência naquele momento, parecia ter ocorrido algum tipo de encerramento. Sua próxima dramatização envolveu a "sala do diretor". Ele improvisou uma mesa, pegou um telefone de brinquedo, meu grampeador e alguns outros materiais de escritório e se ocupou fingindo escrever e falar ao telefone. Então, me dirigiu para ficar em outro "escritório" e ser a terapeuta que o chamava para aconselhá-lo em relação a várias crianças. Quando o chamei para perguntar o que fazer com um menino que era muito destrutivo, ele disse: "Fala para ele desenhar seus sentimentos de raiva!"

Alice era coreana e foi adotada por uma família caucasiana quando tinha 5 anos. A mãe morreu quando ela tinha 2 anos e o pai a mantinha trancada em uma caixa com um pequeno buraco para respiração enquanto ia trabalhar. Quando ela ficou grande demais para a caixa, ele a levou para a área rural e pediu à mãe dele que cuidasse dela. Disse que não a queria. A avó ficou doente e chamou as autoridades, que a levaram para um orfanato — onde ela ficou até ser adotada. Alice sofria de angústia de separação e tinha pesadelos, o que levou os pais adotivos a procurarem a terapia quando ela estava com 6 anos. Ela já falava inglês muito bem e se recusava a mencionar qualquer coisa relacionada à sua vida na Coreia. Estabelecemos uma relação rapidamente e, depois de alguns encontros, ela começou a comandar as sessões e a me dirigir em vários cenários. Encenamos uma escola (ela era a professora) e um restaurante. (Restaurantes a fascinavam.) Então, um dia, ela me disse que íamos brincar de mãe e bebê. Ela me deu uma boneca, pegou outra e falou: "Estes são os nossos bebês. Sua casa fica naquele canto e a minha é aqui. Eu vou dizer o que você tem que fazer". Depois que nos acomodamos, ela disse: "Agora você está alimentando seu bebê". E depois de um tempo: "Agora está pondo o bebê para dormir". E então ouvi Alice cantando uma bela canção coreana enquanto embalava seu bebê. Quando a brincadeira acabou, mencionei a canção e ela me disse que a avó costumava cantar para ela. Esse foi o começo de uma nova fase no nosso trabalho juntas.

Sempre sugiro aos pais que reservem algum tempo todos os dias (ou quanto for possível) para ser o "tempo do Jimmy". Pode ser um período de

15 a 30 minutos. Pode-se usar um *timer* para marcar o tempo. Nesse período, a criança é o chefe e o adulto faz o que a criança quiser, dentro das fronteiras adequadas. Durante esse tempo, a criança experimenta algum senso de poder e controle, embora apenas na brincadeira. A experiência é o que fortalece o senso de *self* da criança.

FRONTEIRAS E LIMITES

A criança tem dificuldade para experimentar um senso de *self* sem fronteiras e limites. Vai ficar ansiosa se eles não estiverem presentes, e muitas vezes atuará para encontrá-los. No meu consultório, está claro que estamos em um ambiente seguro, que alguns objetos não são acessíveis (como meu telefone), que começamos e terminamos na hora marcada e assim por diante. Todas as crianças devem ajudar com a limpeza, exceto com as cenas na caixa de areia. No início, algumas resistem, mas reservo um tempo para a limpeza e começo a arrumar tudo. Logo a maioria participa alegremente. Muitas vezes ajudo os pais a estabelecerem limites para seus filhos, e enfatizo que, embora a criança possa protestar, isso é benéfico para o seu desenvolvimento. É claro que esses limites devem ser justos e adequados à idade, e as fronteiras devem ser expandidas à medida que a criança cresce.

AUTOAFIRMAÇÕES, DEFININDO O *SELF*

É essencial que as crianças tenham *awareness* de si mesmas — uma definição do *self* — para o crescimento saudável. Imagine um círculo sem nada dentro dele. Para que os limites do círculo se expandam de maneira significativa, deve haver alguma substância dentro dele. Sempre que a criança faz afirmações, expressa algo de que gosta ou não gosta, dá voz a um pensamento, uma curiosidade ou opinião está enchendo o círculo e permitindo que seu limite se expanda. Quando o *self* é frágil, não tem autossuporte, e é difícil para a criança crescer e se desenvolver de maneira saudável. Além disso, sem um forte senso de *self* ela não expressa suas emoções significativamente. Então, possibilitamos que a criança faça muitas afirmações. Assim ela se define, se torna mais forte e amadurece. Essas afirmações surgem de muitas maneiras. Às vezes fazemos listas de coisas de que gostamos e não gostamos. Jogos como o Ungame ou The Talking, Feeling, Doing Game provocam afirmações. Livros como *The children's question book* [O livro de perguntas das crianças] fazem perguntas interessantes para a criança e o terapeuta. Não é uma experiência comum que as afirmações da criança sejam ouvidas pelos adultos, e às vezes ela se surpreende com o interesse do terapeuta.

Uma colega me contou esta história: ela estava trabalhando com uma menina de 6 anos, que havia sido sexualmente molestada em uma pré-escola. Ela se apresentava como uma criança-modelo, sorria, fazia o que mandavam, nunca expressava sentimentos de raiva. Tinha dores de estômago frequentes e a mãe foi aconselhada pelo pediatra a buscar terapia para ela. A criança era cooperativa e simpática, mas nunca expressava muito sentimento em casa ou com a terapeuta. Um dia, a terapeuta sugeriu um jogo em uma sessão com a mãe (mãe solo). Cada pessoa, na sua vez, diria o nome de uma fruta de que gostava e outra de que não gostava muito. Na rodada seguinte, mencionariam hortaliças. A menina disse: "Não gosto de ervilha", e depois olhou para a mãe e anunciou com veemência: "E não gosto quando você me deixa em algum lugar e vai embora!" Foi quase como se a experiência de falar do que não gostava de um jeito aceitável desse a ela a força para expressar um sentimento até então proibido. A terapeuta me contou que esse foi o início de algumas boas sessões de cura.

Descobri que as crianças têm ideias e percepções incríveis. Um menino de 11 anos me disse, quando o incentivei a falar comigo como um super-herói que ele adorava desenhar: "Sei por que você está me pedindo para fazer isso. Quer que eu sinta algum poder dentro de mim".

RECONHECER PROJEÇÕES

As afirmações têm uma ligação próxima com reconhecer projeções. O objetivo do trabalho projetivo que fazemos é ajudar a criança a dizer alguma coisa sobre si mesma que foi expressada como uma metáfora na história, mas na verdade é uma expressão de algo sobre si mesma. O que quer que façamos — seja desenhar a partir de fantasias guiadas, fazer exercícios com argila, criar cenas na caixa de areia e assim por diante — cria metáforas poderosas de nossa vida.

Fazer afirmações sobre o *self* e reconhecer projeções permite ter consciência de si e do lugar do indivíduo no mundo. É por intermédio dessa consciência que não só o *self* é fortalecido, mas a mudança acontece. O médico Arnold Beisser (1970, p. 77) escreve sobre esse fenômeno: "[...] a mudança acontece quando o indivíduo se torna o que ele é, não quando tenta se tornar o que não é".

Exemplos

Em meu livro *Descobrindo crianças,* dou exemplos de crianças fazendo essas afirmações a partir de um exercício com argila. Uma menina de 12 anos, com os olhos fechados, fez um sol. Como o sol, ela sorriu (uma ocorrência rara para essa criança) e falou sobre como aquecia todo mundo e era brilhante e radiante. Quando terminou de falar, recuperou a habitual expressão carrancuda. Perguntei se alguma vez ela se sentiu como o sol na vida real, e ela disse: "Não! Não posso me permitir ser como o sol. Senão, todo mundo vai pensar que as coisas são boas na minha vida, e nada vai mudar". Essa foi uma afirmação importante do seu ser. Antes disso, ela nunca tinha dito.nada sobre seu eterno mau humor.

Uma menina de 13 anos desenhou uma cobra que morava sozinha no deserto (depois de uma fantasia guiada onde ela encontrou seu lugar) e falou, no papel da cobra, sobre sua solidão e seu isolamento. Ela conseguiu reconhecer a própria solidão e desenhou uma menina no deserto. Disse: "Sou eu. Esta no deserto sou eu, não sou?"

Um menino de 8 anos desenhou um vulcão só porque quis. Quando lhe pedi que fosse o vulcão, ele descreveu a lava quente. Perguntei: "O que um menino tem de parecido com a lava quente de um vulcão?" Depois de uma pausa, ele gritou: "Raiva!" E passamos algum tempo relacionando todas as coisas que o deixavam com raiva.

Esses são apenas alguns exemplos de reconhecimento da projeção. Em cada um deles, a janela para o *self* interior da criança se abriu um pouco mais.

ENERGIA AGRESSIVA

Entrar em contato com a energia agressiva é um importante prelúdio para expressar a raiva. Proporciona força interior e autossuporte. Muitos terapeutas rejeitam a expressão "energia agressiva", visualizando agressão quando a ouvem. Essa energia é semelhante àquela que se usa ao morder uma maçã. Requer ação externa. É óbvio que a criança tímida e retraída perdeu esse tipo de energia. O que é importante saber é que crianças que se comportam mal, são agressivas e expressam raiva também são carentes dessa energia. Essa energia vem de um lugar interno — tem o sentimento do poder calmo. Crianças que se comportam mal não agem a partir de sua essência; estão totalmente fora de suas fronteiras sem nenhum suporte interno. Elas precisam dessa experiência a fim de encontrar a força para expressar emoções presas dentro delas.

Quando oferecemos essa experiência, alguns elementos e diretrizes essenciais precisam ser seguidos para que ela seja eficiente:

1. DEVE HAVER CONTATO COM O TERAPEUTA. Crianças duronas podem se dedicar por conta própria a atividades com energia agressiva, mas o valor terapêutico vem do contato. O terapeuta está completamente envolvido.
2. A CRIANÇA DEVE SENTIR-SE SEGURA. O consultório do terapeuta é um local seguro para a criança. Ela já sabe disso por experiência própria.
3. HÁ LIMITES CLAROS — O TERAPEUTA ESTÁ SEMPRE NO CONTROLE. Isso é o que faz a criança sentir-se segura. Ela sabe que o terapeuta sempre vai impedir que as coisas escapem ao controle.
4. HÁ UM ESPÍRITO DE BRINCADEIRA E DIVERSÃO. Mesmo quando as crianças estão lidando com questões sérias, a atmosfera de brincadeira na situação é essencial. Sem isso, elas não têm força para lidar com material pesado.
5. A ATIVIDADE É EXAGERADA. Como as crianças perderam a capacidade de se envolver nessa importante experiência, só o exagero ajuda.
6. NÃO É NECESSÁRIO CONTEÚDO. O QUE CONTA É A EXPERIÊNCIA. Às vezes há conteúdo envolvido, mas meu foco é ajudar a criança a sentir que tem permissão para se dedicar à atividade com os sentidos e o corpo.

É possível proporcionar atividades de energia agressiva usando jogos. Lutar com bastões acolchoados, bater na argila, fazer música, tocar tambor, usar bonecos, dramatização criativa, movimento corporal e brinquedos. Essas atividades são desenvolvidas na caixa de areia, em desenhos, por meio de listas e afirmações, contação de histórias e livros — e dialogando com esculturas de argila, desenhos e com a cadeira vazia. É preciso levar em consideração, é claro, a faixa etária da criança (embora muitas regridam — um fenômeno positivo), bem como suas características específicas.

Exemplos

Uma menina de 11 anos, que fora molestada pelo padrasto durante anos, se recusava a falar sobre isso e preferia se dedicar a atividades seguras. Um dia, pedi a ela que escolhesse um fantoche, qualquer um. Para minha surpresa, ela escolheu um jacaré com uma boca grande. Escolhi um crocodilo que também tinha a boca grande. Nosso diálogo foi mais ou menos assim:

Crocodilo: "Oi! Puxa, você tem um bocão e muitos dentes. Espero que não me morda".

Jacaré (criança): "Ah, não. Vou ser seu amigo".

C: "Ah, é? Bom, eu acho que você vai me morder!" (O crocodilo chegou mais perto do jacaré.) "Tenho certeza de que vai!"

Embora o jacaré tenha recuado, o crocodilo foi parar na boca dele. O jacaré fez um movimento suave, quase imperceptível com a boca. O crocodilo gritou: "Ah! Ah! Você me mordeu", e caiu no chão.

A criança exclamou: "Faz isso de novo! Faz isso de novo!"

Repetimos esse cenário com todos os fantoches "maus" que eu tinha, para alegria da menina. No terceiro fantoche, ela, como jacaré, o agarrou com a boca e mordeu com força. Lutamos antes de o meu fantoche gritar, como sempre: "Você me mordeu! Você me mordeu!" e cair no chão. Quando não havia mais fantoches "maus", ela disse: "Vou usar minha varinha mágica e todos vão ficar vivos de novo", e retomamos a luta com todos eles. Quando a sessão terminou, essa criança estava radiante, ereta e alta, e se despediu de um jeito firme, em nítido contraste com sua postura e sua atitude anteriores.

Foi depois dessa sessão que conseguimos começar a abordar a questão do abuso.

Um adolescente, que negava quaisquer sentimentos de raiva, conseguiu começar a falar sobre a raiva que sentia do pai depois de esmagar uma porção de argila, quando lhe pedi que me mostrasse com que força era capaz de bater no material.

Tenho visto exemplos como esses muitas e muitas vezes. A brincadeira com energia agressiva fortalece o *self* e permite que a criança mergulhe em questões difíceis.

O SEXTO SENTIDO

O sexto sentido envolve, na verdade, aprender a confiar no *self*. Algumas pessoas pensam nisso como intuição ou algo espiritual, elusivo. Acredito que, à medida que nos tornamos mais fortes interiormente, sabemos o que é certo para nós. A incapacidade de fazer isso implica, para mim, uma fragmentação do *self* e algum tipo de bloqueio interior da verdade. Cheguei a essa ideia quando trabalhava com um casal que estava se divorciando e discutia acerca de como dividir seus bens. Depois de ouvir a discussão entre eles por um tempo, lhes pedi que parassem e experimentassem um exercício. Eles brigavam por coisas como vasos, louça e assim por diante. Eu disse à esposa: visualize o vaso sobre o qual está falando e diga em voz alta: “Eu quero esse vaso”. Depois pergunte ao seu corpo: “Verdadeiro ou falso?” Ela se surpreendeu quando soube imediatamente que não o queria. Repetimos o procedimento com algumas outras coisas sobre as quais eles não concordavam e, com exceção de dois ou três objetos, não foi difícil para eles tomar as decisões.

Esse exercício teve o efeito não só de recorrer à sabedoria interior de cada um, mas de ver o outro de um jeito muito mais claro. Eles trocaram sorrisos e partiram em um clima muito mais amigável.

Crianças têm resultados muito bons com esse exercício. Tentamos com escolhas: “Você quer o papel vermelho ou o azul?”; “Quer a caixa de areia ou argila?” Falamos sobre os sinais que o corpo nos dá. Começamos com coisas bem óbvias: “Meu nome é Maria ou João?” Ou: “Quero um biscoito ou um ramo de brócolis?” É muito difícil descrever a real sensação do corpo que nos dá a resposta que procuramos, mas algumas crianças dizem que, quando é verdadeiro, elas sentem no estômago; quando é falso, sentem mais para cima, talvez na região do peito. É claro que nem sempre dá certo. Quando a criança não consegue sentir o sinal para algo que quer, dialogamos com as escolhas. Por exemplo, eu peço a ela que faça o papel vermelho e o azul conversarem um com o outro. Ou que fale como o papel vermelho e depois como o azul: “Se o Jimmy me escolher (papel vermelho), vou ficar muito brilhante e chamativo”. “Se o Jimmy me escolher (azul) vou ser ameno e sei que ele vai se cansar daquela cor vermelha, mas não de mim.” Logo Jimmy sabe qual ele quer usar, dependendo de sua necessidade no momento. Esses exercícios levam a escolhas mais significativas na vida da criança. Ela aprende a confiar em si mesma e a reconhecer o diálogo dentro de si.

Isso é parecido com o exercício do dominador (*topdog*) *versus* dominado (*underdog*) que uso com crianças, sobretudo com adolescentes. Uma menina de 16 anos, Alise, recebeu uma proposta para atuar em um filme. Ela havia participado do teste para o papel, pois seu objetivo na vida era ser atriz. Era talentosa e tinha participado de muitas produções na escola e na comunidade. No entanto, descobriu que teria de sair da escola para fazer esse filme. Ela me procurou porque precisava de ajuda com esse dilema. Os pais e os amigos deram muitos conselhos, mas Alise estava dividida. Fizemos seu dominador conversar com ela, e como o dominador tinha introjetado muitos avisos e desejos dos pais, ela defendeu com propriedade a permanência na escola. (Alise, a atriz, adorou esse exercício). A propósito, os pais de Alise concordaram em apoiar sua escolha, qualquer que fosse. Quando o dominado falou com Alise, a mensagem foi chorosa e passiva. Ela ficou claramente paralisada (já que o dominado geralmente ganha a batalha). Eu lhe pedi que se distanciasse e olhasse dentro de si mesma para descobrir o que ela, Alise, queria. Foi difícil, pois suas partes fragmentadas lutavam pelo domínio. Então, pedi a Alise que se sentasse em uma cadeira e fosse a parte que queria participar do filme, e exagerasse o que essa parte representava. Depois lhe pedi que se sentasse em outra cadeira e fosse a parte que não queria deixar os amigos e a escola. Depois de algumas rodadas desse exercício, ficou claro que a energia de Alise era alta quando ela falava sobre a escola. Pedi, então, que ela fizesse a afirmação: "Quero ficar na escola". "Isso é totalmente verdadeiro!", ela gritou. Em seguida, sugeri que ela fizesse a outra afirmação: "Quero sair da escola e participar desse filme". "Ai", ela disse, "me senti péssima quando disse isso. Sinto que talvez nunca mais tenha essa chance. Mas sério, não estou preparada."

Muitas vezes o corpo sabe as coisas antes do intelecto. Uma vez pedi a um rapaz que me revelasse coisas que o deixavam com raiva. "Eu nunca fico com raiva. Sei como resolver as coisas", ele respondeu. (Ficava claro, por seu comportamento, que ele era um garoto muito raivoso.) Então sugeri que fizéssemos um exercício com argila. Ele quis experimentar as várias ferramentas que eu normalmente oferecia, e quando escolheu a marreta de borracha, lhe pedi que me mostrasse com que força conseguia bater na argila. Ele começou a bater cada vez mais forte, e finalmente perguntei sobre o que ele estava pensando naquele momento. "ESTOU MUITO FURIOSO COM MEU PAI!", gritou. Outra criança afagava o próprio cabelo enquanto conversávamos, aparentemente sem se dar conta do que fazia. Pedi a ela que focasse nesse movimento e desse palavras à sua mão. ("Quero afagar você para que se sinta bem etc.") Ela começou a chorar, dizendo que sentia saudade da avó que falecera recentemente.

A integração alcançada pela conexão entre corpo, coração e mente é fortalecedora e satisfatória.

4. As muitas faces da raiva

A raiva é a mais mal compreendida de todas as emoções. Por que digo isso? Bem, em primeiro lugar, o que parece raiva pode não ser — e, inversamente, o que não parece raiva frequentemente é! Em segundo lugar, a raiva tem má reputação; isto é, todos nós fomos criados para acreditar que é ruim, errado ficar com raiva e tentamos evitar esse sentimento, muitas vezes em grande detrimento de nós mesmos. As crianças aprendem desde muito novas que a raiva é perigosa, e por isso não aprendemos maneiras saudáveis e adequadas de expressar essa emoção humana normal. A raiva está na raiz da maioria dos problemas que levam crianças e famílias à terapia.

Neste capítulo, vou focar essa emoção e como ela se relaciona com o *self*, como as crianças manifestam raiva e as dificuldades que essas manifestações geram, as etapas do processo terapêutico para trabalhar com a raiva e técnicas para ajudar as crianças a expressar esse sentimento de maneira saudável. Também vou dar exemplos do trabalho específico com a raiva com crianças pequenas, adolescentes e famílias.

A raiva e o senso de *self* andam de mãos dadas. A raiva é uma expressão do *self*, e o *self* é diminuído quando se inibe esse sentimento. A criança pequena pode parecer raivosa, mas na verdade está tentando ter suas necessidades atendidas, cuidar de si mesma. A menina de 2 anos grita "NÃO!" para as cenouras que a mãe coloca diante dela. Pode até jogá-las no chão. Está mobilizando toda a força e o poder que tem para fazer essa declaração. Ela não tem capacidade cognitiva para dizer moderadamente, "Não, obrigada, hoje não estou com vontade de comer cenoura". Ela é percebida como raivosa, e a mãe ou pai vai expressar desaprovação e raiva à filha. A criança responde a essa desaprovação sentindo que é má, e fica confusa e assustada com a reação parental.

À medida que cresce, a criança adquire sistemas de crenças sobre si mesma e sobre como ser no mundo que a afetam pelo resto da vida. A maneira como os pais atendem às necessidades e vontades da criança e reagem à expressão destas, a maneira como reagem ao destemido desenvolvimento de seus sentidos, do corpo, da expressão emocional e do intelecto afeta profundamente seu sistema de crenças sobre si mesma. Durante esses primeiros anos, muitas mensagens negativas, às vezes chamadas de introjetos, são assimiladas porque a criança ainda não aprendeu a arte de cuspir ou rejeitar o que é tóxico para ela. Em termos desenvolvimentais, ela ainda não consegue discriminar o que é verdade sobre si mesma do que não é. A criança, que em geral é egocêntrica nesses estágios iniciais de crescimento, culpa-se por tudo que acontece, por cada fato traumático que ocorre em sua vida.

A supressão de emoção, particularmente da raiva, é basicamente ligada à adoção de introjetos negativos. As emoções da criança formam sua essência, seu ser. Quando seus sentimentos não são validados, ela também não é. Quando seus sentimentos são desprezados, minimizados, ridicularizados, tratados com rispidez, ela se sente profundamente rejeitada. Embora consiga encontrar algum jeito de expressar alguns sentimentos em uma busca indireta de saúde, a criança ainda abriga a noção constante de que é má, de que tem alguma coisa errada com ela. Não escolhe sentimentos de maneira consciente, eles apenas brotam. Consternada, ela não se sente no direito de tê-los; e quando os tem, sente que não tem o direito de ser, existir — sobretudo porque esses sentimentos, bem como ela mesma, causam aos pais tanta preocupação, desaprovação e raiva. Quanto mais a criança absorve mensagens negativas sobre si mesma, mais é propensa a sentir uma real perda do *self*. Começa a interromper e reprimir o próprio processo de crescimento. Desliga os sentidos, contrai os músculos, retém e bloqueia a expressão, fecha a mente. Seu senso de *self* torna-se difuso, e ela adota uma série de comportamentos defensivos para manter alguma aparência de sentir-se viva.

Em oposição a tudo isso, a criança tem um poderoso impulso de vida e crescimento e vai fazer tudo que puder para cumprir a tarefa de crescer. Essa força de vida é positiva e se opõe ao sistema de crenças negativo em relação ao *self*. No entanto, cria, para a criança, problemas com os pais, os professores, a sociedade em geral. O organismo, em seu ímpeto saudável de crescimento, cria as próprias determinações sobre como funcionar no mundo. Vou explicar.

A criança floresce com aceitação, aprovação, amor. Bem nova, quando ainda é congruente, pode expressar um sentimento de raiva pela mãe, e por isso recebe desaprovação, rejeição, o que sente como perda de amor. Ela começa a aprender que a expressão de sentimentos de raiva é cheia de perigos para si mesma e que deve fazer o que estiver ao seu alcance para evitar mais danos. Como a raiva é inevitável, ela precisa determinar o que fazer quando a sentir. Normalmente, decide suprimi-la, mantê-la dentro de si mesma. "Fico no meu quarto até ela ir embora", disse um menino quando perguntei o que ele fazia quando ficava com raiva. Mas a emoção não expressada fica dentro da criança como uma pedra, interferindo no crescimento saudável.

Além disso, como a expressão de raiva é uma expressão do *self*, esse *self* se torna diminuído.

O organismo busca incansavelmente alcançar homeostase ou equilíbrio. Se uma emoção permanece abaixo da superfície, deve ser expressada de algum modo para que haja algum senso de encerramento e subsequente equilíbrio a ser alcançado, de forma que o organismo possa lidar com sua próxima necessidade — e assim por diante em seu interminável ciclo de crescimento. Então, o organismo escolhe algum tipo de expressão da emoção, com ou sem a cooperação da *awareness* da criança, em sua tentativa de expelir a energia da emoção e alcançar certo equilíbrio. A criança, bem como o próprio organismo, está tentando se livrar do sentimento de raiva. Mas a tentativa é quase sempre inadequada para o crescimento saudável e não cumpre sua função. Aqui vai um exemplo da experiência de uma criança com sentimentos de raiva.

Quando bebê, Sally chora para ter suas necessidades atendidas. Os pais pensam que ela está molhada e verificam a fralda. Ela chora mais alto, porque o que quer é colo. Finalmente, a mãe a pega e ela para de chorar. É tentativa e erro com o choro, sua única ferramenta de comunicação. Em alguns meses seu choro começa a adquirir significados, dando aos pais dicas melhores para que atendam às suas necessidades. A expressão facial e corporal também começa a mostrar que ela tem mais *awareness* das próprias necessidades. À medida que fica mais velha, ela percebe que sons e palavras são uma ferramenta importante para ter as necessidades atendidas, mas não tem um bom repertório de palavras para expressar o que quer dizer. "Quero leite" é fácil; a expressão emocional é abstrata e difícil. Ela diz "odeio você" para a mãe porque não sabe como explicar que fica aborrecida quando a mãe fala ao telefone. A mãe de Sally reage chocada, ou talvez mostrando desaprovação ou tristeza por ser odiada pela própria filha. Ela grita: "Nunca mais fale assim comigo!" Sally fica confusa com as várias reações que ouve, vê, sente. Até a mãe mais esclarecida pode se abalar com o comentário carregado de ódio da criança. Embora Sally tenha feito o melhor que podia para expressar seus sentimentos e fazer sua afirmação, ela se sente desaprovada, rejeitada e invalidada. Mais tarde, Sally diz ao irmão que a beliscou: "Não!", e quando ele continua: "Vou te matar!" Ela usa terminologia grosseira, porque ainda não tem o vocabulário que parece menos violento. O pai interfere apressado e diz: "NUNCA mais fale desse jeito!" e usa um tom muito alto, zangado. Depois de mais algumas interações desse tipo, Sally decide que, pela própria sobrevivência, é melhor encontrar outra maneira de lidar com seus sentimentos. Então, ela guarda para si o que sente, sem saber de que outra maneira agir, mas é atormentada por dores de estômago.

O processo fica mais complicado desse ponto em diante. Sally continua sentindo raiva de vez em quando e, embora esses sentimentos sejam bem moderados no início, ela sente culpa, ansiedade e medo por tê-los. Quando fica mais velha, abriga sentimentos intensos de ressentimento, ou sua ansiedade a faz sentir-se tão mal, envergonhada e invalidada que seu senso de *self* encolhe como uma flor murcha. Ela tenta mais e mais suprimir e esconder os sentimentos de raiva; na verdade, até perde a *awareness* de quando está com raiva. Enquanto isso, o organismo quer se livrar da energia de raiva e faz Sally explodir inesperadamente em momentos ao acaso. O *self* diminuído também luta por sobrevivência, e ela rouba doces para sentir-se melhor. Isso fica bem complicado. A força vital da criança é tão forte que ela busca continuamente maneiras de sobreviver ao dilema. Mas, nesse estágio de seu desenvolvimento, ela não tem a capacidade cognitiva para avaliar o que ela e seu organismo estão fazendo com os sentimentos de raiva.

As crianças expressam sentimentos de raiva de todas as maneiras inadequadas — maneiras que são prejudiciais para elas, criam problemas e certamente não promovem um senso de paz e satisfação. Algumas crianças, como Sally, retrofletem sua raiva. Retroflexão é fazer a si mesmo algo que se poderia fazer a outra pessoa; voltar a energia para dentro em vez de colocá-la para fora. Assim, elas têm dores de cabeça ou de estômago, empanturram-se, arrancam os cabelos, tornam-se retraídas, param de falar e assim por diante. Outras crianças defletem a raiva. Sentem que não conseguem expressar o sentimento autêntico e, depois de um tempo, até se esquecem dele. De qualquer maneira, a energia permanece e precisa ser expressada. Elas batem, atacam, esperneiam. Sentem-se bem quando fazem isso, mas só por um instante. Depois agridem de novo para ter de volta aquele sentimento bom. Reclamam, gritam, culpam os outros. Outras crianças expressam os sentimentos molhando a cama ou por intermédio de um de seus únicos meios de poder e controle: retendo o movimento intestinal, até que o corpo, em sua necessidade de se livrar da toxicidade, expele as fezes em momentos impróprios. Algumas crianças projetam sua ira sobre os outros, imaginando que todo mundo está zangado com elas. Algumas têm pesadelos com monstros horríveis — projeções de sua raiva. Para defletir ou dispersar a energia da raiva e ter um senso de *self* e poder, algumas ateiam fogo. Outras, para realmente evitar sentir alguma coisa, tornam-se hiperativas, devaneiam, ou se distraem, ficam aéreas. Algumas têm tanto medo do poder de sua raiva interior que mergulham em si mesmas para tentar se controlar, e aparentam ser retraídas, silenciosas, frias e rabugentas, ou, paradoxalmente, agradáveis e boas demais — seguindo cada regra com tenacidade.

A raiva tem os efeitos mais insidiosos em nossa sociedade, talvez por ser a emoção menos tolerada. A maioria dos sintomas e comportamentos que as crianças demonstram e podem, eventualmente, levá-las à terapia está diretamente relacionada à supressão da raiva. Os comportamentos que levam as crianças à terapia são os mesmos que elas adotaram para adquirir algum sentimento de *self*, algum senso de poder em um mundo onde se sentem muito impotentes, para expressar quem são e o que sentem. Elas usam esses comportamentos, por mais inadequados que sejam, para sobreviver, para fazer contato com o ambiente, para tentar atender suas necessidades. Esses comportamentos são, na verdade, evidências da cruzada do organismo em busca de equilíbrio. Muitas vezes, tornam-se o jeito de a criança estar no mundo — seu padrão, seu processo. Sem intervenção terapêutica, esse jeito de ser pode assombrá-la até a vida adulta. Uma mulher de 40 anos com quem trabalhei lembra claramente que aos 4 anos de idade ela parou de falar, já que tinha a impressão de que suas perguntas deixavam a mãe brava.

Como não tinha autossuporte suficiente para expressar o próprio descontentamento com a falta de resposta da mãe, ela escolheu parar de falar, pensando que isso impediria a mãe de ficar brava com ela. E agora, aos 40 anos, ainda tinha dificuldade para falar de um jeito natural, tranquilo.

Quando a criança é levada à terapia, sei que devo auxiliar sua cruzada em busca de força e autossuporte. Preciso encontrar um jeito de ajudá-la a lembrar, recuperar, renovar e fortalecer aquilo que tinha quando era bebê, mas agora parece estar perdido. Quando seus sentidos despertam, quando ela começa a conhecer seu corpo de novo, quando reconhece, aceita e expressa seus sentimentos suprimidos, quando aprende a usar o intelecto para fazer escolhas, verbalizar suas vontades, necessidades, pensamentos e ideias, e encontrar maneiras saudáveis e satisfatórias de ter suas necessidades atendidas, quando ela descobre quem é e aceita sua unicidade, reencontra seu caminho legítimo de crescimento. Preciso ajudá-la a aprender que alguns de seus comportamentos de sobrevivência são improdutivos e que novas escolhas de comportamento podem ter resultados mais satisfatórios. Preciso ajudá-la a entender as mensagens defeituosas que interiorizou sobre si mesma, e ajudá-la a administrar e lidar com essas mensagens.

TRABALHAR COM A RAIVA

Fase um

Reconheço três fases ao trabalhar com a raiva das crianças. A primeira fase é falar SOBRE. Muitas crianças estão tão desconectadas daquilo que sentem que precisamos dar grande importância a simplesmente falar sobre sentimentos. Elas não conhecem todas as sutilezas e nuances dos sentimentos, e quanto mais experiências tiverem com essas várias formas e descrições de sentimentos, mais serão capazes de se comunicar melhor com eles. A raiva, por exemplo, varia de irritação moderada e aborrecimento a ira, ódio e fúria. Além de falar, as crianças fazem desenhos ou pinturas de todos os tipos de sentimento de raiva usando rabiscos, cores, linhas e formas. Usamos as batidas de um tambor e de outros instrumentos de percussão para expressar várias formas de raiva. Usamos música para ilustrar vários graus de sentimentos de raiva. Usamos dramatização criativa para mostrar a raiva em várias formas, um bom jeito de envolver o corpo. Contamos histórias com fantoches e lemos livros com temas de raiva. Jogamos cartas que dizem coisas como "fale alguma coisa que te incomoda" ou "o que te deixa triste". Uma técnica de muito sucesso é fazer listas. As crianças ditam e eu faço uma lista de todas as coisas de que não gostam na escola, ou uma lista de comidas de que gostam e de que não gostam.

Gostaria de enfatizar a importância de trabalhar com polaridades. A criança tem medo das cisões dentro de si, bem como daquelas que vê nos adultos que fazem parte de sua vida. Fica confusa quando se descobre com raiva e ódio de alguém que ama. Fica perplexa quando alguém que considera forte e protetor age como fraco e impotente. É importante ajudar as crianças a entenderem que não é errado ter sentimentos mistos sobre as coisas. Ela pode ficar feliz porque o ano letivo acabou, ficar triste porque não vai ver os amigos de escola e ficar com raiva por ter tirado uma nota mais baixa do que esperava em determinada matéria. Em muitos dos exercícios que fazemos para ajudar as crianças a entenderem os sentimentos, usamos o conceito de polaridades. Peço à criança que desenhe alguma coisa que a deixa com raiva e alguma coisa que a faz sentir calma. Ou peço a ela que crie uma forma abstrata com argila para mostrar como sente seu corpo quando ela é forte e como sente quando é fraca. Dá para ver que nos divertimos com a raiva.

Nessa fase de falar sobre, não só falamos sobre a raiva de maneira geral, como a personalizamos examinando os tipos de coisa que nos fazem sentir raiva, como é a sensação física da raiva e o que ela faz com o corpo, e como expressamos esse sentimento — nosso processo da raiva.

Para encontrar maneiras mais adequadas de expressar os sentimentos de raiva, primeiro precisamos ter alguma *awareness* de como os expressamos atualmente. As crianças não associam o comportamento retrofletivo, projetivo ou defletivo com a expressão de raiva, mas podem começar a adquirir algum *insight* sobre si mesmas. Por exemplo, pedi a um grupo de meninos de 11 e 12 anos de idade que me dissessem todas as palavras que usam ou pensam quando estão com raiva. Escrevi essas palavras em uma lousa à medida que eles as gritavam (independentemente da reação provocada). Olhamos para a lista e descobrimos que algumas eram palavras agressivas, de ataque, enquanto outras nomeavam sensações internas. Falamos sobre isso por um tempo, depois discutimos nossa maneira individual de lidar com a raiva — dentro ou fora. Então, lhes pedi que fechassem os olhos enquanto eu conduzia um exercício de relaxamento. Perguntei: "Que tipo de coisa deixa você com raiva? Escolha uma coisa que deixa ou deixou você com raiva agora ou no passado. O que você faz? Vai para dentro ou para fora?" Eles fizeram desenhos da sensação dentro do corpo ou do que faziam quando estavam com raiva, usando cores, linhas, formas, rabiscos ou símbolos. O processo de raiva de cada criança foi retratado claramente. Um menino desenhou um labirinto, com os amigos representados por bonecos de palitos em um canto e um desenho de si mesmo no canto oposto. Disse que, quando ele e os amigos ficavam com raiva uns dos outros, ele se sentia sozinho e separado e não sabia como voltar a ser amigo de novo. Rotulou esse desenho de "solidão". Outro menino fez rabiscos escuros por toda a página em torno do rosto dos pais. Disse que, quando ficava com raiva dos pais, ele se sentia maluco e tinha medo do que ia fazer! Em uma sessão individual, uma menina de 16 anos desenhou um quadrado preto em torno de um círculo amarelo e cor de laranja. Ela disse que, quando ficava com raiva, os sentimentos bons eram espremidos para dentro pela raiva, e ela não sabia como trazê-los para fora. Contou que sentia o corpo espremido da mesma maneira.

Fase dois

A segunda fase do trabalho com a raiva envolve dar às crianças maneiras novas e mais satisfatórias de expressá-la. Elas precisam de muitas sugestões que não sejam perigosas e destrutivas para se livrarem dos sentimentos de raiva. Os adultos não querem, ou normalmente não aceitam, a raiva das crianças, e por isso elas não aprendem a expressar essa emoção, que precisa ser expressada.

Antes mesmo de a criança conseguir se dedicar à expressão saudável de seus sentimentos, devemos percorrer vários passos essenciais. Primeiro, preciso ajudá-la a perceber a raiva, a reconhecê-la. Esse é o primeiro passo para a criança sentir-se forte e inteira, em vez de fugir amedrontada dos sentimentos de raiva e evitá-los, ou descarregá-los de maneiras indiretas que podem machucá-la ou afastar outras pessoas. O segundo passo é ajudá-la a aprender que a raiva é um sentimento normal, natural, que todos nós temos às vezes; essa raiva é só raiva, uma emoção que não é boa nem ruim, e que está tudo bem — está tudo bem com ela — se ela ficar com raiva. Quero incentivar a criança a aceitar os próprios sentimentos de raiva. Terceiro, posso então ter a esperança de ajudá-la a fazer uma escolha consciente sobre como expressar a raiva: se a expressa diretamente ou se a expressa em particular de algum outro modo, já que a emoção precisa ser expressada. Por fim, preciso mostrar à criança várias técnicas para expressar sua raiva — isto é, como expressar a raiva diretamente ou como expressá-la em particular.

Aqui vai um resumo desses três passos essenciais:

1. Estar CONSCIENTE da raiva. "Estou com raiva."
2. ACEITAR a raiva. "Tudo bem estar com raiva."
3. ESCOLHER COMO EXPRESSAR a raiva.

Não é fácil para as crianças expressar raiva diretamente. Elas aprendem desde cedo que fazer isso, afirmar-se de maneira firme e clara, provoca desaprovação, punição e outras consequências graves. Um menino me disse: "Se eu dissesse ao diretor o que realmente quero dizer sobre a escola, ele provavelmente me expulsaria". É particularmente em relação à expressão de raiva que a criança detém o *status* de cidadão de segunda classe! Quando descobre que ser direta e honesta com seus sentimentos de raiva causa problemas para ela, a criança recorre a outros meios para se expressar, meios que quase sempre causam ainda MAIS problemas para ela. Então, é tarefa fundamental do terapeuta ajudar as crianças com esse dilema.

Trabalhar com a família inteira e educar os pais em relação à raiva é parte importante desse trabalho. Sempre pergunto aos pais, nas sessões familiares, como a família lida com sentimentos de raiva, e é interessante e esclarecedor ouvir os diferentes pontos de vista. Cada pessoa tem sua visão das coisas, inclusive cada criança, e cada uma dessas visões é válida para essa pessoa. Minha pergunta às vezes provoca discussões animadas. Um exercício que sempre faço nas sessões com a família é pedir a cada pessoa que diga a todos da família algo que aprecia ou gosta e algo de que se ressente, que a incomoda ou de que não gosta. Às vezes, um membro da família tem dificuldade para pensar em alguma coisa de que não gosta (ou, no mínimo, tem dificuldade para verbalizar essa coisa). Às vezes, é a primeira vez que uma irmã, por exemplo, vai ouvir algo de que o irmão gosta nela. Depois de algumas rodadas, discutimos o que aconteceu. Apresento meu *feedback* e cada um mostra sua reação ou faz sua réplica ao que foi dito. Praticar ser direto com sentimentos de raiva é importante para toda a família, e muitas vezes a dinâmica da família em questão passa por uma mudança radical quando proporciono essa experiência. Pode surgir todo tipo de material a ser trabalhado.

Ellen, uma menina de 15 anos que sofria de bulimia — transtorno alimentar que implica comer descontroladamente e provocar o vômito —, expressou sentimentos de raiva intensos e diretos pelos pais em um exercício como o que descrevi acima. Os pais ficaram perplexos. Eles formavam uma família amorosa e gentil uns com os outros e evitavam conflito. Era como se uma linda casa tivesse sido construída sobre uma fundação podre que ficava escondida. Quando começamos a desenterrar a podridão para que fosse possível vê-la, lidar com ela, trabalhar tudo isso, Ellen não engoliu mais sua raiva. Antes dessa sessão familiar em particular, várias coisas precisaram acontecer. Primeiro, os pais tiveram de ser educados sobre a raiva — entender os efeitos prejudiciais de suprimi-la e entender particularmente a dificuldade que as crianças têm de expressar raiva de maneira direta. Além disso, a criança precisou ganhar algum autossuporte antes de conseguir expressar seus sentimentos diretamente para os pais na sessão. E, antes mesmo de alguns desses pontos mencionados, eu precisei estabelecer uma boa relação com a criança e com os pais dela. Se não há boa vontade entre nós, se os pais se sentem criticados e atacados e se tornam defensivos, a patologia vai ser exacerbada em vez de curada. Acredito que é minha responsabilidade construir essa relação.

Ellen e eu passamos várias sessões juntas antes dessa sessão transformadora com os pais. Percorremos várias etapas do trabalho com a raiva mencionadas anteriormente. No início, Ellen tinha bem pouca *awareness* de sua raiva. Negava categoricamente sentir raiva de qualquer coisa ou de alguém. Duas sessões se destacam em minha cabeça. Em uma delas, ela fez uma boca enorme com muitos dentes usando argila, depois de receber instruções para fazer alguma coisa, qualquer coisa, de olhos fechados. Eu lhe pedi que fosse a boca e se descrevesse. Ela disse: "Sou uma grande boca com muitos dentes". Perguntei o que ela podia fazer. "Bom, posso comer muita comida de uma vez só. Posso devorar muita coisa. É melhor as pessoas tomarem cuidado comigo, ou posso mordê-las!" Perguntei se havia alguém que ela gostaria de morder. Ellen riu e disse que não conseguia pensar em ninguém. Depois, acho que para aliviar a tensão, ela sugeriu, brincalhona, que era a boca de Mick Jagger! Perguntei, então, se algo que ela disse como boca a fazia lembrar de algo sobre si mesma ou sua vida. Ela pensou por um momento e disse: "Não, nada em que eu consiga pensar". Respondi: "O que você disse me faz lembrar uma coisa". Ela olhou para mim com interesse. "Me faz pensar no porquê de você estar vindo aqui — comer e vomitar." Ela ficou completamente atônita. "Não acredito que fiz isso! Não acredito que fiz essa boca!", repetiu várias vezes.

Em uma sessão posterior, ela fez uma cena na caixa de areia com vários animais grandes e cobras atacando animais menores. Quando descreveu sua cena, disse: "E esse animal vai devorar o menor, e aquela cobra vai devorar o outro". Ela acrescentou que os animais estavam brigando porque estavam realmente bravos uns com os outros e queriam seu espaço de volta. Depois de mais algum trabalho com a cena, repeti a pergunta sobre alguma coisa em sua história lembrar a vida dela, e a resposta foi negativa outra vez. Quando apontei como ela usou a palavra "devorar", sua reação voltou a ser de surpresa. "Não acredito que fiz isso de novo!", disse. Aos poucos, Ellen começou a reconhecer alguns de seus sentimentos de raiva, sobretudo em relação aos pais. Ficou apavorada com a ideia de dizer diretamente a eles o que a incomodava, mas depois de ganhar força com nossas sessões, se dispôs a participar da sessão familiar descrita acima. Essa sessão em particular foi um ponto de transformação para Ellen.

Até mesmo uma criança pequena é capaz de aprender a ser direta com sua raiva. Um menino de 4 anos, Josh, foi levado ao consultório pelos pais por causa de uma gagueira grave. Os pais eram divorciados e tinham a guarda compartilhada. Josh morava metade da semana com o pai e metade com a mãe. Passou várias sessões brincando com a casa de bonecas, criando histórias sobre famílias felizes, intactas, gaguejando o tempo todo. Ele me incluiu na contação de história, me dirigindo para ser um ou outro personagem. De vez em quando eu fazia um comentário como: "Aposto que você queria que sua família morasse junta, como essa". "Sim!", ele respondia. Um dia ele brincou na caixa de areia com os bonecos do Super-Homem e do Batman. Peguei da prateleira um leão grande com dentes afiados e disse: "Vou pegar esse Super-Homem". Ele gritou, gaguejando muito: "Guarda isso! Guarda isso!" Eu guardei e pedi desculpas. Depois de um momento, Josh falou: "Pega o leão". Eu peguei e disse: "Espero que o Super-Homem não me bata antes de eu pegar ele", e, quando me aproximei, Josh bateu de leve no meu leão com o Super-Homem. Eu gritei: "Ah! Ah! Ele me pegou!", e joguei o leão no chão. Josh falou, sem nenhum traço de gagueira: "Faz isso de novo!" Repetimos essa cena muitas vezes com instruções variadas de Josh, que não gaguejava. Em outra sessão, enquanto o menino brincava com argila, usei o material para fazer bonecos dele e dos pais. Eu disse a ele quem eram os bonecos e lhe pedi que fizesse o menino de argila dizer a cada um dos pais alguma coisa de que ele gostava e não gostava. Ele disse à mãe: "Gosto quando você lê histórias para mim. Não gosto quando grita comigo". Para o pai, ele falou: "Gosto quando você me leva a lugares. Não gosto quando vai embora". Mais uma vez, ele não gaguejou. Em outra sessão, Josh descreveu um sonho que tivera na noite anterior. "Eu estava dormindo na minha casa. Minha mãe e meu pai também estavam lá. Chovia forte. Eles me acordaram e me puseram para fora de casa na chuva. Um pássaro grande veio para cima de mim, depois foi embora. Não gostei desse sonho — fiquei com medo." Criamos toda a cena do sonho com argila, e Josh representou cada papel. Ele disse que não gostou de os pais o terem posto para fora na chuva, e que aquilo o deixou muito bravo. Fiz ele dizer isso aos pais. Perguntei se ele gostaria de mudar o fim do sonho. Ele disse que mataria o pássaro e o esmagou com o punho enquanto falava. Depois disse que sente que eles o colocam para fora na chuva, mesmo quando não está chovendo, quando tem que ficar indo e voltando, indo e voltando. Na sessão com a família, Josh conseguiu dizer tudo isso aos pais. Instruí o pai e a mãe a deixá-lo expressar seus sentimentos, mesmo que não quisessem mudar nada. Sugeri que criassem uma Sessão da Raiva para o Josh, na qual, todas as noites, ele poderia dizer o que o tinha deixado com raiva sem ter de ouvir explicações ou sermões.

A gagueira de Josh diminuiu acentuadamente, e seus pais notaram que, quando ele começava a gaguejar, só precisavam parar e dizer alguma coisa como: "Aposto que está com raiva do papai porque preciso viajar a trabalho de novo", prestando atenção ao que estava acontecendo e ajudando-o a articular o que o estava incomodando.

Há situações em que as crianças estão com raiva e sabem que não podem ser diretas com seus sentimentos. Quero dar a elas técnicas para expressar esses sentimentos de maneiras que não as prejudiquem. Como vimos, a criança precisa antes *reconhecer* — saber que está com raiva. Ela precisa *admitir* a raiva para si mesma. Precisa *aceitar* sua raiva. "Estou com raiva e tudo bem estar com raiva." Depois, ela pode *escolher* como expressar a raiva. Se não puder expressá-la diretamente, há muitas outras maneiras seguras de se livrar dessa energia furiosa. Ela pode contar a um amigo que está com raiva. Pode escrever sobre esse sentimento. Pode relacionar todas as palavras raivosas em que conseguir pensar. Pode desenhar, pintar ou rabiscar sua raiva. Pode amassar ou bater em bolos de argila, plastilina ou massinha de modelar. Pode rasgar jornal, amassar papel, amassar ou chutar uma lata, pular, socar um travesseiro, bater na cama com uma raquete de tênis, correr em volta do quarteirão, gritar em uma almofada, gritar no chuveiro ou torcer uma toalha com toda força possível. Fazemos listas de coisas que ela pode fazer e treinamos algumas no consultório. Com frequência, atribuo à criança tarefas para que experimente em casa e me conte os resultados.

Pedi a uma menina de 16 anos que berrava muito em terríveis brigas com a mãe que anotasse cada discussão para que eu pudesse saber como essas brigas aconteciam. Ela me contou que, depois de uma briga, correu para o quarto e, furiosa, escreveu a discussão no caderno que eu lhe havia dado, e descobriu que a fúria se dissipou e ela não estava mais com tanta raiva. Antes disso, os sentimentos de fúria ferviam dentro dela por muitas horas, e até mesmo dias.

Kevin, 6 anos, retrofletia a raiva se rasgando, literalmente, e destruindo as próprias coisas. Ele não admitia que ficava com raiva. Kevin morava em um lar provisório e, por trás do comportamento retrofletivo, nutria numerosas emoções que variavam da dor ao ódio em relação a seu abandono. À medida que adquiria mais autossuporte com o trabalho que fazíamos juntos, começamos a analisar algumas dessas emoções. Ele já havia desenvolvido um processo de raiva muito prejudicial; voltava esse sentimento para si mesmo em cada situação de vida que o deixasse furioso. Então, eu precisava não só ajudá-lo a descobrir seus sentimentos enterrados mais profundamente, como também a aprender a lidar de maneira apropriada com sentimentos de raiva que poderiam surgir em seu cotidiano. Começamos com os sentimentos que estavam na superfície, antes de irmos mais fundo.

Um dia, quando brincávamos com argila, pedi a ele que me contasse sobre as crianças na escola. Seu corpo e sua voz ficaram tensos quando ele mencionou o nome de um menino. Com toda suavidade, perguntei se, às vezes, o menino o deixava com raiva. Kevin, como sempre, negou quaisquer sentimentos de raiva. Perguntei, então, se o menino alguma vez tinha feito algo de que ele não gostou. Tinha descoberto que usar a expressão "não gostar" era muito menos ameaçadora para crianças como Kevin do que falar em raiva e fúria. Ele assentiu e me contou que o menino às vezes debochava dele por viver em um lar provisório. Perguntei o que ele fazia quando isso acontecia e ele não gostava. Ele abaixou a cabeça e disse: "Não sei". Fiz um grande bolo de argila e falei: "Vamos fingir que o menino está sentado nessa argila. O que você poderia dizer a ele?" "Não sei", ele repetiu. "Bom, eu sei o que EU gostaria de dizer a ele", falei. "NÃO GOSTO QUANDO VOCÊ DEBOCHA DO MEU AMIGO KEVIN! ISSO ME DEIXA FURIOSA!" Kevin riu. Perguntei se ele conseguia dizer ao menino que estava furioso. Kevin fez que não com a cabeça. Comecei a socar a argila e falei: "Queria esmurrar você por debochar do Kevin!"

Kevin riu alto. (Ele raramente sorria, muito menos ria.) Então lhe perguntei se queria experimentar, e ele deu um soco hesitante na argila. Garanti que nunca faríamos aquilo de verdade, que era só argila e o menino nem saberia o que estávamos fazendo. Propus que fizéssemos isso juntos e começamos os dois a bater, e Kevin ria e gargalhava o tempo todo. Logo nós dois estávamos falando com nosso adversário imaginário. Eu disse a Kevin que ele poderia socar um travesseiro ou a cama sempre que ficasse furioso com alguém. A mãe temporária relatou que ele fez isso todos os dias depois da escola por muito tempo, e que tinha parado de se machucar e de quebrar coisas.

Kevin tinha enfrentado uma vida dura em seus seis anos. Abandono e abuso físico o deixaram profundamente perturbado. Em muitos sentidos, ele dava sinais de não querer viver, ou de sentir que não tinha direito a existir. A parte sobrevivente dele sentia uma ira profunda, uma ira que o aterrorizava. Senti que, em nosso trabalho, eu poderia fornecer a ele algumas ferramentas necessárias para lidar com sentimentos que o amedrontavam, como a menor raiva o fazia. À medida que dirigíamos essa agressividade para fora de formas seguras, ele começou a desenvolver um senso mais forte de si mesmo. Em cada sessão, trabalhava em seu processo de lidar com a raiva na vida diária. Expressava pequenas porções de raiva de muitas maneiras: com fantoches, argila, contando histórias, montando cenas na caixa de areia. Ao mesmo tempo que projetava e depois reconhecia os sentimentos de raiva, sentia-se validado por mim. Seus SENTIMENTOS eram validados. Ele adquiria um senso de *self* mais forte a cada afirmação que fazia sobre si mesmo. Logo foi capaz de aceitar minha sugestão de dramatizar o abuso físico com bonecos, bem como cenas que retratavam seu abandono. Muitos outros sentimentos relacionados a esses episódios emergiram em pequenos segmentos, sentimentos de dor, solidão e, sobretudo, de falta de valor. Crianças que sofrem abuso e são abandonadas sentem que é culpa delas, que elas são más e não têm nenhum valor. Kevin logo se fortaleceu o bastante para lidar de forma eficiente com os sentimentos ruins sobre si mesmo, e aprendeu a se aceitar e nutrir mais.

A expressão em pequenas doses é a essência da terapia infantil. A criança chega à terapia com a resistência como sua única aliada, seu único meio de se proteger. Quando começa a confiar em mim, e à medida que passa a sentir mais do próprio apoio, pode escolher se abrir, se arriscar, ser um pouco mais vulnerável. Encontramos resistência muitas vezes durante a terapia. A criança se abre um pouco, depois se fecha. Cada ocorrência de fechamento é, na verdade, um sinal de progresso, porque é sua maneira de dizer: "Isso é o bastante para mim agora. O resto virá mais tarde". E o resto VEM mais tarde, um pouco de cada vez.

Billy, 9 anos, defletia sua raiva. Ele foi encaminhado para mim pela escola por comportamento rebelde: bater, chutar, brigar no parquinho, perturbar a aula. Por causa da carreira do pai na Marinha, a família de Billy tinha se mudado muitas vezes e, de fato, ele nunca concluiu um ano letivo na mesma escola. Desde a primeira sessão com os pais, ficou claro que toda a família estava com problemas. A mãe de Billy era visivelmente deprimida. O pai negava a existência de qualquer problema. Sobre uma irmã mais nova, que não estava presente nessa sessão, foi revelado posteriormente que sofria de eczema, asma e enurese noturna crônica. Como Billy chamava mais atenção, ele foi trazido para receber ajuda. Os pais recusaram terapia parental ou familiar e só queriam que eu "consertasse" Billy.

Não sou avessa a trabalhar com a criança mesmo que esteja claro que toda a família precisa de terapia. Billy já havia formado um sistema de crenças sobre si mesmo e um processo de vida que era autodebilitante. Se os pais se dispunham a levá-lo para a terapia, eu me dispunha a ajudá-lo a adquirir o máximo possível de força.

Em nossa primeira sessão, Billy se encolheu em um canto do sofá enquanto os pais recitavam uma lista de queixas sobre ele. Considero importante ter a criança presente nessa primeira sessão, ouvindo tudo que os pais me dizem. Quero que ela saiba tudo que eu sei. É meu momento de começar a fazer algum contato com a criança e informar a ela que, embora eu esteja ouvindo os pais, sou igualmente atenta e respeitosa com o ponto de vista DELA. Essa também é uma oportunidade, para mim, de começar a mudar sua posição de ter sido trazido, talvez arrastado, para a terapia, para a de escolher e assumir a responsabilidade de vir. Enquanto os pais falavam, eu fazia contato visual frequente com Billy, perguntando se ele concordava com o que eles diziam. Ele encolhia os ombros e dizia: "Não sei". Eu sorria para ele quando nós, os pais e eu, continuávamos. Passei cinco minutos sozinha com Billy no fim da sessão, contando um pouco sobre como trabalho com crianças e mostrando o consultório, e ele aceitou voltar algumas vezes.

Na sessão seguinte, a criança rebelde chegou quieta, sem nada a dizer, com o corpo contraído e o rosto tenso. Vi quando ele olhou para as pinturas que estavam sobre a mesa e perguntei se ele gostaria de pintar alguma coisa, o que quisesse. Seu rosto se iluminou e ele começou a pintar com grande concentração. Quando terminou, contou que sua turma na escola estava estudando os vulcões, e foi isso que pintou. Pedi a ele que me falasse sobre seu vulcão. Ele disse: "Não é um vulcão ativo — é um vulcão adormecido. Tem lava quente que ainda não entrou em erupção, mas pode entrar. Essa é a fumaça que sai do vulcão, porque ele tem que liberar um pouco da pressão". Essas foram suas palavras exatas, que indicaram que ele provavelmente estava na sala quando os vulcões foram estudados. (O orientador havia relatado que ele nunca era capaz de permanecer na sala de aula por causa de seu comportamento.) Pedi a Billy que ficasse em pé, imaginasse que era um vulcão e me contasse um pouco sobre ele. Ao ver sua expressão confusa, sugeri: "Finja que o vulcão é um fantoche e você precisa ser a voz dele. Comece dizendo: 'Sou um vulcão'". Billy repetiu: "Sou um vulcão". E acrescentou: "Tenho muita lava dentro de mim. Ainda não entrei em erupção, mas vou entrar. Solto fumaça cinza para poder liberar a pressão". Perguntei a Billy: "Se você realmente fosse um vulcão, se seu corpo fosse o vulcão, onde estaria a lava?" Muito pensativo, Billy pôs a mão sobre o abdome e disse: "Bem aqui". "Billy", continuei com tom suave, "o que essa lava quente seria para você, um menino?" Depois de alguns momentos de reflexão, Billy olhou para mim com os olhos muito abertos. "Raiva!", sussurrou. Então lhe pedi que fizesse um desenho de como ele achava que era sua raiva usando apenas cores, linhas e formas. Ele pintou um grande círculo vermelho com várias cores em seu interior. Quando terminou, escrevi a descrição de seu círculo de raiva, que ele ditou para mim, bem como todas as coisas que o deixavam com raiva. "Essa é a raiva do Billy dentro de seu estômago. É amarela, vermelha, cinza, preta e laranja. Fico furioso quando minha irmã bagunça meu quarto e quando brigo, e quando caio da bicicleta." Nesse ponto, Billy não conseguiu pensar em mais nada para dizer. Tinha se aberto tanto quanto estava disposto para aquela sessão, e depois se cercou com seu muro de proteção.

Naquela ocasião, Billy não estava preparado para dar tanta expressão à raiva, exceto pela pintura. Além disso, só admitia raivas muito superficiais. Em cada sessão subsequente, ele se dispôs a reconhecer mais e mais seus sentimentos de raiva por intermédio de argila, caixa de areia, desenhos e fantoches. À medida que expressava sentimentos de raiva, outros começaram a emergir: dor por perder amigos cada vez que se mudava, medo de fazer novos amigos, porque sabia que teria de se mudar de novo, desespero e solidão, impotência e culpa em relação à mãe deprimida.

Em determinada sessão, Billy fez um círculo de animais na caixa de areia. Um leão entrou na cena e atacou os animais surpresos. Eu disse: "Digamos que você tivesse que ser um desses animais. Qual seria?" "Eu sou o leão", ele respondeu. "O que o leão faz você lembrar?" "Não sei." "Sente vontade de atacar alguém, como o leão atacou?" Billy respondeu: "Sim!" "Quem você atacaria?" "Bom, tem umas crianças que me incomodam na escola." "Billy, o que você faz quando fica com raiva do seu pai?" Billy recuou, com medo. "Não fico com raiva dele! Ele me daria uma surra!" "E sua mãe?", perguntei. "Às vezes ela grita comigo e eu grito de volta. Mas ela conta para o meu pai." Era possível ver claramente o dilema de Billy. Na sessão seguinte, apresentei a ideia de que a raiva precisava ser expressada e experimentamos algumas maneiras para que ele pudesse fazê-lo. Ele gostou de rasgar jornais e revistas velhos, e tenho de admitir que me diverti muito fazendo isso. Depois de atender Billy por cerca de quatro meses, telefonei para a escola para saber como ele estava por lá. A professora contou que não tinha problema nenhum com ele havia dois meses, e supôs que antes ele estivesse só passando por alguma fase!

Às vezes tenho a oportunidade de trabalhar com um professor da criança, mas não é comum. Muitos professores não têm tempo, ou disposição. Quando consigo envolver todas as pessoas que fazem parte do mundo da criança, meu trabalho fica mais fácil.

Fase três

A terceira fase no trabalho com a raiva das crianças implica ajudá-las a descobrir e expressar sentimentos de raiva trancafiados devido a trauma passado ou atual na segurança do *setting* terapêutico. Esse tipo de raiva pode estar enterrada tão fundo que a criança não tem absolutamente nenhuma *awareness* dela; mas, por causa do comportamento sintomático da criança, podemos ter certeza de seu efeito prejudicial no funcionamento saudável dessa criança. Esses sentimentos de raiva serão liberados, normalmente, em pequenas porções; crianças raramente têm uma catarse, como poderia acontecer com um adulto. Quando o poder dos sentimentos emerge, é assustador para a criança.

Às vezes estou ciente do trauma, devido às informações dadas pelos pais. Outras vezes, os desenhos e outros trabalhos projetivos da criança me indicam que está acontecendo ou aconteceu alguma coisa que gerou terror nela. Entendo que posso estar interpretando as projeções de forma incorreta; no entanto, o material apresentado indica que a criança precisa de ajuda para revelar ALGUMA COISA. Se a criança é atormentada por pesadelos ou terror noturno, se é severamente fóbica, se tortura animais, se, no meu consultório, ataca ferozmente a argila com uma faca, como uma criança fez muitas vezes; se seus desenhos, cenas na caixa de areia e histórias são repletos de símbolos horripilantes, preciso prestar atenção. É bem provável que ela tenha sofrido trauma e este tenha sido enterrado tão profundamente que ela não consegue se lembrar dele. As crianças muitas vezes se dividem, fragmentam-se, a fim de lidar com incidentes traumáticos. Elas de fato não se lembram do que aconteceu. Mas o organismo, em sua busca de integração, tenta se livrar dos sentimentos suprimidos. Ele pressiona de maneira incansável. Se a criança tiver a oportunidade de desenhar, encenar e usar argila em uma sessão terapêutica, as projeções mencionadas vão aparecer.

Quando trabalho com essas crianças, quero ajudá-las a expressar os sentimentos de raiva que são projetados em monstros e símbolos assustadores. Quero ajudá-las a se APROPRIAR desses sentimentos a fim de sentirem a própria energia e o próprio poder. Às vezes, é difícil esperar que a criança se lembre de um acontecimento traumático, em particular se ele ocorreu em um estágio pré-verbal. Porém, a raiva está fervendo, e preciso ajudar a criança a reconhecê-la e liberá-la, mesmo que não possamos identificá-la.

Um exemplo desse fenômeno é a criança que atendi vários anos atrás e que exibia manifestações comportamentais indicativas de trauma severo. No entanto, não havia em sua história nada que indicasse que alguma coisa tinha acontecido com ela. Nunca estivera no hospital, nunca se mudara, ninguém na família ou próximo a ela havia morrido, os pais eram amorosos e preocupados etc. O sistema familiar era bem saudável, como observei. Mas ela era gravemente fóbica e tinha terríveis pesadelos debilitantes. Só mais tarde, cinco anos depois, descobri que ela havia frequentado uma pré-escola do bairro, onde supostamente as crianças foram molestadas durante um período. Ela negou, mesmo cinco anos depois, aos 12 de idade, ter sido molestada algum dia. Em nossas sessões, quando tinha 7 anos, ela desenhava demônios e monstros, esfaqueava a argila repetidas vezes e com intensidade com uma faca de manteiga e nunca se fartava de areia muito molhada e água, que despejava com uma energia feroz. Depois de três meses dessas atividades em sessões semanais, todos os sintomas desapareceram, e, desde então, ela tem sido uma mocinha muito feliz e bem ajustada. Nunca discutiu o possível abuso, nem articulou sentimentos profundos de raiva. A partir dessa experiência, só pude presumir que ela teve algum tipo de catarse em suas atividades, e o que quer que estivesse na raiz de sua atividade intensa havia sido tão suprimido que ela não conseguia trazer à consciência. Talvez mais coisas emergissem em um estágio posterior de desenvolvimento.

Outro exemplo é um menino que sofreu severo abuso físico do pai e não tinha nenhuma lembrança do fato. Ele exibia numerosos sintomas indicativos de interrupção de desenvolvimento organísmico saudável. Em nossas sessões, também usava intensamente areia muito molhada e parecia nunca se fartar dela. Despejava água na caixa de areia até eu ter que pedir para parar, antes que a água transbordasse para o chão. Suas histórias, desenhos e cenas na caixa de areia eram repletos de símbolos de conflito e raiva do jeito mais intenso. Seus pesadelos e outros sintomas pararam depois de três ou quatro meses, mas continuamos trabalhando, uma vez que seu trabalho continuava sendo rico em expressão. Nessa época, ele era capaz de expressar raiva de maneira direta e adequada, e ia bem na escola, com os amigos e em casa. Era tranquilo e cheio de energia feliz. Mas os intensos sentimentos simbólicos continuavam transbordando. Ele não era capaz de articular nada sobre o trauma. Felizmente, os pais continuaram levando o menino às sessões, sabendo que ele ainda fazia um trabalho significante. Quando nossas sessões adquiriram aquele clima de "passar um tempo" juntos, eu soube que era hora de parar. Talvez em alguma etapa desenvolvimental futura ele esteja pronto para explorar em um nível mais profundo.

Às vezes a criança tem e articula sentimentos bloqueados de raiva, e a integração saudável ocorre rapidamente. Susan, uma menina de 11 anos, foi severamente espancada por um assaltante que entrou na casa dela quando a porta estava destrancada. Ele invadiu o quarto dela, e a menina acordou e gritou. Ele a agrediu para silenciá-la. Na terapia, Susan era incapaz de sentir raiva. Por intermédio de várias técnicas expressivas, conseguia expressar medo e terror, mas não raiva. Eu sabia que, até que conseguisse expressar alguma raiva, ela continuaria sendo uma vítima amedrontada do assalto. De acordo com a mãe, antes do incidente Susan sempre fora capaz de expressar sentimentos de raiva de maneira aberta e direta. Um dia, depois de três meses de trabalho conjunto uma vez por semana, sentamo-nos para trabalhar com argila. Peguei o martelo de borracha e pedi a Susan que batesse na argila. Eu disse: "Imagine que está brava com a argila e bata nela". Ela fez uma careta para mim, mas seguiu a orientação. Eu disse: "Se estivesse brava com alguém, com quem seria?" Ela respondeu: "Acho que com aquele homem". "Então, imagine que está batendo nele." Susan deixou o martelo cair sobre a argila sem muita vontade. "O que diria, se pudesse falar com ele?" "Bom, acho que eu diria: 'O que você fez foi horrível. Você é uma pessoa má', ou alguma coisa assim." Incentivei Susan a repetir essas palavras, e ela começou a bater na argila com mais energia. De repente, soltou o martelo e olhou para mim horrorizada. "Que foi, Susan?", perguntei calmamente. Ela sussurrou: "Não é com ele que estou brava, é com a minha mãe, porque naquela noite ela não trancou a porta e não me ouviu gritar". A mãe havia perguntado muitas vezes se Susan estava com raiva dela, mas a menina sempre negava, provavelmente por necessidade de proteger a mãe triste. Insisti para que ela compartilhasse os sentimentos de raiva com a mãe, explicando que, caso contrário, sempre haveria um muro entre elas. Foi só depois de expressar a raiva pela mãe que Susan conseguiu finalmente dirigir toda sua raiva para o assaltante, recuperando assim seu senso de *self* e poder.

A argila é um excelente meio para ajudar as crianças a acessar, expressar e trabalhar sentimentos ocultos de raiva. Como esses sentimentos têm estado adormecidos dentro da criança como pedras pesadas, em geral ela precisa de ajuda. Nunca é demais enfatizar que esses sentimentos ocultos raramente emergem em uma única experiência catártica, mas sim em pequenos fragmentos. As crianças não têm autossuporte para lidar com muitos desses sentimentos de uma só vez. Os sentimentos são aterrorizantes em si mesmos. Por serem tão assustadores, sempre vou precisar dar um empurrãozinho na criança, como fiz com Susan, ao mesmo tempo que abordo o assunto de um jeito leve, não ameaçador.

Outro exemplo é o de uma garota de 11 anos que sofreu abuso físico e sexual por parte do padrasto. Ela também tinha muita dificuldade para expressar sua raiva — por ele ou por qualquer coisa. Um dia, lhe pedi que fizesse um boneco dele com argila. Ela trabalhou muito tempo fazendo só a cabeça. Finalmente, lhe pedi que encerrasse o trabalho e falasse com a cabeça de argila. Ela ficou agitada e perturbada, apesar de eu garantir que era só argila e ele nunca saberia. Perguntei se eu podia falar com a cabeça. E disse: "Não gosto do que você fez com minha amiga. Você me deixou com muita raiva!" Ela riu de mim, mas ainda não conseguiu dizer nada a ele. Peguei o martelo e pedi a ela que batesse na argila, repetindo que era só argila e o padrasto nunca saberia. Ela me pediu que fizesse isso por ela, mas me recusei e disse que isso era algo que ela mesma tinha de fazer. Apavorada, a menina pegou o martelo e bateu duas vezes. "Mais tarde tem mais", disse à cabeça de argila. Nas sessões seguintes, aos poucos, ela conseguiu expressar sua raiva pelo padrasto de maneira cada vez mais direta, aberta e com energia. Enquanto isso, toda sua atitude e a postura mudaram, e a criança tímida e restringida se transformou em uma mocinha forte, feliz, franca e assertiva.

Um menino de 8 anos defletia os sentimentos de raiva destruindo flores no jardim, torturando o gato e exibindo outros comportamentos destrutivos. Um dia, em uma sessão com argila, ele fez pequenos bonecos que chamou de Senhores Perfeitos, os colocou em uma espaçonave de argila e começou a bater com a espaçonave com toda força que tinha. Ele fez isso muitas vezes em várias sessões, sem nunca reconhecer seus sentimentos. O pai, que, segundo a mãe, esperava que o menino fosse perfeito o tempo todo, não comparecia ao consultório. Perguntei a Tommy se alguém conhecido queria que ele fosse perfeito. Ele não conseguiu pensar em ninguém. Perguntei se o pai alguma vez quis que ele fosse perfeito. Ele encolheu os ombros. Eu disse: "Se meu pai quisesse que eu fosse perfeita, isso me deixaria com muita raiva". "É! Eu sei!", ele respondeu. Depois disso, conseguiu identificar todos os Senhores Perfeitos como seu pai, enquanto os destruía dentro da espaçonave. Como o pai se recusava a ir ao consultório, insisti em falar com ele por telefone e lhe dei a tarefa de se abster de fazer qualquer crítica ao filho durante uma semana inteira. O pai se defendeu negando que o criticasse, mas depois de eu explicar com calma o tipo de coisa que uma criança pode interpretar como crítica, começou a chorar. Ele mesmo havia sido duramente criticado na infância. Nem preciso dizer que grande progresso foi feito depois daquele telefonema.

Às vezes, quando os sentimentos de raiva das crianças são desbloqueados, os pais manifestam o receio de eu estar ensinando seus filhos a serem furiosos, até violentos, porque os incentivo a bater em travesseiros, esmagar argila e assim por diante. É fundamental educar os pais sobre o papel da raiva, o prejuízo que ela causa quando não é expressada, a necessidade de ajudar as crianças a navegarem por sentimentos de raiva. Logo depois que meu primeiro livro, *Descobrindo crianças*, foi publicado, fui entrevistada por um programa de notícias em Los Angeles para falar sobre meu trabalho. Eles foram ao consultório e gravaram imagens minhas em uma sessão real com uma criança (com o consentimento dela e dos pais, é claro). John, 10 anos, me disse que estava muito infeliz porque não tinha com quem brincar na escola ou em casa. Sua atitude geral na vida era de um retrofletor. Ele andava com os ombros encurvados, o corpo restrito, e era triste e choroso em boa parte do tempo. Eu lhe pedi que desenhasse como era a sensação de não ter com quem brincar. Ele fez dois desenhos usando apenas linhas pretas e azuis no papel. E disse: "É assim na escola... ruim. E é assim em casa... ruim". Eu falei: "Como é sentir-se mal na escola, mal em casa, mal o tempo todo?" John respondeu de cabeça baixa, com os ombros encurvados: "Ruim". A meu pedido, ele fez outro desenho com linhas planas e cores apagadas. Espalhamos os desenhos e olhamos para eles. "John, quando você olha para esses desenhos e vê como se sente o tempo todo, o que pensa? Como é sentir-se mal na escola, mal em casa, mal, mal, mal? Você gosta disso?" John respondeu: "Não! Não gosto disso". "Bem, então faça um desenho de como não gosta disso", pedi. John começou a desenhar de um jeito meio letárgico, depois foi se envolvendo mais e mais com o desenho. Ele fez rodamoinhos pretos e vermelhos, uma arma cuspindo balas, uma faca com sangue pingando da ponta, algumas luvas de boxe. A câmera de TV gravou tudo. Quando ele terminou, lhe pedi que me contasse sobre o desenho. John ficou em pé e gritou: "Sinto tanta raiva que queria esfaquear alguém! Sinto tanta raiva que queria atirar em alguém! Sinto tanta raiva que queria socar alguém com muita força!" Enquanto berrava, ele fazia marcas pretas e grossas no papel. Assisti a essa demonstração pública de raiva violenta tomada pelo pânico, tentando decidir o que fazer a seguir. Então olhei para John, notei que ele estava sentado, respirando fundo, o rosto iluminado, sorridente, de cabeça erguida e com os ombros alinhados, e parecia feliz e relaxado. Eu disse: "Como se sente agora, John?" Ele respondeu: "Bem! Gostei de fazer isso!" Eu lhe pedi que desenhasse como se sentia no momento, e ele fez um lindo desenho rosa e amarelo, com um arco-íris e um sol brilhante, sorridente. E me disse: "Agora me sinto muito bem, não como me sentia antes. Por que desenhar aquelas coisas me fez sentir tão bem?" Não é incomum que as crianças façam essas perguntas quando direciono sua *awareness* para os sentimentos. John estava furioso com sua situação, mas retrofletia a raiva — seu processo na maior parte da vida — e se sentia mal e magoado por isso. Era letárgico, inerte, desprovido de energia. Quando teve a oportunidade de liberar parte de seus sentimentos de raiva, se sentiu bem, em vez de mal. Sentiu-se cheio de energia, calmo e pacífico. Pudemos então começar a lidar com a questão de fazer amigos. Aliás, o comentário do entrevistador no fim da sessão foi: "Se eu não tivesse visto isso com meus próprios olhos, nunca acreditaria!"

Ao longo deste capítulo, falei sobre trabalhar a raiva com várias faixas etárias e também com famílias. Na verdade, não há muita diferença em ajudar crianças de qualquer idade a lidar com sentimentos de raiva. Crianças muito pequenas possivelmente trabalham mais no nível simbólico do que as crianças maiores, que têm mais desenvolvimento cognitivo e habilidades de linguagem. Ao mesmo tempo, as crianças pequenas são mais pragmáticas e capazes de entender e responder do que a maioria das pessoas percebe. Elas podem encenar seus sentimentos de raiva usando monstros e animais de aparência furiosa, mas expressam-nos de maneiras concretas, descomplicadas. É importante ajudar os pais a entenderem o nível desenvolvimental de cada criança e a arte da comunicação com crianças pequenas.

Como a maioria das crianças, sobretudo as mais novas, se sente pequena e impotente, muitas delas, por frustração, se envolvem em disputas de poder. Uma crise de birra não é necessariamente uma expressão de raiva, mas uma indicação de impotência. Quando as crianças começam a sentir algum controle e poder na própria vida com os limites e as fronteiras de segurança, tornam-se mais calmas e mais fáceis de lidar. Às vezes, em nossas sessões, crianças pequenas passam o tempo todo me dirigindo e controlando, e obtêm grande satisfação disso. É comum que eu oriente os pais a proporcionarem um momento como esse em casa.

Os adolescentes não são diferentes de crianças pequenas em sua busca de separação e poder. O adolescente, como a criança bem pequena, está lutando para estabelecer o *self*. Quando o jovem consegue ser assertivo e direto em relação a seus gostos e desgostos, necessidades e desejos, e sua raiva é aceita e respeitada, a tarefa de individuação fica mais fácil. Os pais do adolescente precisam de orientação e segurança em relação à luta do filho para estabelecer o *self*. Vejo que muitos adolescentes têm grande sabedoria. Eles apreciam minha explicação sobre o processo terapêutico e se dispõem a participar e responder ao nosso trabalho conjunto. Também gostam de usar muitas técnicas projetivas descritas aqui para desenterrar sentimentos ocultos. Você pode ler mais sobre o trabalho com adolescentes em um capítulo subsequente.

Costumo usar técnicas projetivas em sessões com a família para observar as dinâmicas familiares e ajudar os membros a compartilhar sentimentos uns com os outros. Explico todas essas fases do trabalho com a raiva nas sessões com a família: falar sobre raiva, proporcionar experiências para expressar raiva de maneira direta e simbólica e encontrar meios para ajudar a família a tomar consciência de raivas escondidas e expressá-las. Um aspecto adicional do trabalho com a família é o efeito da experiência e do processo de cada indivíduo sobre toda a família. Essa experiência inclui as experiências dos pais com a raiva na infância. Posso pedir à família que desenhe alguma coisa que os deixa com raiva — orientando os adultos a desenhar a partir da própria infância. As crianças, independentemente da idade, ficam fascinadas quando ouvem sobre a raiva dos pais na infância.

O trabalho com a raiva é como uma espiral. Quando a criança sente algum autossuporte — força interior — por meio de atividades que aumentam e fortalecem os sentidos, o corpo e o *self*, consegue expressar o sentimento de raiva. Então surge a resistência, já que ela não consegue tolerar se abrir para uma expressão maior. Continuamos trabalhando, dando a ela oportunidades para adquirir maior força interior, e ela se expressa mais. Esse processo continua até a criança ter alcançado suficiente integração e força para manter e sustentar níveis maiores de expressão. A espiral continua subindo até o organismo da criança assumir sua tarefa natural fluida e evolutiva de autorregulação da saúde.

5. Trabalhar com adolescentes

O adolescente não é uma raça misteriosa de humanos, como muitos parecem pensar. Ele está passando por um processo desenvolvimental que é normal e necessário. Todos nós estivemos nesse mesmo lugar. Tenho trabalhado com centenas de adolescentes e descoberto que reagem muito bem ao tipo de experiência que ofereço. Descubro que são sábios, perceptivos, divertidos e interessados em se conhecer. É claro que cada um é um indivíduo com necessidades muito únicas. Muitas vezes batizei *workshops* relacionados a adolescentes de "Trabalhar com o adolescente resistente". O título chama a atenção dos terapeutas, uma vez que a palavra "resistente" concorda com a imagem que eles têm dessa faixa etária. De fato, muitos adolescentes são resistentes por natureza. Alguns são mais honestos que outros sobre sua resistência. Se são maleáveis e parecem totalmente cooperativos no início, é provável que estejam apresentando um falso *self*. Na verdade, a resistência é uma coisa boa. Para mim, sugere respeito ao *self*. "Por que tenho que confiar nessa mulher, se nem sei nada sobre ela?" "Por que devo me abrir e mostrar a ela meus sentimentos mais profundos?" "Quem é ela, afinal?"

Neste capítulo, vou apresentar algumas técnicas, bem como alguns exemplos de casos, que descobri ser úteis no trabalho com essa faixa etária. Primeiro, vou dizer algumas palavras sobre o adolescente, palavras que você provavelmente conhece, mas podem ser revisadas.

A maior tarefa desenvolvimental do adolescente é individuar-se e encontrar uma identidade própria. Essa não é uma tarefa nova, na verdade, visto que começa na infância — aquele esforço inicial para estabelecer um *self* separado. Mas na adolescência ela se torna absolutamente importante. Em cada estágio do desenvolvimento, a criança está procurando um *self* e descobrindo suas fronteiras. Na adolescência, essa tarefa é crucial. É nessa época que ela deve separar-se da família e encarar um futuro ameaçador.

Em seu importante livro sobre adolescência (1995), o renomado Gestalt-terapeuta Mark McConville escreve longamente sobre esse self novo, emergente. Ele postula que o adolescente, em particular o jovem adolescente, não questiona quem ele é. Não se trata de um processo cognitivo. Esse *self* adolescente emerge através de emoções e sentidos — é uma experiência visceral.

Sim, o adolescente traz muita bagagem para essa importante tarefa, o que a torna muito difícil. Ainda bem pequena, a criança desenvolveu um jeito de ser, um processo para viver, lidar e sobreviver, que a acompanha à medida que ela cresce, e esse processo se torna ainda mais rígido na adolescência. A criança mais nova aprende a ter suas necessidades atendidas de qualquer maneira possível e desenvolve esse processo em uma tentativa equivocada de ter essas necessidades atendidas. Por exemplo, ainda pequena, aos 4 anos, digamos, a criança aprende que não é bom expressar sentimentos de raiva. Ela enfrenta a ira, a desaprovação ou talvez a tristeza dos pais ao expressar esses sentimentos e tem pouca orientação, experiência ou maturidade para expressá-los com elegância e diplomacia. Temendo não ter aprovação e deparar com o abandono, ela guarda a raiva. Mas o organismo, em sua eterna busca de saúde e regulação, precisa descarregar a energia de alguma maneira. E assim a criança pode defletir ou retrofletir seus sentimentos. Pode se tornar retraída e quieta e desenvolver dores de cabeça ou de estômago. Pode projetar a raiva em outras pessoas. É rebelde, tem crises de birra. É hiperativa, distraída ou ambos. Molha a cama, torna-se encoprética, tem pesadelos. Esses são apenas alguns comportamentos entre os sintomas que podem ocorrer, e eles se tornam sua maneira de estar no mundo — seu jeito de lidar com qualquer estresse que surja em seu caminho. Com isso, vem um senso de *self* reduzido, uma vez que a raiva é, na verdade, uma expressão do *self*.

Na adolescência, esses comportamentos podem ser transformados em maneiras mais sofisticadas de se anestesiar para evitar sentimentos, já que a criança aprendeu que os sentimentos são repletos de perigo. Uso de drogas, atividade sexual aumentada, transtornos alimentares, atividade antissocial, tendências suicidas — esses são os comportamentos que afligem a população adolescente.

A criança introjetou, antes da adolescência, muitas mensagens negativas que afetam seus sentimentos por si mesma, e essas mensagens continuam na adolescência e na vida adulta. Sentimentos, lembranças e fantasias do passado interrompem o fluxo natural do organismo. O adolescente tem sentimentos profundos que acha difícil compartilhar com a família. Simplesmente não consegue traduzi-los em palavras. Não pode correr o risco de ser vulnerável porque, se for, vai perder esse *self* frágil que tem. Ele precisa de ajuda para expressar esses sentimentos de ansiedade, solidão, frustração, autodesvalorização, confusão sexual e medo. Precisa ver como interrompe o próprio crescimento saudável. Esse é o trabalho que temos diante de nós.

Um artigo que li em 1985 capta tão bem o tormento do adolescente que eu gostaria de citá-lo aqui. Mesmo depois de tantos anos, ainda é pertinente.

(De um boletim publicado pelo Hospital Vista del Mar em Torranche, Califórnia, "Is there such a thing as 'normal' adolescence?" [Existe adolescência "normal?"], de autoria de Kevin Cox.)

> A transição da infância para a vida adulta é, talvez, o mais traumático dos muitos processos da existência, mas é no caos da adolescência que está o processo normal da formação de identidade. Parte dessa formação é o que chamamos de mau comportamento. Esse comportamento é uma manifestação da experimentação da criança com a própria identidade. A criança pode não ouvir, pode se rebelar, tornar-se obstinada ou verbalmente abusiva. Você pode sentir que ela está se comportando mal, mas na verdade ela está fazendo experiências com questões de autonomia e dependência. A maior coisa — a coisa mais difícil — a reconhecer é que essa rebelião, com moderação, é importante para a criança durante a formação de identidade. O que importa não é o que a criança está fazendo, mas em que medida — o que é realmente destrutivo e o que não é.

Então, sabemos o que está acontecendo e temos alguma ideia do que precisamos fazer. Como fazer isso? Como ajudamos a criança a superar a resistência a se encontrar e encontrar suas fronteiras de *self*, de forma que possa viver uma vida boa, saudável, produtiva nessa sociedade tão estressante e negativa?

MINHA ADOLESCÊNCIA

Eu nem falei sobre a era que o adolescente vive hoje e o que ele enfrenta no mundo. Fui adolescente durante a Segunda Guerra Mundial. O foco para todo mundo era ganhar a guerra — todos giravam em torno desse objetivo. Essa era uma guerra que considerávamos justa e que uniu todo o país. Jovens de 17 anos alistavam-se no Exército, como fez meu então futuro marido. Os de 18 anos já estavam treinando ou lutando. Meninos mais novos esperavam impacientes até poderem se alistar. Enquanto isso, eles e as meninas ingressavam em organizações como a Civil Air Patrol Cadets, como eu fiz, para desempenhar nosso papel. Aos 16 anos, eu passava horas dançando com jovens soldados e marinheiros nos refeitórios da USO (United Service Organization). Conseguíamos arrumar emprego como em nenhuma outra época, porque rapazes e moças mais velhos estavam envolvidos no esforço de guerra. Eu tive empregos que deixariam perplexos os adolescentes de hoje. Nossa identidade nos foi entregue de um jeito novo e diferente. Crescemos depressa. Aprendemos rápido quem éramos ou pensávamos ser. (Na verdade, não pensávamos sobre essas coisas.) Fizemos planos para o futuro – qualquer coisa era possível.

Nós, os adolescentes aqui nos Estados Unidos, estávamos no "*front* doméstico". Nossos rapazes atravessavam o oceano para lutar, mas nós nunca estávamos em perigo, como acontecia com os adolescentes da Europa e da Ásia. Ficávamos sem algumas coisas, mas nunca senti que isso fosse um problema. Meus dois irmãos mais velhos estavam no exterior, um na Europa, o outro no Pacífico Sul, e eu me orgulhava das duas estrelas que minha família exibia na janela de casa. Mas então a guerra me atingiu quando, poucos meses antes do fim, um dos meus irmãos foi morto em serviço na Alemanha. E começamos a tomar conhecimento da terrível matança de judeus que havia acontecido. Eu me lembro de pensar que, se meus pais não tivessem emigrado para os Estados Unidos, estaríamos entre aqueles que pereceram. Esse era um pensamento sombrio para mim, e acelerou meu amadurecimento. Às vezes reflito sobre como minha rebeldia se manifestou. Talvez a guerra tenha afastado a mim e outros adolescentes dos processos típicos de formação de identidade. Tínhamos outras maneiras de nos definir. Chorei amargamente a morte de meu maravilhoso irmão, e me esforçava muito para não demonstrar meu sofrimento, porque meus pais estavam arrasados. Em vez disso, eu me tornei ainda mais responsável. Saí de casa cedo para trilhar meu caminho no mundo — talvez esse tenha sido meu jeito de me rebelar.

A juventude de hoje tem um tipo de vida inteiramente diferente, e enquanto escrevo aqui, o país está em guerra contra o Iraque. Não é fácil planejar o futuro. As profissões se tornam obsoletas rapidamente. Empresas estão reduzindo custos. A economia está péssima. A falta de verba afeta oportunidades educacionais. Nada é simples e fácil para o adolescente de hoje.

Enquanto isso, nós, terapeutas, temos um trabalho a fazer. Passemos à tarefa de como trabalhar terapeuticamente com jovens perturbados.

PSICOTERAPIA

Uma importante implicação da terapia que fazemos envolve as polaridades que existem para o adolescente. É como se ele tivesse dois *selfs* separados. Um deles sente a atração da experiência passada. O velho *self* da criança não desaparece de forma mágica. Esse é o *self* INTROJETADO que se apega aos objetivos e padrões dos pais. Esse *self* obtém seu valor da aprovação parental e aceita o mundo adulto como ele se apresenta, sem muito conflito. O outro é o *self* adolescente emergente, muito ligado à experiência sensorial que é intensificada pelas mudanças corporais. Ele experimenta um senso aumentado de si mesmo e começa a se identificar com essa experiência e separá-la do meio interpessoal e familiar. Torna-se agudamente consciente da divergência entre sua experiência e a moldura familiar fornecida pelo outro *self* (McConville, 1995).

O adolescente fica pouco à vontade com seus pensamentos, sentimentos, urgências e percepções, e as escolhas correspondem cada vez menos ao que deveriam ser. Quando ele consegue reconhecer suas dificuldades, quase sempre é mais saudável e mais maduro do que seria se não tivesse consciência do que está acontecendo. Ele precisa abrir mão do velho *self*, mas isso não é fácil. É parecido com a ideia de Fritz Perls de "vazio fértil" ou "lugar de morte" — o lugar entre o velho e o novo, sem os sistemas de apoio habituais (Rubenfeld, 1992). Muitos jovens enterram qualquer *awareness* e não reconhecem esse tipo de dificuldade. Projetam tudo no mundo adulto. Não têm problemas: são os adultos que causam problemas. Eles são as vítimas. (E, em certa medida, isso é verdade.) Mas sem assumir alguma responsabilidade e ver as coisas como elas são mais claramente, eles só vão mergulhar mais e mais nesse lugar de vítima.

Os mecanismos de defesa mais comuns que vejo em adolescentes são projeção, negação e fantasia. Muitas vezes vistos como resistência, são sua maneira de cuidar de si mesmos, lidar e sobreviver. Quanto mais emaranhados ele são na família, maior o poder que ela tem sobre eles, mais confluência existe, mais fortes se tornam os mecanismos de defesa.

O trabalho com a família é diferente — um tempo em que podemos avaliar habilidades de comunicação, grau de confluência, papéis assumidos e designados, articular vontades e necessidades, bloqueios, ajudar a expressar sentimentos e conhecer as mensagens por trás do que é realmente dito, e assim por diante. Por certo, esse é um trabalho importante, e pode ser adjunto ao trabalho individual que fazemos. O adolescente com transtornos pode se beneficiar muito do trabalho que fazemos individualmente no sentido de trazer à superfície as polaridades que existem nele. Esse adolescente tem um pé na família e um pé no mundo. Os dois lugares são cheios de coisas que criam ansiedade e medo. Sua autoestima sofreu devido a suas experiências familiares e aos introjetos negativos. Acredito que ele precisa fazer esse trabalho por si mesmo para ajudar na tarefa de separar-se e encontrar as próprias fronteiras, definir o *self* e começar a ter alguma *awareness* de quais são seus sentimentos, bem como aprender a articulá-los.

Quando trabalho com um adolescente, sigo minha política de receber os pais com ele na primeira sessão, se for possível. Há muitas exceções: quando o jovem vem sozinho e se nega a ter os pais presentes, quando vive em um lar transitório e não houve formação de elos, ou quando mora em uma instituição ou moradia coletiva, por exemplo. Se for possível, quero ver os adultos com quem essa criança vive. Posso ter uma noção da sua vida, dos vários pontos de vista, esclarecer o motivo para a indicação, avaliar a dinâmica. Preciso conhecer as diferentes visões de vida — o que os pais dizem e o que a criança diz, e talvez descobrir o que todos eles realmente querem dizer. Nessa sessão, pergunto à criança se ela está disposta a vir sozinha em algumas sessões para que eu possa conhecê-la longe da família. Depois disso, decidimos que caminho tomar. Ela pode não concordar, mas essa abordagem dilui a ideia de que ela é a doente. Então começo com o que é apresentado.

Mas há ocasiões em que o adolescente se recusa terminantemente a vir sozinho. Uma mãe solo que, de acordo com as próprias palavras, tinha grande dificuldade para controlar o filho de 16 anos conseguiu trazê-lo para uma sessão. Senti que tivemos uma primeira sessão bem boa, mas ele se recusou a voltar e a mãe se sentiu impotente diante da força do filho.

Propus à mãe que viesse sozinha. Ao longo do nosso trabalho conjunto, a mãe percebeu quanto se apegava àquele menino e precisava dele para sua autoestima. Enquanto trabalhava para soltar-se dele e construir o próprio senso de *self*, ela relatou que o filho tinha começado a se aproximar dela de maneiras que ela havia desejado anteriormente. Muitas vezes lhe perguntava sobre o que ela falou na terapia, apesar de ainda não se dispor a comparecer a nenhuma sessão.

RELACIONAMENTO

Construir um relacionamento com a criança é um pré-requisito para qualquer trabalho, é claro. Minha atitude autêntica, não julgadora e não manipuladora geralmente constrói muito depressa essa importante relação eu-tu. Preciso aceitar a criança sem julgamento. Uma menina de 14 anos me foi encaminhada pela justiça. Ela estava envolvida em um programa que direcionava adolescentes para o aconselhamento quando eles infringiam a lei de alguma maneira. Eu a vi três vezes antes de perceber que precisava encaminhá-la para outra pessoa. Ela nunca respondia, nunca olhava para mim e, de maneira geral, ficava sentada em silêncio, dura. Decidi tentar mais uma vez. Fui à sala de espera e notei que ela estava lendo uma revista. Talvez tenha feito isso nas outras sessões, mas na pressa de levá-la ao consultório, nunca prestei atenção ao que ela estava fazendo. Dessa vez, sentei-me ao lado dela e perguntei: "O que está lendo?" Ela me mostrou a revista rapidamente e voltou à leitura. Essa foi a primeira resposta que obtive dela. "Não vi", falei. Ela me mostrou a revista de novo, um pouco mais devagar. Vi que era uma publicação musical sobre *heavy metal*. Perguntei se podíamos ver a revista juntas, já que eu era bem ignorante sobre esse tipo de música, mas tinha clientes como ela que gostavam do gênero. Entramos no consultório e passamos a sessão toda olhando a revista. Ela falou sobre diferentes grupos e contou quais eram seus favoritos. Tentamos achar alguma daquelas músicas no meu rádio, mas não conseguimos. Perguntei se ela podia levar algumas fitas e ela concordou, satisfeita. Nem preciso dizer que estabelecemos um ótimo relacionamento, e as letras de algumas canções forneceram material fértil para o nosso trabalho conjunto!

Aprendi quanto é importante prestar atenção, notar, estar em pleno contato comigo. Em outra situação um pouco diferente, estive diante de um menino de 13 anos extremamente resistente. Quando o conheci, ele havia passado por sete lares de acolhimento, e poderia ser mandado para um hospital público onde havia uma ala específica para "adolescentes incorrigíveis". Na época, eu atendia em terapia várias crianças com graves transtornos emocionais que viviam no sistema de acolhimento. Foi decidido que, antes dessa atitude drástica, a criança passaria por terapia comigo. A assistente social me deu o histórico do menino por telefone, depois o trouxe e foi embora. Ele entrou todo durão e ficou parado no meio da sala. Parei na frente dele e falei: "Sei que você provavelmente não quer estar aqui, mas já que está, vou lhe dizer o que sei sobre você, e você me diz se é verdade". Comecei a repetir o que a assistente social tinha me contado. Ele relaxou um pouco e fez algumas correções. Então, eu disse de um jeito bem firme: "Jason, sente-se". Ele se sentou no sofá. Expliquei que pretendia conduzi-lo em uma jornada de fantasia e queria que, ao fim dela, ele desenhasse alguma coisa dessa jornada. Em geral ofereço dois ou três tamanhos de papel e giz de cera, giz pastel, marcadores e lápis de cor, e apontei esse material para ele. (As crianças raramente escolhem o giz de cera.) Pedi a Jason que ficasse à vontade e fechasse os olhos enquanto eu o conduzia nessa viagem. (Costumo fechar os olhos nesse processo, porque a maioria das crianças fica de olhos abertos — sei disso porque espio o que elas estão fazendo.) De início, Jason manteve os olhos abertos, depois se recostou e fechou os olhos enquanto eu falava. Fiz um breve exercício de relaxamento, encerrando com o som de um gongo chinês, antes de começar a fantasia. Eu o levei em uma viagem bem longa por um prado, montanha acima, através de cavernas até uma porta que se abria para um lugar que era dele. (Ver *Descobrindo crianças*, capítulo 1).

Quando terminei, Jason, para minha surpresa, abriu os olhos (pensei que ele estivesse dormindo) e começou a desenhar usando os marcadores. Tivemos uma sessão incrível que descreverei mais tarde. Estive com Jason uma vez por semana durante quatro meses, e ele não foi para o hospital, embora tenha sido transferido para outra casa de acolhimento a pedido dele mesmo.

Com essa experiência, aprendi a importância de encontrar a criança onde ela está — ele chegou "durão" e eu fui firme. Compartilhar com ele o que eu sabia foi fundamental. Em nossa sessão de encerramento, perguntei a Jason o que mais o impressionou em nosso trabalho. Ele disse: "Eu me lembro da primeira sessão. Você não fez um sermão sobre eu tomar jeito, como todo mundo fazia. Tivemos aquela fantasia, depois eu desenhei, e você nunca me falou nada sobre o que eu estava fazendo para me meter em confusão". É verdade, não foco em comportamento. Vejo-o como um sintoma, e raramente o jovem consegue mudar o próprio comportamento de maneira consciente.

Na primeira sessão, muitas vezes peço ao cliente que desenhe uma casa, uma árvore e uma pessoa em uma folha de papel, e que acrescente ao desenho o que quiser. A criança chega pouco confortável e ansiosa, certamente se perguntando o que vai acontecer. Em geral, ainda não existe uma relação para que ela possa se abrir. O desenho HTP (do inglês House-Tree-Person, ou Casa-Árvore-Pessoa) (Jolles, 1986) não é difícil, uma vez que muitas crianças desenham casas e árvores ainda bem novas. Eu digo: "Tem uma coisa que eu queria que você fizesse. Quero que faça um desenho que tenha uma casa, uma árvore e uma pessoa, e pode pôr nele tudo o mais que quiser. Não se preocupe em fazer um desenho maravilhoso — na verdade, prefiro que não tente fazer o melhor que pode, porque não temos tempo suficiente. Quando terminar, vou falar o que esse desenho me diz sobre você, e você pode me corrigir".

Eu oferecia giz de cera, giz pastel e marcadores, mas é típico de meninos entre 12 e 16 anos pedir um lápis ou usar marcador preto. Alguns pedem até régua. Agora deixo todo esse material à disposição.

Não uso esse desenho como um teste interpretativo. Quando a criança acaba, digo a ela o que penso que o desenho significa e lhe peço que me diga se estou certa ou errada. Às vezes exponho meus próprios pensamentos, às vezes leio diretamente o Manual (Jolles, 1986).

Observar o processo da criança pode ser revelador. Um menino de 12 anos foi levado ao meu consultório porque ateou fogo à casa dele. Lee era filho único e morava com o pai. A mãe morreu quando ele tinha 6 anos. Em nossa primeira sessão com o pai, ele ficou em silêncio. O pai estava perplexo com o que o filho havia feito. Ele disse: "Normalmente ele é bom — passa muito tempo sozinho. Trabalho muito, mas em geral não preciso me preocupar com ele. O único problema que temos é que ele nunca faz a lição de casa, nem as tarefas que determino. Acho que ele é bem preguiçoso". Quando ficamos sozinhos, pedi a Lee que desenhasse uma casa, uma árvore e uma pessoa. Ele desenhou uma casa grande e tijolos na lateral. Pegou um marcador marrom e começou a colorir com capricho cada tijolo. Percebi que, daquele jeito, ele nunca terminaria o desenho, então disse: "Lee, eu vou saber que os tijolos são marrons; faça o restante do desenho". Quando ele terminou, falei: "Esse desenho me diz algumas coisas sobre você, mas nem sempre eu acerto, por isso preciso confirmar com você. Primeiro, notei que você estava se esforçando muito para pintar os tijolos, mas o interrompi porque sabia que não teria tempo para terminar. Fiquei pensando, isso acontece na sua vida? Você quer fazer um bom trabalho, estabelece padrões elevados, mas não consegue terminar porque é demais? E aí as pessoas pensam que você é preguiçoso!" Lee começou a chorar. "Todo mundo acha que eu sou preguiçoso! Meu pai, os professores. E eu me esforço muito!" Lee passou algum tempo chorando. Ele foi embora sorrindo. Eu sabia que tínhamos de encontrar a raiz do problema dele: a morte da mãe, a solidão, o pai dedicando tanto tempo ao trabalho. Atear fogo à casa certamente foi um grito desesperado por atenção.

Este é um dos exercícios mais bem-sucedidos que já usei para começar uma relação, conhecer a criança e fazer que ela se sentisse ouvida. As crianças precisam desesperadamente de alguém que as ouça, valide e apoie em um ambiente seguro e não ameaçador. Quando faço isso em uma sessão inicial, nunca vou além do que é apresentado. Uso esse exercício com crianças a partir dos 6 anos, mas vejo que os adolescentes respondem com grande entusiasmo. Uma menina de 16 anos, muito resistente, mudou totalmente de atitude em relação a comparecer às sessões e perguntou se a mãe e a irmã poderiam fazer esse exercício na sessão seguinte!

CONTATO

Discuti contato em um capítulo anterior. A criança (e o terapeuta) precisam estar em contato — plenamente presentes — para uma sessão bem-sucedida. Contato é diferente de relacionamento. Posso ter uma relação com uma criança que tem dificuldade para sustentar contato, ou que entra e sai de contato na sessão. Se a criança demonstra incapacidade para estar em contato, esse se torna, então, o foco da terapia. Aqui vão alguns exemplos.

As cobras: a mãe me procura para dizer que o filho de 14 anos a perseguiu com uma faca na noite anterior e que ela está com muito medo dele. Aceito recebê-los e não sei o que esperar. Vou à sala de espera, e mãe e filho se levantam. O menino tem uma grande cobra viva enrolada nele. Eu me assusto e, antes que eu diga alguma coisa, a mãe apresenta a ambos, e trocamos um aperto de mãos. O menino sorri e me oferece a cobra para que eu a segure. Recuso a oferta dizendo que não sei segurar uma cobra. (Presumo que não seja venenosa.) O menino diz que é fácil e põe a cobra em meus braços. Garante que ela é amigável e que gosta de ser acariciada na cabeça, o que faço com hesitação. Ele fica muito satisfeito e me elogia por meu estilo de segurar a cobra. (Estou tremendo por dentro e tentando não demonstrar.) Fico muito impressionada com a habilidade de John para fazer contato comigo. O que descubro durante nosso tempo juntos é que ele só consegue manter contato quando isso envolve suas cobras. (Ele traz várias nas sessões seguintes.) Não conversa sobre nada, exceto sobre suas serpentes. Um "como vai?" não encontra resposta. Ele não se interessa por desenhar, por usar argila, pelos jogos ou por qualquer outra coisa no consultório. Então, passamos muito tempo com as cobras. Em uma sessão, quando estamos deitados no chão apostando corrida com uma cobra, começo a falar com ela. Eu disse alguma coisa como: "Ei, cobra, você gosta de apostar corrida com a minha cobra?" John respondeu por ela. Desse jeito projetivo, ele conseguiu expressar muitos pensamentos, ideias e, sobretudo, sentimentos. Depois de vários meses, conseguiu deixar as cobras (que sempre carregava consigo) em um balde e se dedicar a outras técnicas expressivas. Nunca mais perseguiu a mãe com uma faca durante o ano e meio que passamos juntos.

Uma família chegou com uma menina de 16 anos muito resistente. Ela fez comentários hostis durante toda a sessão e se recusou a fazer contato comigo — ou com qualquer pessoa, na verdade. Passou a maior parte do tempo olhando para o chão. O pai me disse que ela os havia avisado que não falaria nada, mas falou, embora de um jeito hostil. Seus comentários hostis foram muito perceptivos, e eu disse a ela que a família não precisava de mim; eles precisavam ouvir o que ela tinha a dizer, já que era tão boa em avaliar corretamente as dinâmicas desse sistema familiar. Os pais reagiram com um silêncio chocado, e o contato entre mim e a menina foi imediatamente estabelecido. A propósito, meus comentários foram sinceros.

Uma mãe chegou desesperada com a filha. A menina tinha entrado para as Testemunhas de Jeová e estava obcecada com a ideia de levar a mãe para o grupo. Estava brava e sentia que tinha sido levada ao consultório contra sua vontade. Pedi à mãe que saísse e convidei a menina a me falar sobre suas crenças. Expliquei que era judia e não pretendia me converter, mas não sabia nada sobre essa organização e queria aprender mais. Ela me atendeu e começou a contar toda a história sobre como foi atraída pelo grupo e o que aprendeu. Fiz muitas perguntas que ela respondeu prontamente, mas percebeu que havia muitas coisas que não sabia. Ela falou sobre sua necessidade de juntar-se a esse grupo e sobre as coisas boas que recebia dele. Estava preocupada, sobretudo, com o futuro da mãe depois da morte, mas disse que a mãe não a ouvia. O contato entre nós foi excelente, reforçando minha crença de que para estabelecer contato o terapeuta deve ser honesto, congruente, respeitoso com a posição do cliente — e, acima de tudo, começar com os interesses dele. O que aconteceu a seguir? A mãe aprendeu a ouvir com aceitação, e depois de alguns meses a menina deixou o grupo por conta própria. Ela aprendeu sobre si mesma em nossas sessões e se apropriou mais da própria pessoa.

Um menino de 15 anos me foi encaminhado pela justiça como membro de um programa que enviava jovens para o aconselhamento se sua infração fosse um ato primário. Jack fez uma denúncia de bomba na escola e ficou vendo o prédio ser evacuado. Incapaz de conter-se, começou a contar aos colegas que ele próprio havia provocado a evacuação. A notícia chegou ao diretor, que chamou a polícia. Jack estava muito assustado quando chegou ao consultório, e bem aflito para me agradar tanto quanto pudesse. Percebi que estava muito incomodada com nossas sessões, embora ignorasse meu desconforto, no início. No entanto, esse desconforto persistiu, até que parei para entender o que estava acontecendo. De repente me ocorreu que Jack não estava de fato em contato comigo nas sessões, embora parecesse estar. Então, na sessão seguinte, ele e eu nos sentamos frente a frente e fizemos nosso pequeno ritual. "Oi, Jack. Como vai?" "Tudo bem." "Tem alguma coisa que queira fazer hoje, ou sobre a qual queira falar?" "Não. Você que sabe." E então, em vez do meu habitual "Então, vamos fazer...", fiquei sentada em silêncio, pensando no que deveria fazer a seguir. Jack disse: "E aí, o que quer que eu faça hoje?" Respondi: "Não sei, Jack. Está faltando alguma coisa, e não sei o que é." Jack ficou muito agitado e ansioso. "Estou fazendo tudo que você pede!", ele quase gritou. "Eu sei, Jack. Você tem cooperado muito. Mas falta alguma coisa." De repente, eu soube o que era. "Seu coração não está nisso." Jack ficou chocado e começou a chorar. "Não sei fazer isso." Sugeri: "Vamos seguir em frente e fazer alguma coisa, e talvez agora aconteça. Ou você pode me contar como é estar aqui e o que sente sobre isso. Sei que deve estar com medo e preocupado, embora sempre se comporte como se estivesse tudo ótimo. O que gostaria de fazer?" "Não quero falar. Podemos usar argila?" E foi o que fizemos. Nosso contato foi forte e, por meio da argila, muitos sentimentos de Jack foram expressados. Essa experiência me ensinou a confiar nos meus sentimentos e sensações físicas. O desconforto do meu corpo foi uma dica importante que tentei desconsiderar. Mas ele persistiu até eu prestar atenção nisso.

MELHORAR O *SELF* E A EXPRESSÃO EMOCIONAL

A grande tarefa desenvolvimental do adolescente é separar-se e individuar-se. Como vimos, essa é uma grande dificuldade e provoca muita discórdia na família. Quando atendo um adolescente, sei que grande parte do meu trabalho é ajudá-lo. Muitos adolescentes logo mencionam a disfunção na família, os irmãos, os amigos ou a escola. Raramente são introspectivos ou autoconscientes. Precisam passar o tempo falando sobre essas coisas que interessam a eles, e precisam de ajuda para ser conduzidos a um nível mais profundo. Ter mais *awareness* é fundamental para construir autossuporte e definir o *self*. Quando o adolescente tem mais força interior, a separação se torna natural. O trabalho de *self* muitas vezes também promove a expressão emocional. Há inúmeras técnicas projetivas que aperfeiçoam esse trabalho. Aqui vão alguns exemplos:

O DESENHO DA ROSEIRA

Peço ao jovem que feche os olhos e imagine que é uma roseira, ou qualquer planta com flores, que chamaremos de roseira. Ofereço alguns estímulos, como: "Você é alta ou baixa? Frondosa ou vazia? Você tem espinhos? Flores? Se sim, de que cor elas são? Você tem raízes? Onde você está? Pode estar em qualquer lugar: no meio do oceano, na lua, em um quintal — em qualquer lugar. Há outras roseiras perto de você, ou árvores, animais, aves, uma cerca? Quem cuida de você?" Depois lhe peço que desenhe sua roseira e tudo mais que houver nesse cenário. Quando o desenho é concluído, peço a ele que me conte sobre a roseira e escrevo as respostas. Posso fazer perguntas para provocar respostas. Então, leio cada resposta: "Isso combina com você de algum jeito? Ou o faz lembrar de alguma coisa em sua vida?"

Fiz centenas dessas roseiras com crianças e vejo que os adolescentes são particularmente responsivos. Um menino de 17 anos admitiu que queria morrer como a roseira que tinha caído no chão. (Ele disse que não fazia ideia de que a rosa representava seu desejo de morte quando a desenhou.)

Adolescentes adoram testes projetivos. Nunca os uso para diagnosticar ou interpretar, mas sempre pergunto à criança se ela concorda com o que podem significar, conforme indicado nos manuais dos testes. Leio cada frase, paro e pergunto: "para você, isso parece certo?" Usei o *Teste de Apercepção Temática* (Murray, 1943), que envolve vários desenhos em preto e branco muito antigos para provocar histórias. Escrevo a historinha enquanto vamos olhando os cartões. O desenho de uma criança olhando para um violino vai ter respostas variadas: "Ele tem que ensaiar, mas odeia tocar e queria não ter que fazer isso". "Isso lembra alguma coisa sobre você?" "Bom, tem um monte de coisas que tenho que fazer e odeio fazer, mas tenho que fazer". Posso ficar nessa resposta por um tempo para me aprofundar, ou posso passar para o cartão seguinte.

Outros testes que usei são *The Hand Test* [O Teste da Mão] (Wagner, 1969), a *Problem Experience Checklist – Adolescent Version* [Lista de Verificação de Experiências Problemáticas — Versão para adolescentes] (Silverton, 1991) e o *Luscher Color Test* [Teste das Cores de Luscher] (Luscher, 1971).

Usar um livro do tipo astrologia, como *Sun signs* [Signos do zodíaco], de Linda Goodman (1971), é muito popular. Posso ler uma frase por vez para a data de nascimento da criança e determinar, com ela, a relevância daquilo para sua vida.

ARGILA

Cerâmica é bastante popular. Vejo que os adolescentes gostam de um exercício específico: fazer alguma coisa de olhos fechados. (Ver exemplos em *Descobrindo crianças*.)

Fazer você mesmo fraco e fazer você mesmo forte é popular. Uma jovem que tinha sido estuprada e se recusava a falar disso fez sua imagem da cintura para cima sem estar conscientemente atenta a isso. Ela ficou tão surpresa que começou a falar sobre o estupro.

O EXERCÍCIO DO BRINQUEDO

Peço à criança que escolha um brinquedo da estante, ou algum objeto na sala, e depois fale como aquele brinquedo. Uma menina de 13 anos inventou variações sugerindo que eu também pegasse um objeto, e depois que cada uma pegasse um brinquedo para a outra. É realmente fascinante ver quanto de nós mesmos vem à tona nesse exercício projetivo.

Fui convidada a visitar um grupo de meninos que estava na ala para adolescentes "incorrigíveis" de um hospital público. Levei uma sacola de brinquedos variados, do tipo usado no trabalho com a caixa de areia. Os dez meninos no grupo eram muito inquietos, gritavam uns com os outros e com o terapeuta, moviam-se por toda parte, ignorando a solicitação do terapeuta para se tranquilizarem. Quando esvaziei a sacola de brinquedos no meio da sala, eles se voltaram imediatamente para olhar. Pedi que formassem um círculo, olhassem os brinquedos e escolhessem um para o exercício que íamos fazer. Eles atenderam à solicitação prontamente e com muito barulho. Escolhi um brinquedo para fazer uma demonstração: "Sou um caminhão de lixo. Ando por aí recolhendo o lixo das pessoas, depois o jogo em outro lugar etc. Uau! Isso combina muito comigo, acho. As pessoas me contam seus problemas e nos livramos deles de algum jeito". Os meninos fizeram silêncio e foram respeitosos enquanto eu falava. Pedi então que um deles se oferecesse para ser o primeiro. O menino tinha escolhido uma grande cobra e disse: "Sou uma cobra. As pessoas têm medo de mim. Não vou machucá-las, mas elas acham que vou, e gritam e correm para sair de perto de mim". Quando perguntei se alguma coisa disso combinava com ele, o menino disse que não. Os outros começaram a gritar: "Combina, sim! Você assusta as pessoas porque é muito grande e preto!" "Mas eu nunca machucaria alguém de verdade!", ele respondeu. Os outros meninos concordaram. Cada um falou na sua vez, em um clima amistoso e feliz. O terapeuta me contou que não tinha feito exercícios com esse grupo, porque achava que nunca daria certo. Ele ficou perplexo e prometeu aos garotos que faria mais atividades como essa.

Isso me faz lembrar de uma experiência que tive em outro hospital para crianças com problemas mentais, mas que não envolveu brinquedos. Fui convidada a me reunir com um grupo de adolescentes, para dar algumas ideias ao terapeuta deles. Era um grupo muito grande — umas 20 crianças, talvez. Distribuí papel e giz de cera e pedi a eles que desenhassem uma imagem de si mesmos fracos, depois fortes, usando cores, linhas e formas. Cerca de metade do grupo se recusou a participar e se afastou. O restante trabalhou diligentemente; quando terminaram, pedi que alguém se voluntariasse para falar comigo sobre seu desenho. Jill, uma menina de 16 anos, sentou-se ao meu lado e descreveu as partes de seu desenho, elaborando quando se sentia fraca e quando se sentia forte. Processamos um pouco tudo isso, depois pedi aos integrantes do grupo que formassem duplas e compartilhassem seus desenhos um com o outro. Enquanto eles faziam isso, os jovens que tinham saído da sala voltaram e ouviram as conversas. Quando eu estava indo embora, vários deles perguntaram se eu poderia voltar, já que não tinham feito o desenho e agora estavam arrependidos.

BONECOS

Adolescentes amam bonecos. Não são só para crianças menores. O problema é que o adolescente tem vergonha de demonstrar interesse, então os bonecos precisam ser introduzidos discretamente, embora haja exceções a essa regra. Um menino de 15 anos chegou para sua sessão e notou uma tartaruga roxa sobre a mesinha de centro. Ele a pegou e segurou enquanto falávamos sobre sua vida. De repente, peguei outro fantoche de um grande cesto deles e comecei a falar com a tartaruga.

"Ei, tartaruga o que é essa coisa nas suas costas?"

"É minha casa."

"Por que a carrega nas costas?"

"Quando estou cansado, vou para dentro dela. E quando estou com medo também, para ninguém me ver." (Pausa) "E também posso usá-la para bater em alguém, quando preciso." (Ele bate em mim delicadamente com a mão dentro da tartaruga).

Continuamos desse jeito por algum tempo. Cada vez que o menino chegava ao consultório, ele procurava seu fantoche. "Cadê minha tartaruga?", dizia, e passava o restante da sessão com a mão dentro dela. Definitivamente, ele era mais verbal e aberto como tartaruga.

O adolescente gosta de fazer teatro de bonecos, sobretudo em grupos. O grupo é dividido em duplas, e escolho uma carta de um baralho onde escrevi temas. Alguns temas, por exemplo, têm relação com as questões que atormentam os adolescentes, como imagem corporal, pressão do grupo, solidão, sentir-se rejeitado e excluído, sentir-se diferente e assim por diante.

Incentivo as crianças a exagerar o personagem, o que sempre provoca inúmeras gargalhadas.

VÍDEO

Um dia, levei uma câmera de vídeo pensando em gravar algumas sessões. Mas as crianças imediatamente decidiram usá-la, e ela se tornou uma ferramenta terapêutica de grande sucesso. Os adolescentes, em particular, adoram inventar enredos.

O pai de Charlie o levou ao consultório porque ele foi pego roubando da casa de um vizinho. Esse garoto de 15 anos teve uma infância traumática: ficou em um abrigo durante seis meses, enquanto a mãe biológica decidia se queria ficar com ele (o pai era desconhecido); foi adotado por um casal que esperava que um filho salvasse o casamento (não salvou); o pai adotivo se mudou para outro estado e casou de novo; a mãe teve mais e mais dificuldades para controlar o menino à medida ele crescia; ele foi despachado para a casa do pai, e a madrasta não ficou feliz com essa situação. Charlie ficou muito retraído e silencioso durante a sessão com os pais. Quando o atendi sozinho, ele exibiu um pouco mais de energia e aceitou desenhar um Casa-Árvore-Pessoa, mas não se dispôs a falar muito. Tudo mudou quando levei a câmera de vídeo. Charlie ganhou vida. O primeiro enredo que ele escreveu e dirigiu envolvia uma sessão de terapia comigo no lugar do paciente e ele como o terapeuta. A câmera ficava no tripé. Como paciente, eu era emburrada e raivosa. Como terapeuta, ele me deu um sermão. Assistimos à nossa cena no monitor e nós dois rimos muito. Perguntei a Charlie se ele queria que eu fizesse um sermão em nossas sessões. Ele admitiu que fazia coisas ruins, mas não sabia o que fazer. Expliquei que ele estava reagindo como uma criança pequena, a criança que foi, por desespero para ser amado e receber atenção — e, basicamente, para ter suas necessidades atendidas. Expliquei a ele o tipo de trabalho que eu faria para ajudá-lo a sentir-se melhor consigo mesmo e mais feliz com sua vida. Ele mal podia esperar para começar. Trabalhar com Charlie foi uma das experiências mais gratificantes que tive em minha carreira. (Entre as técnicas projetivas que apresentei a ele, a câmera de vídeo continuou sendo a favorita.)

Outra criança, uma menina de 13 anos, respondia à câmera mais que a qualquer outra ferramenta. Preparei uma lista de perguntas em fichas e disse a ela que faríamos um "*talk show*" — eu seria a apresentadora e ela, a convidada. Eu a apresentei à "plateia" enquanto ela ria, e então comecei a olhar as fichas e fazer as perguntas. Ela foi extremamente responsiva e considerou bem suas respostas. As questões começaram simples, como "Quantos anos você tem? Em que série você está?", e depois foram se aprofundando à medida que eu ia virando as fichas. "Pode dizer algumas palavras sobre como o divórcio de seus pais a afeta?" Assistimos ao "programa" no monitor e, de novo, rimos tanto que quase não conseguimos ouvir o que dizíamos.

A CAIXA DE AREIA

Um dia, recebi um telefonema de um rapaz que havia sido meu cliente quando tinha 15 anos. Ele estava enfrentando dificuldades com a namorada e achava que eu poderia ajudá-los. Quando chegou ao consultório, ele foi imediatamente até as caixas de areia e explicou à namorada como elas funcionavam, e até descreveu para ela algumas cenas que havia criado. Fiquei chocada! Minha lembrança desse rapaz, agora com 21 anos, era de alguém extremamente "resistente", com quem não acontecia muita coisa e que nunca falava muito. Ele olhou para mim e disse: "Eu adorava fazer aquelas cenas. Você me ajudou demais!"

Vejo que os adolescentes, tanto os mais novos como os mais velhos, adoram fazer cenas nas caixas de areia. Ficam fascinados com as miniaturas. Quando lhes peço que criem uma cena, qualquer uma, é comum que as meninas criem um lugar idílico, pacífico. Os meninos usam carros, motocicletas ou monstros. Depois de um tempo, forneço orientações específicas: faça um lugar seguro em uma caixa e um lugar inseguro na outra; crie uma cena que represente o divórcio na família; crie uma cena sobre como você pode se sentir em diferentes situações, e assim por diante.

Quando lhe pedi que criasse uma cena sobre o divórcio em sua família, Eric, 15 anos, começou a trabalhar rapidamente. Ele pôs dois bonecos, um homem e uma mulher, um em cada extremo da caixa. Depois colocou algumas pedras grandes seguidas por outras pequenas, criando uma espécie de caminho. Na lateral, pôs miniaturas para representar um hospital com um boneco na cama, outro de muletas. Uma ambulância foi deixada de prontidão. Ele disse: "Esses são minha mãe e meu pai. As pedras grandes são problemas grandes que tivemos, mas agora está ficando mais fácil, por isso pus as pedras pequenas. Eu sou o paciente na cama, porque essa coisa toda me deixou doente, mas agora estou de muletas, porque estou melhorando, mas ainda não estou completamente bem. A ambulância me levou para o hospital e está pronta para levar quem mais precisar dela".

A beleza desse trabalho é que ele é muito prazeroso e dá grande suporte para a expressão de material doloroso. Eric foi capaz de expressar seus sentimentos de um jeito que não teria sido possível só com palavras.

EXPLORAR POLARIDADES

O adolescente é atormentado por polaridades. Sente-se de um jeito por dentro e mostra outra coisa no exterior. Quer ser independente, mas tem medo de perder o apoio dos pais, de que precisa. Tem sentimentos mistos sobre muitas coisas e não consegue se decidir.

A técnica da cadeira vazia é muitas vezes considerada "Gestalt-terapia". É claro que sabemos que ela é apenas uma técnica e que é absurdo pensar que envolve toda a teoria, filosofia e prática da Gestalt-terapia!

A experiência da cadeira é uma técnica bastante útil e permite que o terapeuta ajude o cliente a enxergar as coisas como são. Uma menina de 16 anos, minha cliente, me contou que tinha a oportunidade de participar de um filme. Ela havia participado de vários comerciais, mas, para fazer esse filme, teria de sair da escola e estudar com um professor particular. Seu sonho era ser atriz de cinema, e essa era sua oportunidade. Ao mesmo tempo, ela gostava do colégio e tinha muitos amigos, e odiava a ideia de perder o ano da formatura. Estava paralisada pelo dilema. Perguntei se ela queria se sentar em uma cadeira e falar comigo sobre aceitar o papel no filme. "Essa é sua parte que quer isso acima de tudo." Depois de ter expressado plenamente seu desejo de participar do filme, pedi a ela que se sentasse na cadeira da frente e falasse apenas sobre ficar na escola. Logo as duas partes estavam conversando entre si, e ela se movia de uma cadeira para a outra. Finalmente, ela ficou em silêncio. Eu esperei. "Sabe, eu adoraria participar desse filme, mas vou ter outras chances para isso. Só vou ter uma chance de terminar meu último ano e me formar no colégio, então é isso que vou fazer." Ela ficou muito aliviada e saiu caminhando mais leve. Eu tinha explicado a ela que nunca é fácil fazer escolhas quando as duas opções têm vantagens. "Se você odiasse a escola, a escolha seria simples", disse.

O exercício do dominador/dominado (*topdog/underdog*) é semelhante e podem-se usar duas cadeiras. Outro cliente tinha um trabalho importante para terminar e entregar no dia seguinte. Mas a avó dele chegou para uma visita e a família toda ia sair para um jantar de comemoração. "Quero ir com todo mundo! Mas sei que deveria ficar em casa e escrever o trabalho. Queria não ter adiado até o último instante!", ele reclamou. A palavra "deveria" é uma bandeira vermelha para mim, uma vez que implica uma mensagem que ele introjetou e que, provavelmente, promoveria ressentimento e talvez paralisia, e interferiria na produção de um trabalho bem-feito. Expliquei que o dominador é aquela parte nossa que sempre nos diz o que fazer. Ela é ríspida e crítica e nunca fica satisfeita. Do outro lado está o dominado. Essa parte responde ao dominador tornando-se rebelde, cansada ou chorosa. Por mais forte que seja o dominador, o dominado geralmente vence, porque nos impede de fazer qualquer coisa.

Pedi ao meu cliente que se sentasse em uma cadeira como o dominador e conversasse consigo mesmo na outra cadeira. "Você é mau porque não fez seu trabalho antes! É melhor trabalhar nisso, ou vai ter uma péssima nota nessa matéria. Não deveria pensar em fazer outra coisa." Sentado na outra cadeira como dominado, ele disse: "Não consigo! Eu odeio isso! Não ligo se for reprovado. Não vou fazer. Quero sair com minha avó e o resto da família. Todo mundo vai se divertir e comer coisas deliciosas, e eu vou ficar sozinho sem comer nada. Enfim, estou confuso e cansado demais para pensar nisso". Fizemos várias rodadas dessa conversa e, por fim, pedi a ele que se sentasse em uma terceira cadeira e me dissesse o que queria fazer. Depois de um período de silêncio, ele respondeu (com voz calma): "Sabe, não é sempre que minha avó vem, e eu a amo muito. Um jantar como esse, com a família toda, é especial. Vou sair para jantar e quando voltar para casa eu termino o trabalho, mesmo que tenha de passar metade da noite acordado". E foi o que ele fez.

LIVROS DE HISTÓRIAS

Leio livros pré-escolares para meus clientes adolescentes. Costumo dizer: "Tenho um livro ótimo que adorei e queria ler para você para ver o que acha". (Ou alguma coisa parecida.) Li *Um pesadelo no meu armário* (Mayer, 1968), *Onde vivem os monstros* (Sendak, 1963) e *Alexander and the terrible, horrible, no good very bad day* [Alexandre e o dia terrível, horrível, espantoso e horroroso] (Viorst,

1972). Os livros provocam ótimas respostas sobre seus dramas, sua raiva e dias ruins. Há muitos livros maravilhosos como esses. Faço um teste comigo mesma, isto é, se gosto, tenho certeza de que meus clientes vão gostar. Às vezes só digo: "Preciso de sua opinião sobre este livro".

Sherry era uma menina de 14 anos que passara anos no sistema de acolhimento e depois fora adotada. Ela nunca falava sobre os anos nos lares provisórios. Alguém em um dos meus programas de treinamento escreveu um livro sobre casas de acolhimento e o enviou para mim. (Smith, Rotenbury e Campbell, *I can't live with mum and dad anymore* [Não posso mais morar com a mamãe e o papai], 1996). O livro foi escrito do ponto de vista de uma criança pequena e ilustrado com bonequinhos de palitos. Abordava muitas questões — como abandono, solidão, confusão — de maneira animada e interessante. Perguntei casualmente a Sherry se podia mostrar a ela esse livro para ouvir sua opinião. Comecei a ler, e ela sugeriu que nos revezássemos para a leitura. No fim do livro, que era bem curto, ela disse, com lágrimas nos olhos: "Uau. Esses caras (os autores) devem ter estado em um lar de acolhimento. Eles certamente sabem como é!" Nas sessões seguintes, Sherrie me contou sobre suas experiências e pediu que voltássemos a esse livro muitas vezes.

CARTAS XAMÂNICAS, CARTAS OH

Há diversos baralhos interessantes no mercado que oferecem maravilhosas oportunidades projetivas. As *Cartas xamânicas* (Sams e Carson, 1988) são imagens de animais norte-americanos com um foco nativo. Peço às crianças que escolham uma carta que as faça lembrar como eram, como se veem agora e como gostariam de ser. Lembro de ter usado essas cartas com a família de um cliente de 15 anos. O pai disse ao filho: "Eu nunca soube que você se sentia assim".

Existem inúmeros baralhos como as *Oh Cards* [Cartas Oh] (Eos Interactive Cards, s/d). Todos têm ilustrações maravilhosas de lugares, pessoas e coisas do tipo, e incluem instruções e sugestões para sua utilização. São tão intrigantes que os adolescentes se interessam rapidamente por elas. Às vezes fazemos uma história continuada usando as cartas, ou pegamos uma aleatoriamente, contamos uma história sobre ela e falamos sobre como isso pode se aplicar a nós. É claro, é possível fazer cartas a partir de imagens em revistas; no entanto, estas são tão atraentes que vale a pena investir na compra.

O USO DE LISTAS

Quando um adolescente é retraído e indiferente, as listas o trazem para fora de si mesmo, como tenho visto. Ponho a lista, como a *Problem Experiences Checklist, Versão adolescente* [Lista de Verificação de Experiências Problemáticas — Versão para adolescentes] (Silverton, 1991), em um quadro de avisos e digo ao adolescente que vou fazer algumas afirmações, e ele só precisa dizer "verdadeiro" ou "falso" ou "sim" ou "não". Há alguma coisa no papel preso ao quadro que coloca distância entre mim e a criança, e isso costuma criar segurança suficiente para que ela responda às perguntas com muita consideração. Algumas questões são "Meu professor não gosta de mim", "Meus pais dizem coisas que me magoam", "Meus amigos fazem coisas para as quais não estou preparado" e assim por diante. As afirmações são divididas em grupos que representam escola, preocupações com o sexo oposto, pares, objetivos familiares, crises, educação, lazer e muitos outros.

O terapeuta pode escolher limitar as afirmações como preferir. O único grupo que não aparece nessa lista é o das preocupações físicas, que aparecia na antiga *Mooney Problem Checklist* [Lista Mooney de verificação de problemas] Mooney, 1951). "Às vezes" é uma resposta perfeitamente aceitável. Em geral, não me aprofundo em nenhuma afirmação até uma sessão posterior. Posso dizer: "Você respondeu sim para 'fico com raiva frequentemente'; pode me falar mais sobre isso, que tipo de coisa deixa você com raiva?"

Mencionei algumas técnicas e materiais que utilizei com adolescentes. Esta não é, de forma alguma, uma lista completa. Aqui vai uma lista breve de algumas outras técnicas que tiveram grande sucesso com adolescentes de todas as idades.

Em uma sessão com a família, peça a cada pessoa que classifique a família em uma escala de 1% a 100%, depois pergunte o que falta para chegar aos 100%.

Pergunte: se pudesse mudar uma coisa em sua vida, o que seria?

Veja *List your self – Listmakings as the way to self-discovery* [Liste-se — A criação de listas como caminho para a autodescoberta] (Segalove e Velick, 1996) para ter ótimas ideias referentes à criação de listas. Às vezes peço a um cliente que dite uma lista para mim, e às vezes lhe peço que a redija em casa.

Em seu livro *The emerging self* [O *self* emergente], Mark McConville descreve o uso do alvo de dardos. Alguns jogos terapêuticos de sucesso para adolescentes são: Your Life Story, Likes and Gripes, The Ungame. Esteja sempre atento a jogos atraentes.

Ensinei inúmeros adolescentes a usarem a auto-hipnose, bem como a resposta ideomotora do dedo. Fazer colagem é muito popular.

A técnica da garatuja, descrita em detalhe em *Descobrindo crianças*: os adolescentes gostam especialmente desse exercício, pois os desenhos ficam parecidos com cartuns. Um menino de 16 anos viu em seu desenho uma pessoa sobre uma motocicleta. Ele contou uma história breve sobre o homem na motocicleta e sua liberdade. Reconheceu ter esse desejo e ficou completamente apaixonado pelo desenho.

Com adolescentes, uso muitos exercícios de fantasia seguidos por desenhos. Dois intrigantes são a Loja de Penhores e o Barco na Tempestade.

A Loja de Penhores (exercício rápido de relaxamento seguido pelo som do gongo): "Imagine que você está em uma máquina do tempo que o levará de volta à Idade Média. Você aterrissa em segurança e, quando sai da máquina, vê uma rua de pedras com muitas lojas de todos os tipos e pessoas andando para cima e para baixo. Você nota uma loja interessante com itens incomuns na vitrine e entra; é uma Loja de Penhores. O proprietário o recebe com simpatia e o convida a dar uma olhada em tudo. Ele vê que você pertence a outro tempo e lhe oferece um presente, ou qualquer coisa que você escolher. Há pedras bonitas, caixas incomuns, instrumentos, joias e estatuetas — muitas coisas maravilhosas. Finalmente, você escolhe alguma coisa. Logo você tem de partir, entra na máquina do tempo e chega aqui. Quero que você desenhe o objeto que escolheu e qualquer outra coisa que queira incluir nesse desenho".

O Barco na Tempestade (depois de exercício de relaxamento): "Você está em um barco, ou talvez em um navio. Pode ser qualquer tipo de embarcação — uma canoa, um veleiro, um navio de cruzeiro, um submarino, qualquer coisa. Está na água: no mar, num lago ou no rio — qualquer tipo de água. Está navegando satisfeito quando, de repente, desaba uma terrível tempestade. A chuva cai em torrentes, o vento uiva, há raios e trovões — é uma tempestade imensa, furiosa. O que acontece com você? Quero que se desenhe antes, durante e depois da tempestade. Você pode escolher fazer um desenho só com o antes e o depois da tempestade, se quiser".

Essa é uma imagem maravilhosa voltada para o processo, isto é, como alguém lida com conflito e caos. Um menino de 14 anos desenhou uma canoa com ele mesmo e vários amigos. Depois da tempestade, os meninos estavam na água, agarrados à canoa. Ele disse: "Estamos nos segurando à canoa com todas as forças. Se soltarmos, vamos nos afogar". E, antes que eu pudesse dizer alguma coisa, acrescentou: "E é assim que me sinto na vida. Não sei como vou superar o divórcio dos meus pais".

Gostaria de descrever uma última técnica que chamo de trabalho de autonutrição. Descrevi isso em detalhe em um capítulo anterior e gostaria de enfatizar seu uso. Quase todos temos muitas partes de nós mesmos de que não gostamos e gostaríamos de mudar ou eliminar. Os adolescentes, em particular, têm esses sentimentos, embora possam negá-los. Aqui vai um exemplo desse trabalho.

Pedi a Jill que fechasse os olhos e pensasse em uma parte dela de que não gosta. "Pode haver várias", apontei, "mas escolha uma. Agora gostaria que você desenhasse essa parte — pode fazê-la tão engraçada e esquisita quanto quiser". Quando ela terminou, pedi que escrevesse o nome dessa parte no papel. Ela escreveu: "A Parte Enganadora".

Passo 1: Fale sobre sua parte. "Essa é a parte de mim que mente e rouba dinheiro da bolsa da minha mãe."

Passo 2: Seja a parte. "Sou essa parte, roubo e conto mentiras. Sei que é errado, mas não consigo evitar. Às vezes fico com tanta raiva que fazer essas coisas me faz sentir melhor."

Passo 3: Fale com a parte. "Jill, o que acha dessa parte?" "Odeio! Ela só piora as coisas e me cria mais problemas. Queria matá-la!"

"Diga isso para a parte, Jill."

Jill, olhando para o desenho: "Eu te odeio. Você me cria problemas!"

Nota: Essa é a resposta mais comum e também é saudável. A criança agora está expressando energia no exterior, em vez de contê-la.

Passo 4: Nesse caso, pedi a Jill que me dissesse há quanto tempo essa parte estava com ela.

"Desde que eu tinha uns 5 anos." (Jill foi adotada pela família atual quando tinha 5 anos.)

"Conte sobre ter 5 anos", eu peço.

"Bem", Jill responde, "fui morar com essa família quando eu tinha 5 anos."

Conversamos um pouco sobre como foi isso para ela. Jill ficou com medo e sentia saudade da mãe temporária com quem foi morar depois de ser retirada da mãe biológica, de quem mal se lembrava.

Digo a Jill que naquela época, quando foi adotada e se sentia com medo e carente, ela pegava coisas para sentir-se melhor. É como se a menina de 5 anos ainda estivesse viva nela. Ela precisa informar a essa menina que a ama mesmo quando ela pega coisas, e entender por que ela faz isso.

Peço a Jill que faça um desenho rápido do *self* de 5 anos e diga essas coisas a ele.

"Durante toda esta semana", digo, "sempre que roubar alguma coisa, diga à garotinha que a ama mesmo quando ela faz isso, e que vai encontrar meios para que ela se sinta melhor e não crie problemas". Jill falou que achava isso meio estranho, mas que ia tentar. Na verdade, ela não roubou nem mentiu naquela semana. Quando voltou, passamos a sessão fazendo uma lista de coisas que ela podia fazer para ficar melhor quando se sentisse rejeitada. Algumas ideias dela foram: tomar um banho de espuma, telefonar para uma amiga, ouvir música de que gostasse, escrever uma carta para mim, fazer um desenho com arco-íris, e outras coisas. Nós nos divertimos muito pensando em coisas que a agradariam. Pedi a Jill que fizesse uma dessas coisas todos os dias, mesmo que se sentisse bem, e me contasse na semana seguinte. É importante que as crianças saibam que podem fazer coisas boas por si mesmas sem ter de esperar que alguém as faça. Fazê-las com *awareness* é a chave.

REGRESSÃO

Uma coisa que notei é que as crianças sempre regridem no meu consultório. Considero isso positivo. Vi pré-adolescentes e crianças mais novas regredirem, agindo como bebês ou se dedicando a atividades e brincadeiras de faixas etárias muito inferiores à delas. Essas crianças não tiveram a oportunidade de se envolver livremente com essas atividades quando eram mais novas, e em algum momento se sentem seguras para atender às suas necessidades em nossa sessão. Jill não era exceção. Um dia, ela me disse que queria brincar de loja. Colocou vários objetos e brinquedos sobre a mesa redonda que usávamos para desenhar e modelar argila. Colocou pequenas etiquetas de preço em tudo. Eu tinha uma caixa registradora de um brinquedo pré-escolar, que ela encheu de dinheiro de brinquedo. Ela me deu algumas notas e disse que eu seria sua primeira cliente. Eu representei o papel de um jeito exagerado, uma cliente que pegava e examinava coisas, soltava exclamações, e finalmente comprava alguma coisa. Jill riu satisfeita o tempo todo. Quando chegou a hora, arrumamos tudo, e ela cochichou ao sair: "Adorei fazer isso. Mas não conta pra ninguém, tá bom?"

6. Perda e luto

A Gestalt-terapia é ideal para trabalhar com crianças enlutadas, uma vez que é diretiva e focada. Se a criança que sofreu uma perda é bem ajustada, o curso da terapia pode ser breve. Em situações de longo prazo, as sessões se tornam uma espécie de dança: às vezes, a criança conduz; outras vezes, o terapeuta. No trabalho breve, o terapeuta se torna o líder na maior parte do tempo. Ele precisa avaliar o que vai servir melhor às necessidades terapêuticas da criança para proporcionar a melhor experiência nas sessões disponíveis, levando em consideração o nível desenvolvimental, a capacidade, a responsividade e o nível de resistência da criança. Não pode ser impositivo ou invadir os limites dela — tem de ir com calma e sem expectativas.

Antes de trabalhar com crianças enlutadas, o terapeuta precisa ter uma compreensão das questões ligadas à perda a ao luto.

ESTÁGIOS DO LUTO

Elizabeth Kübler-Ross (1973) postulou cinco estágios relativos à reação à morte de um ente querido: negação e isolamento, raiva, negociação, depressão e, finalmente, aceitação. Muitos terapeutas generalizaram esses estágios para adequá-los a muitos tipos de perda. Leonore Terr, em seu excelente livro *Too scared to cry* [Assustado demais para chorar] (1976), discute o processo de luto como é apresentado por John Bowlby em sua trilogia *Apego e perda* (1973-1983), como quatro fases particularmente relacionadas às crianças: negação, protesto, desespero e resolução. Ela argumenta que as crianças podem ficar retidas em qualquer fase por muito tempo. O terapeuta não pode empurrar o cliente por nenhum desses estágios. No entanto, conforme questões específicas vão sendo tratadas, o movimento começa a acontecer.

QUESTÕES

Há inúmeras questões possíveis envolvidas quando a criança sofre uma perda, e o terapeuta precisa estar atento a elas. Algumas dessas questões são: confusão, abandono, perda do *self*, responsabilização do *self*, culpa, perda de controle, sentimento de traição, necessidade de cuidar dos pais, sentimentos não expressados de tristeza, raiva, vergonha e concepções errôneas. O terapeuta precisa avaliar as questões que atormentam a criança de forma que consiga dar um foco à terapia. Certas questões são particularmente prevalentes em vários níveis de desenvolvimento. Por exemplo, a criança de 4 anos que perde um dos pais sente-se responsável por essa perda, já que ela é, basicamente, um indivíduo egocêntrico. Pode-se presumir que toda criança é incomodada por várias das questões mencionadas.

TIPOS DE PERDA

As crianças sofrem muitos tipos diferentes de perda ao longo do seu desenvolvimento, o que as afeta sobremaneira. A perda de um brinquedo favorito, um amigo, um vizinho, um professor querido, um animal de estimação, um pai em processo de divórcio, e a perda que acontece por algum tipo de prejuízo físico: todas causam impacto na criança. A morte de um dos pais, irmão, amigo ou um dos avós certamente é traumática. À medida que as crianças crescem, o acúmulo dessas perdas, sem a apropriada expressão de luto, prejudica o desenvolvimento saudável. Não é incomum que desenvolvam sintomas e comportamentos preocupantes durante meses, ou até anos, depois de uma perda específica. A criança certamente tem capacidade de atravessar o processo de luto de maneira natural. No entanto, é comum que ela tenha introjetado inúmeras mensagens em relação às expressões necessárias a esse trabalho: não é correto chorar. Certamente não é correto ficar com raiva por causa da perda. A criança se sente responsável pelo bem-estar dos adultos que a cercam. Pode estar abrigando um medo secreto de ser responsável pela perda. Resumindo, ela precisa de muito apoio e orientação durante o processo de luto. Quando o processo é incentivado, e quaisquer questões que impeçam esse luto são abordadas, a criança muitas vezes responde rapidamente.

TERAPIA BREVE

Frequentemente combinada com a tarefa de ajudar a criança durante o processo de luto é a diretiva para que o terapeuta o faça com rapidez —

tarefa que, muitas vezes, parece impossível quando se trabalha com crianças. O terapeuta pode se sentir pressionado a alcançar resultados depressa. Essa pressão pode ser prejudicial ao trabalho, e o terapeuta precisa encontrar um jeito de carregar esse fardo e confiar no processo, mesmo que não seja bem-sucedido. Se a criança que sofreu a perda estava bem antes dela e parece ter um forte senso de *self*, com bom apoio em seu ambiente, algumas poucas sessões podem ajudá-la a superar o luto. Além disso, se o terapeuta consegue sentir o fio de uma relação, e a criança é capaz de sustentar contato durante as sessões, é possível alcançar bons resultados. O contato deve ser avaliado periodicamente, pois a criança vai interrompê-lo se o trabalho ficar intenso demais para ela — se não tiver o autossuporte para lidar com a tarefa diante de si. O terapeuta precisa ser sensível a esse fenômeno e, quando ele acontecer, respeitar essa resistência e talvez sugerir que o tempo restante seja ocupado com alguma atividade não ameaçadora, como um jogo escolhido pela criança.

Quando a relação e o contato prevalecem, o terapeuta deve então fazer algumas determinações que melhor se adequem ao trabalho breve. Apesar dos objetivos que o terapeuta pode ter, ele deve estar atento para evitar expectativas. Vai estabelecer a estrutura para cada sessão e apresentar a atividade, mas antecipar resultados é solo fértil para o fracasso. Toda criança é extremamente sensível às expectativas que podem estar presentes; essa atitude pode afetar muitíssimo a sessão e obscurecê-la. As expectativas apresentam uma dinâmica que torna-se uma parte viva do encontro. O terapeuta precisa adotar uma atitude existencial: o que tiver de ser, será.

Vários pontos relacionados ao trabalho breve devem ser considerados e podem ser úteis:

1. Veja a situação como "intervenção em crise". Diga à criança que vocês só têm algumas poucas sessões para fazer as coisas melhorarem.
2. Veja quantas sessões terá e planeje o que vai fazer (sem expectativa de que o planejado ocorra). Por exemplo, a primeira sessão seria usada para estabelecer a relação conhecendo a criança, se dedicando a atividades não ameaçadoras e fazendo que ela se sinta segura. Quando o terapeuta é respeitoso, autêntico, congruente, aceita a criança como ela apresenta o *self* e está, ele mesmo, em contato, a relação e a segurança são estabelecidos.

3. Não se envolva com a criança. Muitas vezes, ao lidar com a perda de uma criança, o terapeuta pode sentir que precisa cuidar dela, melhorar as coisas, se emociona, se apieda de tal forma do cliente que deixa que ele faça o que quiser, inclusive ultrapassar os limites. Se o terapeuta não consegue manter os próprios limites nem fazer a criança aderir aos limites que ele estabelece, ela fica confusa e ansiosa.
4. Relacione as questões que considera pertinentes a essa criança em particular e estabeleça prioridades. Vá direto ao centro das questões e sentimentos. (Exemplos serão fornecidos na próxima seção.) Dependendo da idade do cliente, o terapeuta pode compartilhar alguns desses tópicos com ele, dando-lhe a opção de decidir em que quer trabalhar.
5. Inclua os pais em algumas sessões, se possível. Explique a eles o processo do seu trabalho. Avalie o nível de comunicação em relação à perda. Por exemplo, o garoto cujo pai perdeu o emprego sentiu necessidade de alegrar os pais, tranquilizar-se e olhar o "lado positivo" das coisas, bloqueando totalmente seus medos. Apareceram outros sintomas, tais como notas em declínio e incapacidade de se concentrar. Nas sessões com a família, ele admitiu que estava apavorado com o que ia acontecer com a família. Os pais admitiram que nunca demonstraram o próprio medo, muito menos o discutiram com o filho, pensando que isso seria prejudicial a ele. Quando começaram a conversar sobre o que sentiam, os sintomas do menino desapareceram.
6. A terapia com crianças é intermitente. O encerramento costuma ser temporário. Em cada etapa de desenvolvimento surgem novas questões. A criança só consegue trabalhar nelas em seu nível desenvolvimental específico. Os pais precisam entender isso.
7. Seja honesto e claro com a criança sobre a razão para ela ter sessões com você. Se o terapeuta usa linguagem adequada ao seu nível desenvolvimental, até uma criança pequena consegue entender.

Exemplos de casos

A seguir, apresento breves relatos de terapia breve com crianças enlutadas.

Caso um

Jack, 12 anos, perdeu a mãe para o câncer quando tinha 7. Os pais eram divorciados fazia algum tempo, e o pai havia se casado novamente. Jack mantinha uma boa relação com pai e mãe, que tinham guarda compartilhada, ia bem na escola, tinha amigos e parecia bem ajustado à vida de maneira geral. Quando a mãe morreu, ele foi morar com o pai e a madrasta, de quem gostava muito. O pai relatou que Jack não tinha apresentado problemas desde a morte da mãe. Quando perguntei como o menino havia lidado com o luto, o pai percebeu que, na verdade, o filho não tinha se mostrado muito afetado, além de chorar um pouco quando foi informado sobre a morte dela.

Aos 12 anos, certamente um momento crucial no desenvolvimento, vários sintomas apareceram. As notas começaram a cair, ele preferia ficar em casa a ir brincar com os amigos, ficava aborrecido quando o pai não estava em casa e começou a ter problemas com o sono. Os pais não associaram esses sintomas à morte da mãe dele, cinco anos antes. No entanto, vi esse fato traumático como uma bandeira vermelha, sobretudo depois de os pais terem relatado que ele lidou "muito bem" com a morte da mãe.

Sessão um

Na primeira sessão, Jack chegou com os pais. Foi durante essa sessão que ouvi a "história" da criança e as preocupações dos pais. É importante que a criança esteja presente nessa sessão para saber o que os pais me contam. Jack admitiu que gostaria de conseguir dormir melhor, uma vez que se considerava uma espécie de atleta e reconhecia se sentir cansado demais para fazer qualquer coisa, provavelmente por falta de sono.

Sessão dois

Na segunda sessão, avaliei a capacidade de Jack para formar uma relação e observei suas habilidades de contato. Tratava-se de uma criança alegre, amistosa, que se relacionou rapidamente comigo e parecia estar em pleno contato. Tudo indicava que era um bom candidato à terapia breve.

A primeira sessão só com Jack foi basicamente um tempo para ajudá-lo a se sentir confortável e promover a relação. Depois de uma conversa rápida, eu lhe pedi que desenhasse um lugar seguro — um lugar onde ele se sentisse seguro. Jack desenhou uma cena de acampamento e falou sobre como gostava de acampar com o pai e a madrasta. Disse que gostava de estar com eles e fazer coisas juntos, e que o estresse do mundo comum não interferia. Fiz uma lista de alguns desses estresses enquanto Jack os ditava.

A sessão foi concluída com um jogo de Uno, escolha dele entre várias opções de jogos fáceis e divertidos.

Sessão três

Na sessão seguinte, pedi a Jack que fechasse os olhos e pensasse na mãe dele, para ver que lembrança surgiria. Convidei-o a desenhar a lembrança ou apenas relatá-la. Contou que tinha poucas lembranças da mãe, mas desenhou uma cena na praia. Quando terminou, falou que se lembrava de ir à praia com ela quando era pequeno. Eu lhe pedi que desse voz ao menino pequeno na cena e comecei imediatamente um diálogo com ele. "O que está fazendo?", perguntei. E Jack, apesar da resistência inicial a uma pergunta tão boba, respondeu: "Estou construindo um castelo de areia". Eu o incentivei a dialogar com a mãe na cena, como o menino pequeno. Na conclusão desse pequeno exercício, ele declarou com um sorriso: "Foi divertido". Novamente a sessão foi concluída com Uno.

Sessão quatro

Deixei argila para cerâmica sobre duas tábuas em cima da mesa com um martelo de borracha e outras ferramentas. Enquanto Jack e eu brincávamos com a argila, pedi casualmente que ele me contasse mais sobre a mãe e algumas coisas que lembrava sobre ela. A argila tem uma capacidade poderosa para oferecer uma experiência sensorial nutritiva, além de promover a expressão. Jack ficou surpreso ao descobrir que, na verdade, tinha muitas lembranças. Eu disse a ele que acreditava que os problemas com o sono e a dificuldade de ficar longe do pai estavam relacionados à perda da mãe aos 7 anos. Ele ficou surpreso e assustado com essa informação. Eu lhe pedi que fizesse um menino de 7 anos com a argila e imaginasse como era, para aquele menino, perder a mãe. Comecei um diálogo com o "menino de 7 anos", convidando Jack, mais uma vez, a dar voz a ele. Incentivei-o a "inventar" o que ele imaginava que o menino diria.

"Você sentiu medo quando sua mãe ficou doente?"

Jack: "Quando ela foi para o hospital eu fiquei com muito medo."

"Sim! Isso é muito assustador para uma criança pequena."

Jack deu diversas informações ao responder minhas perguntas aparentemente casuais, o que o surpreendeu muito. Eu disse a ele que crianças naquela idade tinham dificuldade com o luto e precisavam de ajuda para conseguir passar por seus estágios. Ele ficou fascinado com os vários estágios, e mais lembranças daquela época começaram a emergir. "Lembro que fiquei com raiva quando meu pai disse que ela tinha morrido! Eu tinha certeza de que ele estava mentindo, saí correndo do quarto e não queria falar com ele. Acho que isso é negação. Acho que meu pai ficou bravo comigo por isso. Imagino que ele não sabia sobre os estágios." E Jack falou sobre a raiva que parecia causar muitos problemas para ele, então ele a suprimiu, presumindo que era muito ruim sentir essa emoção. Pus uma grande porção de argila na frente dele e o convidei a bater nela com o martelo de borracha. Ele bateu com muita vontade. Quando lhe pedi que acompanhasse as marteladas com palavras, ele se levantou e bateu na argila com força tremenda. Começou a chorar, enquanto gritava: "Por que você me deixou?", obviamente falando com a mãe. Eu dizia palavras de incentivo, como: "Isso! Fale para ela!" Sabia que, se ficasse em silêncio, ele perceberia de repente o que estava fazendo e interromperia essa explosão barulhenta. Ele continuou por um tempo, e finalmente sentou-se. Mais que depressa, eu o elogiei por ser capaz de deixar a raiva sair. Fiz uma escultura que batizei de Jack aos 7 anos.

"Jack, este é você aos 7 anos. Imagine que pode voltar em uma máquina do tempo e conversar com ele. O que diria?"

Jack: "Não sei."

"Experimente dizer: 'Sinto muito por você ter perdido a sua mãe'."

Jack: "Sim. Sinto muito por você ter perdido a sua mãe. Você é só um garotinho e precisa dela. Isso não é certo."

O menino continuou por esse caminho com meu incentivo e minhas sugestões.

"Jack, esse garotinho vive dentro de você. Ele tem estado quieto há algum tempo, mas agora que você tem 12 anos e pode fazer um monte de coisas, acho que ele está tentando chamar sua atenção. Acho que ele ficou preso nessa idade porque nunca expressou seus sentimentos, ou nem sequer os conhecia. Agora ele precisa de você. Quando o seu pai se afasta e você fica com medo, na verdade é ele pensando que vai acontecer alguma coisa com o seu pai. É ele que não deixa você dormir. Mas agora ele tem você, e é claro que você nunca vai deixá-lo, porque ele é uma parte sua. Ele agora precisa de você. Então, todas as noites durante esta semana, quando for para a cama, quero que converse com ele e diga que nunca vai abandoná-

-lo, e que ele é um menino muito bom. E talvez possa contar uma história para ele quando estiver deitado em sua cama."

Jack: "Minha mãe contava histórias para mim."

"Agora você pode fazer isso. Você é bom nesse tipo de coisa, experimente. Esse é seu dever de casa para a semana!"

Jack não quis praticar esse exercício no consultório e aceitou fazê-lo em casa.

Sessão cinco

Na quinta sessão, Jack contou que voltara a dormir, mas ainda não era um sono ótimo. Eu lhe pedi que fechasse os olhos e imaginasse que estava na cama à noite, e relatasse os sentimentos que experimentava. Ele disse que ainda tinha um pouco de medo, mas não sabia ao certo de quê. Pedi que desenhasse o medo usando cores, linhas, curvas, formas.

Jack: "É assim que me sinto. Muitas linhas e muitos círculos estranhos, a maioria em preto. Acho que tenho medo de que o meu pai morra, como você falou na semana passada."

"Não sabemos o que vai acontecer com ninguém no futuro, mas quando a criança perde alguém próximo, especialmente a mãe, é natural que comece a pensar que isso vai acontecer com alguém próximo, sobretudo o pai. Você precisa deixar o garotinho em você saber que é normal ter medo — que você entende isso. Aqui está ele (eu desenho um bonequinho de palitos), fale para ele."

Jack: "Sim, é normal ter medo."

"Você acredita nisso?"

Jack: "Bom, é normal ele ter medo. Eu não sei se devo."

"É por isso que estou pedindo para você falar com ele. Acho que, se der permissão para ele ter medo, você não vai sentir tanto medo."

Jack: "Sim. Você pode sentir medo. É natural."

"Diga que você está com ele e nunca vai deixá-lo, e que sabe fazer muitas coisas que ele não poderia fazer."

Jack praticou isso por um tempo.

Sessão seis

Na sexta sessão, Jack contou que pegou no sono antes de terminar a conversa com seu *self* de 7 anos, e que esqueceu de se preocupar com o pai. Estava muito ocupado. Eu o lembrei de que, de vez em quando, ele ia se sentir só por não ter a mãe e precisava se permitir sentir isso, e talvez fazer alguma coisa boa por seu *self* de 7 anos.

Sessão sete

Nesta última sessão, Jack veio com os pais. Falamos um pouco sobre o que ele havia aprendido. Ele estava ansioso para esclarecê-los, em especial sobre os estágios. Marcamos uma sessão de acompanhamento para dali a um mês — estava tudo bem.

Esse trabalho foi feito em sete sessões, incluindo a última. A primeira sessão envolveu a família, enquanto as duas seguintes foram dedicados à construção da relação, além de fornecer uma base para focarmos a morte da mãe de Jack. Presumi que era essa a causa de seus sintomas atuais, em especial devido ao seu transtorno de apego. As questões que emergiram espontaneamente foram medo de abandono, raiva e tristeza. Aprender a nutrir o *self* e adquirir habilidades para cuidar dele é importante e eficiente.

Caso dois

Susan, 10 anos, perdeu o pai, que se suicidou. Os pais estavam divorciados desde que ela, a caçula de três filhos, era bebê. O pai participava muito da vida de Susan, e ela era muito próxima dele. Houve um acordo de que ela moraria com ele durante um ano; porém, pouco antes de a menina se mudar, ele se matou. A mãe a levou para a terapia seis meses depois, quando o comportamento da filha pareceu se deteriorar em explosões agressivas de raiva e a professora se queixara de que ela não fazia os deveres e tinha se tornado muito beligerante. É comum os pais levarem o filho para a terapia alguns meses depois de uma perda traumática como essa, quando os sintomas aparecem e ganham força.

Sessão um

A primeira sessão aconteceu com mãe e filha. A mãe contou que, desde que o pai morreu, Susan tinha dificuldades na escola, e a relação delas havia se deteriorado. "As coisas estão piorando", ela disse, "não melhorando, como pensei que aconteceria com o passar do tempo." Nessa sessão, Susan ficou retraída e não participou.

Pedi à mãe que fosse para a sala de espera, e então propus a Susan que desenhasse uma casa, uma árvore e uma pessoa em uma folha de papel. Ela parecia aliviada por não ter de falar e se dedicou à tarefa com diligência.

"Susan, isso é um teste, na verdade, mas não vou usá-lo desse jeito — vou usá-lo para conhecer você melhor. Ele me diz algumas coisas sobre você, e preciso que as confirme para eu saber se estão certas."

Susan: "O que isso diz?"

"Bom, para começar, diz que você guarda muitas coisas para si mesma."

Susan: "É verdade. Como você sabe?"

"Sua casa tem janelas muito pequenas e persianas escuras, e às vezes, quando alguém desenha janelas como essas, pode ser por isso."

Susan (demonstrando interesse): "O que mais ele diz?"

"Pode mostrar também que você guarda muita raiva por não saber como colocá-la para fora. Isso combina com você? A pessoa parece meio brava."

Susan: "Sim!"

"Está vendo como a casa é inclinada? Talvez você não se sinta muito segura em relação a alguma coisa neste momento. E a menina está aqui no canto, longe da casa. Talvez você não saiba qual é o seu lugar."

Susan (em voz muito baixa): "É isso mesmo."

Notei lágrimas nos olhos de Susan e disse, com toda suavidade, que tentaríamos trabalhar essas coisas juntas nas sessões. Escrevi cada descoberta no verso do desenho e as li em voz alta para ela. Susan ouviu com atenção. Então, sugeri que usássemos os últimos minutos da sessão para jogar alguma coisa. Ela escolheu Connect 4; parecia que a relação estava se formando.

Sessão dois

Na segunda sessão, pedi a Susan que fizesse sua família em argila. Ela fez as duas irmãs e a mãe. Quando lhe pedi que incluísse o pai, ela se recusou. "Ele não está mais aqui." Fiz rapidamente uma figura grosseira. "Este é o seu pai", afirmei. "Ele vai ficar aqui." Deixei a figura no canto da tábua em que ela trabalhava com a argila.

"Quero que diga alguma coisa a cada pessoa."

Susan: (para a irmã mais velha:) "Você não se importa comigo. Está sempre fora, com seus amigos."

(para a irmã do meio:) "Queria que não debochasse tanto de mim."

(para a mãe:) "Queria que não tivesse que trabalhar tanto e pudesse passar mais tempo em casa."

"Agora fale alguma coisa para o seu pai."

Susan: "Não quero."

"Tudo bem. Não precisa. Susan, às vezes, quando um dos pai se suicida, os filhos se culpam e têm vergonha de contar para alguém. Estou pensando se não é assim com você."

Susan: "Outras crianças também sentem essas coisas?"

"Sim, são sentimentos muito comuns!"

Susan: "Não sei o que eu fiz, mas ia me mudar para a casa dele, e aí ele se matou. Pensei que ele estivesse feliz por eu ir morar com ele. E não quero que ninguém saiba. Vão saber que foi por minha causa."

"É muito difícil para você sentir essas coisas. Sinto muito."

Susan assentiu e se fechou. Isso ficou evidente pela falta de contato, pela postura corporal e pela redução de energia. Propus que parássemos de conversar por enquanto e jogássemos Connect 4 de novo. Ela se animou visivelmente e se dedicou ao jogo com energia renovada. Contei a Susan que a mãe dela se juntaria a nós na sessão seguinte.

Sessão três

Na terceira sessão, com a mãe, pedi a cada uma que fizesse alguma coisa que a deixava com raiva. Susan viu a mãe desenhar e, finalmente, começou a trabalhar no próprio desenho. A mãe desenhou um incidente que aconteceu no trabalho e falou um pouco sobre ele. Susan disse: "Não fiz o que você me pediu. Só desenhei minha família".

"Tudo bem. Notei que você não desenhou o seu pai. Só fez um círculo no canto de cima no lugar dele. Susan, diga a cada pessoa da sua família alguma coisa que deixa você com raiva ou que não gosta quando fazem."

Susan atendeu ao pedido, mas se recusou novamente a falar com a figura que representava o pai.

(Dirigindo-me à mãe): "Estou pensando se você aceitaria dizer alguma coisa ao seu ex-marido aqui. Para a Susan, isso é difícil. Pode ser qualquer coisa que gostaria de dizer a ele."

A mãe de Susan começou imediatamente a expressar uma raiva intensa por ele ter se matado e causado tanta dor e tanto sofrimento às filhas, especialmente a Susan, e por tê-la deixado responsável pelas três filhas.

A menina começou a chorar e disse que também estava com raiva, e que tinha certeza de que era tudo culpa dela. Eu a orientei a dizer isso para a figura do pai. A mãe dela expressou espanto e lhe garantiu de forma enfática que não era assim, que o pai dela tinha problemas financeiros e ela achava que esse foi o motivo para o que ele fez, e que ele a amava muito. Mas as coisas ficaram difíceis demais para ele.

Susan continuou chorando enquanto a mãe a abraçava.

Sessão quatro

Na quarta sessão, sugeri a Susan que fizesse um desenho de alguma coisa que ela gostava de fazer com o pai. Ela desenhou uma piscina e falou sobre como eles se divertiam nadando juntos. Depois pediu para usar a caixa de areia e começou a montar uma cena de cemitério, anunciando que um dos túmulos era do pai dela.

"Susan, eu queria que você falasse com o túmulo do seu pai."

Susan: "Pai, espero que você esteja feliz onde está. Sinto muita saudade de você. Lamento que as coisas tenham ficado difíceis."

"Pode dizer a ele que o ama?"

Susan: "Sim! Papai, eu amo você". (longa pausa) "Adeus." (Para a terapeuta) "Temos tempo para um jogo?"

Sessão cinco

Susan e eu tivemos mais uma sessão juntas. A mãe não pôde ir e mandou um bilhete dizendo que os comportamentos inadequados da filha tinham desaparecido. Perguntei a Susan o que ela gostaria de fazer nessa sessão de despedida, e ela escolheu argila. Fez um bolo de aniversário com palitos de dente no lugar de velas e disse, com muita alegria, que o aniversário do pai estava se aproximando, e ela queria deixar um bolo pronto para ele.

Esse trabalho durou cinco sessões. Aqui também, como com Jack, a relação foi estabelecido rapidamente, e Susan foi muito responsiva, apesar de sua resistência inicial. A questão da responsabilidade pela morte do pai logo foi deixada de lado. Raiva e tristeza foram expressadas. Liguei para a mãe de Susan para dizer que a menina havia trabalhado a morte do pai em seu nível desenvolvimental específico, mas que sentimentos profundos podem emergir em níveis posteriores de desenvolvimento relacionados a questões para as quais ela não tinha autossuporte para lidar.

Caso três

Jimmy, 6 anos, foi trazido pelo pai. A irmã de Jimmy, dois anos mais nova, morrera em um acidente de automóvel em que ele e os pais sofreram ferimentos leves. O pai disse que Jimmy parecia estar bem, mas sentia que o filho precisava de ajuda para lidar com a morte da irmã, pois nunca falava dela. A mãe, em luto profundo e quase disfuncional, estava sob cuidados psiquiátricos. Jimmy se mantinha forte. Presumi que ele receava demonstrar a dor por medo do abandono — precisava ser forte pela mãe. Além disso, o pai disse que os filhos se davam muito bem, brincavam juntos o tempo todo, mas que Jimmy adorava irritar a irmã, às vezes batia nela e parecia gostar de fazê-la chorar. Jimmy, ainda em um estágio de desenvolvimento egocêntrico, provavelmente se culpava pela morte da irmã, especialmente à luz de seu comportamento com ela. Senti que essa última questão, aliada ao medo de perder o amor e a atenção da mãe, eram as prioridades do nosso trabalho juntos.

Sessão um

Na primeira sessão, enquanto o pai conversava comigo, Jimmy se recusou a falar e ficou sentado ao lado da caixa de areia, deslizando as mãos nela. Pela postura corporal, vi que ele ouvia atentamente.

Pedi ao pai que aguardasse na sala de espera, depois de perguntar a Jimmy se ele concordava com isso. O menino respondeu que sim movendo a cabeça, ainda de costas para mim. Chamei a atenção dele para as prateleiras de miniaturas, convidando-o a levá-las para a caixa de areia e construir uma cena. Jimmy pôs na caixa de areia todas as árvores que encontrou; embaixo de uma delas, colocou um coelho bem pequeno. "Pronto", disse.

"Jimmy, pode me falar sobre essa cena?"

Jimmy: "É uma floresta com muitas árvores."

"E esse coelhinho?"

Jimmy: "Está escondido embaixo daquela árvore."

"Eu queria conversar com ele. Você pode fazer a voz dele, como se fosse um fantoche?"

Jimmy: "Tudo bem."

"Coelho, o que está fazendo?"

Jimmy: "Estou me escondendo."

"Do que está se escondendo?"

Jimmy: "Às vezes os animais grandes comem coelhos. Estou me escondendo deles."

"Você tem um bom esconderijo. Quase não consigo te ver! Sente-se seguro?"

Jimmy: "Não, ainda estou com medo."

"Tem alguém aí para te ajudar?"

Jimmy (em voz muito baixa, com o corpo encurvado): "Não."

"Ah, isso deve ser difícil para você."

Jimmy: "É."

Nesse ponto, eu disse a Jimmy que podíamos jogar algum jogo nos cinco minutos que faltavam para a sessão acabar. Perguntei se ele permitia que eu tirasse uma foto de sua cena e não guardasse os objetos agora, para que eu pudesse observá-la. Ele concordou prontamente.

Sessão dois

Jimmy chegou perguntando se podia fazer outra cena na caixa de areia e começou a reproduzir a mesma cena da semana anterior, mas acrescentou mais um coelho, que colocou ao lado do primeiro. "Agora o coelho tem alguém para ajudar ele", disse. Deduzi que Jimmy estava reconhecendo a ajuda que poderia receber de mim.

"Jimmy, lamento muito que tenha perdido a sua irmã. Eu adoraria que você fizesse um desenho dela, para eu poder ter uma ideia de como ela era."

Ele fez o desenho de boa vontade, explicando, enquanto desenhava, qual era a cor do cabelo, dos olhos, as roupas que ela usava e outros detalhes.

"Jimmy, vou fazer uma lista das coisas que você e sua irmã faziam juntos. Fale uma coisa."

Jimmy: "Bom, pintávamos desenhos de um livro dela. Brincávamos de Capitão Gancho e Peter Pan — eu era o Capitão Gancho. Construíamos coisas com blocos. Ela só tinha 4 anos, e eu tinha que ensinar a ela como fazer as coisas."

"Sei que você era um bom irmão mais velho. Às vezes os irmãos mais velhos implicam com as irmãs mais novas. Você fazia isso? Sei que meu filho costumava atormentar a irmãzinha, e ela corria para mim chorando. Agora eles cresceram e são bons amigos. Aposto que você e Julie teriam sido bons amigos, quando crescessem."

Jimmy: "Seu filho implicava com a irmã dele? É! Eu atormentava muito a Julie! Ela ficava nervosa muito depressa. Às vezes ela também me irritava, e eu batia nela. Aí ela chorava e corria para a minha mãe, que ficava brava comigo. Eu gostava muito dela."

"Aposto que sente muita saudade dela."

Jimmy assente com lágrimas nos olhos.

Ofereço-me para fazer uma apresentação de teatro com bonecos para ele. Na primeira cena, dois animais — um cachorro e uma gata — estão brincando, e o cachorro começa a chamar a gata de nomes bobos. Ela chora. Na segunda cena, um animal maior, uma águia, diz ao cachorro que aconteceu um acidente e a gata morreu. O cachorro começa a chorar, dizendo que não queria ter implicado com a gata. A águia o acalma, diz que a gata não morreu por causa de sua implicância. Na terceira cena, o cachorro conta à águia como está triste por ter perdido a companheira. A águia o abraça.

Jimmy assistiu a essa apresentação simples com atenção e imediatamente perguntou se poderia fazer uma. O espetáculo dele foi mais detalhado, com o cachorro dizendo à águia que batia na gata e que às vezes era malvado, e a águia o acalmando novamente, dizendo que nada disso causou a morte da gata.

A última coisa que Jimmy disse antes de sair da sessão foi: "Adorei o teatro de bonecos!"

Sessão três

Perguntei a Jimmy se ele achava que a mãe estava muito brava com ele, já que ela estava tão perturbada. Ele começou a chorar. Por causa do estágio de desenvolvimento em que se encontrava, era lógico que sentisse que o intenso pesar da mãe era sua culpa.

"Jimmy, acho que sua mãe está tão triste com a perda da Julie que adoeceu. Não acho que ela esteja brava com você. Tudo bem se convidarmos seu pai para vir à sessão, para podermos perguntar isso a ele?"

Jimmy concorda.

Eu lhe pedi que contasse ao pai que achava que a mãe estava brava com ele. Jimmy olha para mim, e pergunto se posso contar. Ele assente vigorosamente. O pai fica horrorizado com essa ideia e, muito emocionado, diz ao filho que ele e a mãe o amam muito. Jimmy sobe no colo do pai e chora de soluçar.

Sessão quatro

Jimmy me conta que a mãe parece estar um pouco melhor. Ela sorriu e o abraçou hoje de manhã, relata. Deduzi que o pai dele tinha conversado com ela sobre nossa última sessão. Peço-lhe que faça a irmã de argila e converse com ela. Jimmy diz ao boneco de argila que sente muita saudade dela, que lamenta que ela tenha morrido e que vai pensar muito nela. Depois, espontaneamente, pega o boneco, beija e diz adeus. "Quero brincar com aquele jogo (Blockhead) hoje, antes de ir embora."

Essa foi a última sessão. O pai telefonou para dizer que sentia que Jimmy não precisava de outras. Eu o aconselhei a ficar atento a outros sintomas que poderiam surgir, pois havia muitas questões que não foram abordadas e poderiam afetar Jimmy. Em relação ao aspecto desenvolvimental, talvez Jimmy tivesse expressado tanto quanto era possível para ele naquele momento, e, quando se fortalecesse, algumas outras questões teriam de ser abordadas.

Caso quatro

Outra situação envolveu uma menina de 9 anos cuja mãe fora agredida pelo pai; ela conseguiu fugir para outra cidade, e não havia nenhum contato com o pai. A menina tinha se tornado mal-humorada, abusiva e agressiva com a irmã mais nova e a mãe. Esta me avisou que elas só poderiam vir para cinco ou seis sessões. Com base em experiências anteriores com situações semelhantes, senti que a criança possivelmente tinha sentimentos conflitantes relacionados à perda do pai e raiva da mãe por tê-la tirado de perto dele e dos amigos, da escola e da antiga casa.

Sessão um

Na primeira sessão, Sally parecia muito ansiosa enquanto a mãe falava, e ficou sentada com os ombros encurvados e a boca contraída. Dirigi minhas questões de "admissão" a Sally. "Você dorme bem? Tem pesadelos de vez em quando? Como é a escola aqui?", e assim por diante. Sally respondeu de imediato, relaxou visivelmente, depois quis saber para que serviam todos os brinquedos e tudo que havia na sala. Expliquei que as coisas eram usadas, junto com os desenhos, a argila e as caixas de areia, para ajudar as crianças a expressar o que estava acontecendo dentro delas, em vez de só falar. A mãe estava muito nervosa nessa sessão e parecia aflita para ir embora. Eu a convidei a aguardar na sala de espera, enquanto Sally e eu nos conhecíamos.

Incentivei Sally a andar pela sala e olhar tudo. Ela se interessou pela casa de bonecas e começou a arranjar e rearranjar a mobília. Depois de algum tempo, lhe sugeri que escolhesse uma família para morar na casa. Sally escolheu mãe, pai, um menino pequeno e uma menina de tamanho médio, e os colocou em várias partes da casa. Comentei que a família parecia ser agradável, feliz. Sally concordou, e de repente perdeu a energia e o entusiasmo com a casa de bonecas. Propus que jogássemos alguma coisa e ela, renovando o contato, escolheu Uno.

Quando a criança perde de repente o interesse em determinada tarefa, rompe contato quando havia boa energia em relação à tarefa, geralmente essa é uma pista bem confiável de que aconteceu alguma coisa que a fez se fechar. Parecia óbvio que a "família feliz" na casa de bonecas tocara um ponto doloroso em Sally.

Esse tipo de recuo é, na verdade, um acontecimento positivo no processo terapêutico, pois indica que os sentimentos estão emergindo por trás da resistência.

Como a mãe havia sido clara em relação ao número de sessões, mapeei um programa para a terapia, sempre consciente de que criar expectativas seria extremamente prejudicial. Meu plano para Sally era o seguinte:

Na próxima sessão, eu apresentaria um modo de expressão não ameaçador, como a técnica da garatuja, que é divertida e fácil e pode levar a importantes projeções. Na terceira sessão, pensei em convidar Sally para fazer bonecos de argila da família, inclusive o pai, e conversar com cada um deles. Eu poderia ajudá-la a focar a raiva, a culpa e a tristeza pela perda do pai e da casa conhecida. Na quarta sessão, pensava em incorporar todos esses sentimentos — inclusive, talvez, a confusão da criança com seus sentimentos em geral — por meio de desenho ou da pintura. Dessa maneira, os sentimentos variados tornam-se mais explícitos, facilitando o trabalho com eles. Além disso, se houvesse tempo, os instrumentos de percussão poderiam ser usados para "tocar" com os sentimentos, criando uma atmosfera nutritiva e agradável em torno dessas emoções. Na quinta sessão, eu sugeriria que Sally fizesse na caixa de areia uma cena sobre sua vida. Por fim, na última sessão, eu me reuniria com Sally e a mãe dela e passaria algum tempo dando sugestões à mãe para ajudar a menina a expressar seus sentimentos de maneira adequada, além de refinar suas habilidades de comunicação. Segue um resumo do que realmente aconteceu.

Sessão dois

Apresentei a técnica da garatuja — pedi a Sally que rabiscasse qualquer coisa e encontrasse nessa garatuja uma imagem para colorir. Sally pareceu gostar da tarefa e encontrou a imagem de uma grande gata cercada por árvores. Ela contou a seguinte história sobre a gata: "Era uma vez uma gata que se perdeu. Ela estava voltando para casa depois de visitar uma amiga e se perdeu. Tinha cortado caminho por dentro da floresta e estava perdida. Ela não sabia onde estava, nem que caminho seguir para ir para casa. Ficou escuro, ela ouviu todo tipo de barulho e ficou com medo".

"E o que aconteceu depois?"

Sally: "Ela ficou muito cansada e deitou embaixo de uma árvore para dormir."

"O que aconteceu quando ela acordou?"

Sally: "De manhã, a gata reconheceu onde estava e correu para casa. A família ficou muito feliz, e acariciou e alimentou a gata. Fim."

"Essa história foi boa! Sally, tem alguma coisa nessa história que combine com você e sua vida?"

Sally: "Não sei." (Longa pausa.) "Bem, talvez eu não saiba onde está a casa que eu tinha."

"Conte para mim sobre ela."

Sally começa a descrever a casa onde morava, a vizinhança, a escola, os amigos. Ela fica muito animada enquanto fala, me observa com atenção (para ver minha reação?). Percebo que Sally não pode falar sobre essas coisas em casa, porque, provavelmente, qualquer menção à antiga casa perturba muito a mãe. Nos últimos dez minutos da sessão, decido introduzir instrumentos, e Sally e eu tocamos com muita alegria, felicidade, tristeza, solidão e, sobretudo, raiva.

Sessão três

Na sessão seguinte, ofereci argila para cerâmica, tábuas e ferramentas. Sentamo-nos à mesa para brincar com argila e, depois de um tempo, pedi a Sally que fizesse a família dela de argila. Ela ignorou meu pedido e começou a fazer vários tipos de comida. Abandonei o plano e me juntei a ela, fingindo comer a comida. Sally ria de como eu exagerava ao me deliciar com os alimentos. Entre uma comida e outra, fiz eu mesma figuras grosseiras da família dela: a mãe, a irmã e o pai, que coloquei a alguma distância do restante da família.

"Sally, quero que diga alguma coisa para cada pessoa aqui — talvez alguma coisa de que goste neles, alguma coisa de que não goste, ou só alguma coisa que queira dizer."

Sally: (para a irmã) "Gosto de brincar com você de vez em quando. Não gosto quando você pega minhas coisas."

(para a mãe, após longa pausa) "Gosto quando você brinca comigo."

(para a terapeuta) "Ela está sempre trabalhando e cansada."

"Talvez essa seja a coisa de que você não gosta, pode dizer a ela."

Sally: "É. Não gosto que você está sempre trabalhando e cansada e não tem mais muito tempo para brincar comigo."

"Agora fale alguma coisa para o seu pai ali no canto."

Sally: "Não quero falar com ele agora."

Então, Sally pegou o martelo de borracha e começou a bater em um monte de argila perto dela.

"Sally, me mostre sua força quando bate na argila. Pode ficar em pé, se quiser."

Sally começa a bater na argila com toda sua força, segurando o martelo com as duas mãos.

"Em que está pensando, Sally, quando faz isso?"

Sally: "Em nada."

"Aposto que tem muitas coisas na sua vida que a deixam com raiva. Bata na argila — não precisa me contar que coisas são essas."

Sally continua batendo na argila, enquanto eu a incentivo. O tempo acaba e limpamos tudo.

Sessão quatro

Na quarta sessão, a mãe de Sally me diz que só pode haver mais uma sessão, porque ela mudou de emprego e não pode mais trazer a filha depois da sessão de hoje. Insisto para que ela acompanhe Sally na última sessão, e ela concorda, relutante.

Aflita com a falta de tempo, decidi oferecer a Sally uma apresentação de teatro de bonecos. O espetáculo teria três cenas, e eu esperava abordar algumas questões relativas à situação dela. Na primeira cena, a mãe está cantando sozinha: "Estou fazendo o jantar, estou fazendo o jantar". O pai chega gritando: "O que tem para o jantar? Estou com fome! Espero que esteja pronto". A mãe responde: "Vai ficar pronto logo, querido. Só mais alguns minutos". O pai berra: "Eu quero agora!", e bate na cabeça da mãe. Sally murmura da plateia: "Isso é igual à minha vida". Não respondo e mudo de cena. Agora, dois animais peludos, um macaco e um cachorro, estão conversando. O macaco (o menor dos dois fantoches) diz: "Você viu o papai bater na mamãe de novo? Queria que ele não fizesse isso. Fico com medo". O cachorro responde: "Sim. Também tenho medo. Sinto raiva quando ele faz isso. Por que ele tem que machucar a mamãe desse jeito?" O macaco: "Você precisa falar para ele parar. Afinal, você é o mais velho. Fale com ele. Talvez ele escute, se souber como a gente se sente". O cachorro diz que vai tentar. Na cena seguinte, o cachorro chama o pai, que diz: "Sim, filho, o que é?" Com grande dificuldade e emoção, o cachorro diz: "Papai, você tem que parar de bater na mamãe. Isso me deixa com muito medo e assusta meu irmãozinho. E pai, quando você faz isso, eu fico com raiva!" O pai fica muito aborrecido; primeiro nega tudo, mas por fim responde: "Acho que perco o controle. Vou tentar parar. Não quero que você e seu irmão tenham medo de mim". "Obrigado, papai", diz o cachorro. E eles se abraçam.

Esse foi o fim do espetáculo, e Sally perguntou imediatamente se poderia fazer um também. Ela repetiu as mesmas cenas, mas com as próprias palavras. Ofereci-me para fazer outro espetáculo no tempo que restava da sessão. Dessa vez, o cachorro chama a mãe e diz: "Mamãe, tenho que te contar uma coisa. Não fica brava". Ela responde: "Meu bem, pode me falar qualquer coisa". "Tudo bem", diz o cachorro. "Sinto saudades do papai." A mãe fica muito agitada. "Você sabe que não podemos vê-lo!" O cachorro reage rapidamente: "Eu sei que não podemos vê-lo. Só quis contar que queria poder, e que sinto falta dele". A mãe fica quieta por alguns segundos, e então diz: "Eu sei que sente saudade dele. Afinal, ele era um bom pai para você. Talvez possa vê-lo daqui a algum tempo". "Obrigado, mamãe. Só queria que você soubesse." E eles se abraçam.

Sally ficou igualmente empolgada com essa apresentação.

Eu sabia que ela nunca poderia conversar com o pai sobre sua raiva, mas queria ao menos trazer à tona os sentimentos que poderia estar guardando dentro de si.

Sessão cinco

Na última sessão com Sally e a mãe, a menina quis apresentar os dois espetáculos. Eu avisei a mãe sobre a possibilidade de ela não gostar do conteúdo, mas expliquei que era importante ela entender que Sally tinha sentimentos ocultos que podiam ser a causa de seu comportamento, e que expressá-los pela fantasia ao menos lhe traria alívio e cura. Sally fez os espetáculos com muita satisfação e a mãe aplaudiu com generosidade, enquanto enxugava as lágrimas. Conversamos um pouco sobre a necessidade de Sally expressar seus sentimentos enquanto a mãe ouvia sem julgar.

Um mês depois, telefonei para a mãe de Sally, e ela contou que a filha estava muito mais calma e fácil de conviver, não se mostrava mais beligerante e, no geral, estava indo muito bem. A mãe, que também parecia mais calma, me agradeceu muito. Eu a aconselhei a se manter alerta para novos sintomas quando Sally chegasse a novos estágios de desenvolvimento.

Sempre uso teatro de bonecos — como fiz com Sally e Jimmy —, sobretudo em situações em que a criança tem grande dificuldade para expressar sentimentos. As crianças ficam fascinadas com essas apresentações, e são muito complacentes quando elas não são "perfeitas". Questões significativas podem ser apresentadas em cenas simples de um jeito dramático, e as mensagens metafóricas são bem fortes. Parecem tocar a criança em um nível profundo.

Neste capítulo, tentei oferecer alguns métodos eficientes para trabalhar com crianças em situações de perda e luto em curto prazo. Esses métodos têm como base a teoria, filosofia e prática da Gestalt-terapia. As técnicas projetivas usadas (desenhos, argila, fantasia, contação de histórias, cenas na caixa de areia, música e teatro de bonecos) possibilitam que a criança expresse seus sentimentos mais profundos de modo não ameaçador e, muitas vezes, divertido. O terapeuta precisa ter uma compreensão da variedade de questões envolvidas em uma perda traumática e determinar quais delas são as mais essenciais. Deve fazer isso gradualmente, mesmo quando o tempo é curto, para permitir que a criança se sinta segura e revele suas partes mais profundas aos poucos. É preciso ter cuidado para não invadir nem pressionar a criança a fazer ou expressar alguma coisa a que ela resista. Essa resistência costuma indicar que a criança não tem autossuporte suficiente para lidar com o material apresentado; deve ser respeitada, independentemente dos requisitos da terapia breve. Embora o terapeuta possa ter objetivos e planos, as expectativas podem ser tóxicas. É preciso ser infinitamente sensível à criança.

Um pré-requisito para qualquer trabalho é que se estabeleça uma relação mínima, que vai ser construída a cada sessão. Como descrevemos neste capítulo, o contato deve sempre estar presente, e o terapeuta precisa observar com atenção a quebra de contato, que em geral se torna visível quando a criança perde energia, o corpo murcha, o olhar fica meio parado ou ela não responde à pergunta ou ao pedido do terapeuta. É inútil tentar ignorar essa evidência de que a criança não está totalmente presente no encontro. Ela deve poder ter um tempo para se retrair do contato conforme sua necessidade. É responsabilidade do terapeuta estar plenamente em contato com a criança, ainda que ela não seja capaz de sustentar esse contato. O terapeuta recebe a criança com respeito independentemente de como ela apresenta o *self*, sem esperar uma resposta específica. Ele precisa ser gentil, autêntico e respeitoso, sem se tornar envolvido ou confluente com a criança.

Na terapia breve, pode ficar claro que há inúmeras outras questões emergindo ou se tornando óbvias para o terapeuta que requerem atenção. Se a determinação é terapia breve, é preciso definir prioridades. Quando se alcançam bons resultados, isto é, quando a criança faz algum encerramento em relação à perda sofrida, o trabalho pode ser considerado bem-sucedido. Muitas vezes, o que a criança experimenta nessas poucas sessões é transmitido para outras áreas de sua vida.

As crianças não sabem como viver o luto e muitas vezes ficam confusas com os vários sentimentos dentro de si. As metáforas que emergem das técnicas projetivas oferecem uma distância segura para que deixem o terapeuta ajudá-las a reconhecer os sentimentos apropriados. É por meio desse reconhecimento que a criança consegue se mover pelo processo de luto. Terapeutas que trabalham com crianças são privilegiados por terem a oportunidade de ajudá-las a atravessar mais facilmente os períodos difíceis da vida.

7. Ajudar crianças e adolescentes a praticar a autonutrição

Há algum tempo descobri que, por melhor que fosse o trabalho feito com meus clientes, era como se faltasse alguma coisa. Essa coisa, eu descobri, era ajudá-los a nutrir o *self*. Apesar do maior fortalecimento do *self*, da conclusão de assuntos não terminados, da expressão de sentimentos bloqueados, sobretudo raiva, ainda restava uma espécie de vazio dentro da pessoa. Aprender a se nutrir preenche esse vazio.

Na sociedade estressante em que vivemos, as crianças desenvolvem inúmeras crenças falsas sobre si mesmas no caminho para a vida adulta. Essas mensagens negativas se espalham por todas as partes da vida delas. Seu próprio senso de *self* fica prejudicado e fragmentado — e, no fundo, elas se sentem sem valor, envergonhadas e solitárias. Crianças que foram molestadas ou abusadas, que têm doenças crônicas ou sofreram algum tipo de trauma, que têm pais alcoólatras, que foram abandonadas — essas são só algumas das situações em que elas se tornam particularmente suscetíveis a percepções distorcidas do *self* e de como estar no mundo. Para lidar com isso e sobreviver, restringem, inibem, bloqueiam e até desligam por completo aspectos do *self*.

Independentemente da etiologia desses introjetos negativos, ficou claro para mim que é trabalho da criança mudá-los. Não importa o que pais, ou a sociedade como um todo, faça para aliviar as circunstâncias que podem ter causado esses padrões de crença destrutiva: eles não vão desaparecer. Persistem de algum jeito — às vezes submergindo, para então emergir em um momento posterior.

Aprender a se nutrir é o passo final, essencial para ajudar um cliente a trabalhar com essas mensagens negativas poderosas que, com tanta frequência, debilitam e sugam nossa energia e força de vida.

Introjetos são aquelas mensagens negativas sobre nós que absorvemos na infância. Do ponto de vista desenvolvimental, as crianças pequenas são incapazes de avaliar as mensagens que recebem dos pais e, mais tarde, do mundo exterior. Acreditam em tudo que ouvem, ou imaginam ouvir, de forma aberta ou encoberta, sobre si mesmas. São cognitivamente incapazes de avaliar essas mensagens: “Isso serve para mim. Isso definitivamente não serve para mim”. Essas mensagens são transmitidas por palavras, sons, gestos, linguagem corporal, comportamento, bem como por interpretações erradas baseadas no nível desenvolvimental da criança. Começamos bem cedo a determinar quem somos e como devemos ser no mundo para ter nossas necessidades atendidas. Em outras palavras, formamos, ainda muito novos, um sistema de crenças sobre nós mesmos e sobre como agir no mundo, e levamos esse sistema de crenças conosco para a vida adulta!

Eu sabia que, se conseguisse ajudar as crianças a confrontar, administrar e talvez até mudar as mensagens negativas sobre si mesmas, seu crescimento e desenvolvimento saudável seria muito aprimorado. Experimentei maneiras de fazer isso com inúmeros clientes adultos com grande sucesso e, motivada, tentei apresentar esse processo aos meus clientes crianças e adolescentes. Para meu desânimo, descobri que, a menos que eles estivessem prontos para dar esse passo no processo da terapia, não conseguiriam integrar o conceito. Percebi que a criança precisa de certa quantidade de autossuporte — força interior — para se dedicar ao processo de autonutrição. Então, quando eu descobria, por tentativa e erro, que uma criança não estava pronta, focava em outros aspectos da jornada terapêutica: melhorar as funções de contato, aperfeiçoar a *awareness* corporal, intensificar a consciência do *self*, ajudá-la a expressar sentimentos bloqueados, retidos, proporcionar experiências que promovessem um senso de autonomia — tudo dentro do contexto da nossa relação eu-tu, plena de contato. E então, quando sentia que a criança tinha alcançado um nível mais forte de suporte dentro de si mesma, começávamos a focar a questão da autonutrição.

Um prelúdio para aprender a se nutrir — ter aceitação, cuidado e amor pelo *self* — é lidar com aqueles introjetos negativos que mencionei. Quando as crianças passam a reconhecer, aceitar, respeitar e expressar seus sentimentos, começam a ter um senso muito mais forte de si mesmas e de seus direitos. É ENTÃO que começamos a olhar para algumas de suas crenças enganosas sobre o *self*.

Ajudar a criança a expressar os sentimentos é crucial para o seu desenvolvimento saudável. Todos os bebês expressam sentimentos, independentemente do ambiente cultural, por meio do som, da expressão facial, do gesto e, à medida que crescem, da linguagem. A inibição de sentimentos é uma experiência aprendida, e essa inibição leva a sentimentos ruins em relação ao *self*. Algumas crianças aprendem a inibir sentimentos, em geral raiva, ainda tão pequenas que não têm lembrança de senti-los, nem palavras para descrevê-los, nem habilidade para expressá-los. Elas concluíram muito cedo que são seres vergonhosos. Toda criança emocionalmente transtornada tem um senso de *self* que, por sua vez, interfere no bom contato com os outros. No fundo, ela sente que falta alguma coisa, que é diferente de algum modo, é solitária, alguma coisa está errada. Ela se culpa — embora possa culpar os outros de maneira defensiva — e imagina que é ruim, fez algo errado, não é boa o bastante, não é esperta o bastante. A criança pequena não tem capacidade cognitiva para reconhecer aquelas mensagens que são tóxicas e precisam ser rejeitadas. Se ela sofre trauma, vai se culpar por isso. Do ponto de vista desenvolvimental, ela não concluiu a tarefa da separação e, por isso, é incapaz de compreender de forma cognitiva e emocional que não é, de maneira nenhuma, a causa de seu ferimento, dor, perda ou agressão.

Até introjetos favoráveis podem ser prejudiciais, porque também não são assimilados pela criança como próprios. Se o pai ou a mãe diz: "Você é tão maravilhoso!", existe um aspecto incrédulo da criança, que pensa: "Isso não é verdade. Não sou tão bom. Fiz uma coisa ruim na semana passada". E assim ocorre fragmentação em vez de integração. Uma parte da criança gosta de ouvir que ela é maravilhosa, mas a parte incrédula se apresenta. O adolescente ou adulto que nunca experimentou a integração dessas mensagens favoráveis muitas vezes diz "eu me sinto uma farsa" ou "ninguém conhece o meu verdadeiro eu". Os pais precisam aprender a expressar sua apreciação de maneiras específicas, como: "Gostei de como você limpou a cozinha" ou "As cores do seu desenho me dão uma boa sensação" ou "Gosto da camisa que você está usando", e assim por diante. Essas afirmações claras fortalecem o senso de *self* da criança.

Ao trabalhar com crianças, minha tarefa é possibilitar que elas lembrem, recuperem, renovem e fortaleçam aquilo que tinham quando eram bebês. Preciso fornecer várias experiências para despertar os sentidos delas, para lhes devolver o uso alegre e entusiasta de seu corpo, para conectá-las com seus sentimentos e sentir e conhecer seu poder. Preciso ajudá-la a usar o intelecto em conjunção com a linguagem para fazer declarações de quem elas são e quem não são, de que precisam, o que querem, de que gostam e não gostam, em que pensam, quais são suas ideias.

Quando a criança começa a desenvolver um forte senso de *self* dentro da nossa relação terapêutica, podemos então assumir a tarefa de confrontar os introjetos negativos. É muito difícil para ela admitir abertamente: "sou má", "sou uma pessoa horrível", "não gosto de mim". Em geral, ela está ocupada defendendo o pequeno vestígio de *self* que talvez sinta. Descobri que as crianças têm um senso crítico muito bem desenvolvido (normalmente bem escondido dos pais). É comum que sejam ainda mais críticas do que os pais em relação a elas. Essa atitude julgadora é extremamente prejudicial ao crescimento saudável. A criança pode dizer a si mesma: "Eu deveria fazer melhor", sentindo e sabendo que a concretização desse desejo está além de seu poder e compreensão. Assim, a vontade de "ser melhor" ou "fazer melhor" serve para aumentar seu desespero. Nunca é demais enfatizar como cada experiência negativa, cada trauma — grande ou pequeno — tem impacto em termos não só de sentimentos não expressados, mas também da culpa do *self*.

Por causa de sua intensa força de vida e busca de sobrevivência e crescimento, bem como da cruzada continuada do organismo por equilíbrio, a criança vai manifestar vários comportamentos inadequados e desenvolver sintomas perturbadores para superar esses sentimentos suprimidos e a perda do *self*. Esses comportamentos e sintomas tornam-se causa ADICIONAL para o ódio e a autodepreciação.

Quando a criança ou o adolescente é capaz de reconhecer e admitir a existência de sentimentos ruins sobre o *self*, podemos então começar sua jornada de autonutrição.

Em meu trabalho, uso várias técnicas criativas, expressivas e projetivas, tais como fantasia guiada, artes gráficas, colagem, argila, contação de histórias, teatro de bonecos, a caixa de areia, dramatização criativa, experiências sensoriais, movimento corporal, música, a filmadora e muito mais. Essas técnicas são importantes para ajudar a criança a expressar o que é mantido escondido e trancado, bem como a experimentar e fortalecer partes perdidas, interrompidas, inibidas do *self*. São particularmente úteis para isolar e lidar com introjetos negativos e avançar o trabalho de autonutrição.

Ao ler esses exemplos de trabalho de autonutrição, você talvez se sinta decepcionado por sua simplicidade e sua forma quase mecanicista. Só posso garantir que esse tipo de trabalho é necessário e eficiente. O efeito sério do trauma e dos introjetos negativos nas crianças pareceria exigir um trabalho drástico, intenso. Mas o trabalho com crianças é realizado em segmentos bem pequenos. O terapeuta infantil precisa lembrar de vários pré-requisitos essenciais para o trabalho:

1. A relação é a essência de todo trabalho terapêutico.
2. O contato entre o terapeuta e a criança deve ser palpável em cada sessão.
3. O clínico deve encontrar a criança onde ela está nos aspectos psicológico, emocional, intelectual e desenvolvimental. Sua tarefa é determinar esses níveis e estar presente com respeito, aceitação e sem expectativas em relação à criança, acompanhando seu nível e ritmo.
4. O terapeuta deve respeitar a resistência da criança. Quando a energia desaparece, quando a criança se retira do contato, está comunicando o seguinte: "Isso é tudo que posso fazer agora, tudo que consigo suportar. Não tenho suporte e força interior suficientes para mais do que isso". O terapeuta precisa respeitar essa atitude e ser paciente.

As vinhetas seguintes são apresentadas a fim de dar ao leitor uma ideia da natureza desse trabalho de autonutrição. É quase impossível apresentar o processo do trabalho de maneira didática, literal, mas você vai notar que existe algum tipo de sequência que se apresenta. Essa sequência é só um guia; não deve ser vista como uma lista mecânica de direções a seguir. Embora eu possa apresentar uma argumentação teórica para o que faço, meu trabalho é orientado por senso intuitivo, coração, instinto. O trabalho mais poderoso com crianças é feito desse jeito. Entramos juntas em um lugar onde estamos em plena comunhão — estamos uma COM a outra. Entendemos uma à outra; nos sentimos entendidas uma pela outra; honramos e respeitamos uma à outra.

Ao conduzir o trabalho, me guio pelos sinais que a criança me dá o tempo todo, sempre respeitando seus limites. Observo seu fluxo de energia. Se está presente, danço com ele; se desaparece, sei que é hora de esperar ou parar. Em todos os exemplos, os nomes foram mudados e certos fatos foram alterados para proteger a confidencialidade.

EXEMPLO UM

Jenny, de 9 anos, me conta uma história de seu desenho de garatuja, que ela chama de "Uma garota com o cabelo bagunçado". Escrevo a história enquanto ela a dita, e depois a leio para ela. "Essa história combina com você de algum jeito?", pergunto. Ela responde: "Bom, não gosto do MEU cabelo". Eu lhe peço que desenhe como percebe o próprio cabelo. Ela faz um rosto grande com cabelos castanhos muito despenteados. Peço: "Mostre para mim como você queria que fosse seu cabelo". Ela desenha um rosto com lindos cabelos longos e loiros. "Queria poder ter esse cabelo", Jenny comenta melancólica, com um longo suspiro. "Jenny, se pudesse falar com seu cabelo bagunçado, o que diria a ele?" Ela grita para o desenho: "Odeio você! Por que não é assim?" (apontando para o desenho do cabelo loiro).

Pergunto a Jenny se alguém que faz parte de sua vida concorda com ela sobre seu cabelo bagunçado. Ela responde em voz bem baixa: "Não sei. Bem, meu pai, acho".

"Como você sabe?"

"Ah, ele sempre diz: 'VAI PENTEAR ESSE CABELO!', e coisas assim. (Agora há muita raiva na voz dela.) E ele adora o cabelo da minha irmã." Jenny começa a chorar. Ignoro as lágrimas, pois sei que, se focar nelas, vou interromper o trabalho que ela está fazendo. Desenho um rosto redondo com as palavras "Vai pentear esse cabelo" escritas em um balão saindo da boca.

"Este é seu pai. Diga a ele o que pensa sobre isso. Lembre-se", acrescento com um sussurro conspirador, "ele não está aqui de verdade." Jenny grita para o desenho do pai: "Odeio quando você me manda pentear o cabelo".

"Isso! Diga a ele!", incentivo.

Jenny continua: "Meu cabelo é tão bom quanto o da minha irmã! Você nunca diz para ela ir pentear o cabelo". Jenny está gritando e rindo ao mesmo tempo.

"Jenny, vamos achar um boneco que goste do seu cabelo. Imagine que tem aqui um boneco que acha seu cabelo incrível." Jenny, agora cheia de energia, examina o cesto de bonecos e volta rindo com um grande urso de pelúcia. Ela segura o boneco de frente para o desenho do cabelo bagunçado e diz: "Gosto do seu cabelo. Ele não é tão ruim. Além do mais, quando ficar mais velha, você pode deixar o cabelo crescer e até pintá-lo de loiro, se quiser, e sua mãe não vai poder impedir!" Ela sorri para mim e diz: "Minha mãe pinta o cabelo, mas diz que sou muito nova para pintar o meu".

Sorrio para a menina e digo: "Jenny, pode dizer algumas palavras do urso para você mesma?" Pego um espelho. Acanhada, Jenny repete as palavras para o espelho. "Como é a sensação de dizer isso a você mesma?"

"Boa", ela responde.

"Durante essa semana, todas as manhãs, quero que diga essas palavras, ou outras parecidas com elas, para você mesma na frente do espelho, e na semana que vem, quando voltar, me diga se foi bom fazer isso."

Jenny concorda e respira fundo.

Comentário

Para mim, é óbvio que um sentimento mais profundo de rejeição foi simbolizado pela conversa sobre o cabelo. É como se o desenho do cabelo bagunçado fosse uma metáfora para sua vida inteira. Na sessão anterior, tínhamos falado sobre como Jenny se sentia rejeitada pelo pai. Ele morava em outra região do país e ela raramente o via. Mesmo que ele morasse aqui, comparecesse às sessões com a família e se esforçasse para demonstrar aceitação, ela ainda seria atormentada pelo sentimento de não ser boa o bastante. Os introjetos negativos estão aprofundados no *self* — não se dissipam prontamente. Era hora de invocar os próprios recursos de Jenny para a aceitação. Quando exageramos e elaboramos seus sentimentos, como fizemos nessa sessão, ela começa a sentir-se validada e aceita. Se eu tivesse dito: "Ah, acho que seu cabelo é lindo", só teria desconsiderado seus sentimentos. Quando ela se sente validada e aceita, quando adquire algum autossuporte pela expressão exterior de sua raiva retrofletida, pode então começar a experimentar autoaceitação e autonutrição. Esse foi só o começo.

Uma palavra aqui sobre polaridades: frequentemente, para alcançar integração preciso examinar polaridades. O *self* crítico vigia a criança com um olhar exigente. As partes do *self* que a criança odeia são, em geral, exageradas e distorcidas. Para ajudá-la a alcançar um equilíbrio, invocamos o extremo oposto da parte odiada — a parte idealizada. Essa parte costuma ser exagerada e irreal. A criança vê o aspecto de si mesma de que desgosta como algo maior que a vida, e o oposto dessa parte se torna impossível de alcançar. Na medida que despreza essas partes odiadas do *self* e se afasta delas, ela amplia a distância entre um e outro *self* polar, causando mais fragmentação e autoalienação. Devemos incentivar ainda mais exagero e separação dessas duas partes polares a fim de obter distância suficiente para examiná-las com atenção. Dessa maneira, alcançamos uma integração, reconciliação ou síntese dos lados opostos do indivíduo, levando a uma visão realista do *self* e a um processo de vida dinâmico e saudável. Ao trabalhar com crianças, isso é feito por meios criativos, como fantoches, desenhos, argila, colagem, dramatização criativa e música.

O papel do introjeto e sua relação com a raiva retrofletida serão discutidos mais adiante neste capítulo.

EXEMPLO DOIS

Mostro a Andrew, 10 anos, uma espécie de livro de colorir sobre demônios. É sobre as partes do *self* de que o autor não gosta e inclui desenhos muito engraçados representando cada um de seus demônios, como ele as chama. Andrew e eu falamos sobre as partes de nós que nos atrapalham, de que não gostamos. Peço a ele que feche os olhos e pense em uma dessas partes. Depois, o menino desenha uma figura de cartum, com grandes pernas e braços cheios de curativos e cobertos de manchas vermelhas e azuis. Ele diz: "Essa é a parte de mim que odeio. Estou sempre caindo, batendo nas coisas, me machucando. O nome dele é Sr. Desastrado". Peço a Andrew que seja o Sr. Desastrado enquanto converso com ele — que seja a voz do Sr. Desastrado, como se ele fosse um fantoche. Digo para o desenho: "Oi, Sr. Desastrado. Fale sobre você". Andrew responde: "Oi, eu sou um desastrado. Sempre tropeço nas coisas. Estou sempre me machucando. Tenho cortes, hematomas e manchas pretas e roxas por toda parte. Nunca faço nada direito!" O Sr. Desastrado e eu continuamos conversando de um jeito divertido, e ele me conta sobre cada machucado. Olho para Andrew. "Andrew, o que gostaria de dizer ao Sr. Desastrado?" Ele diz: "ODEIO VOCÊ! Queria que fosse embora. Você me atrapalha. Você me faz sentir mal". Incentivo a explosão de Andrew com comentários do tipo: "Isso! Fale para ele!" O menino faz caretas e ruídos para o Sr. Desastrado. Pergunto: "Andrew, como você queria ser?" Ele descreve uma pessoa esguia, atlética, bonita — o extremo oposto de seu Sr. Desastrado. Eu lhe peço que seja essa pessoa atlética, que se descreva para mim e ande pela sala como se fosse essa pessoa. Fico espantada com o poder, a energia e a agilidade que ele exibe ao representar sua pessoa ideal. Eu digo: "Andrew, imagine que você tem uma fada-madrinha. Vamos pegar um boneco de fada-madrinha. Você sabe como são as fadas-madrinhas. Elas acham você maravilhoso, seja como for". ele assente. "Imagine que você tem essa fada-madrinha e, no instante em que o Sr. Desastrado faz você se cortar, tropeçar em alguma coisa ou cair da bicicleta, ela aparece. O que acha que ela lhe diria?"

Andrew hesita. "Não sei." Vejo que ele está pensando, por isso espero. Depois de um tempo, noto que sua energia está desaparecendo — o contato está se quebrando. Querendo trazê-lo de volta ao contato, repito: "Você sabe como são as fadas-madrinhas. Não importa o que aconteça, elas gostam de você". Ele concorda balançando a cabeça e tenta encontrar as palavras. "Ela diz... hummm. Hummm." Decido ajudá-lo. "Experimente fazê-la dizer 'eu gosto de você'." Obviamente aliviado por ter alguma coisa para dizer, Andrew repete minhas palavras. "Como se sentiu dizendo isso?" Ele responde: "Eu me senti bem!" "O que mais ela poderia dizer?", pergunto. Andrew começa com: "Talvez ela dissesse: 'Não se sinta mal...'" Ele para e, de repente, parece ter uma explosão de energia. "Ela diria: 'Você é legal! Você faz coisas, gosto disso. Experimenta coisas, eu gosto'". (Andrew agora embalou.) "'Não se preocupe com isso de se machucar de vez em quando. Isso mostra que você faz coisas novas, e gosto de você por isso. Você não tem medo de fazer coisas!!!'" Ele para e olha para mim.

"Andrew, sua fada-madrinha desaparece de repente." (Pego o boneco e o jogo para trás de mim.) "E agora você, Andrew, está aqui com o Sr. Desastrado. Consegue dizer essas coisas para ele?" Ele repete o que a fada-madrinha disse. Sua voz agora é mais baixa, mas a intensidade ainda está ali. Pergunto: "Como se sentiu dizendo essas coisas para a parte de você que é o Sr. Desastrado?" Ele responde em voz baixa: "É! Eu me senti bem". Vejo que Andrew se recolheu para dentro de si mesmo — parece distraído, com o olhar parado. Espero, pois sinto que ele está imerso em si mesmo. De repente ele olha para mim totalmente presente, totalmente em contato. Respira fundo, e seu rosto é transformado por um enorme sorriso satisfeito. Então diz: "Eu TENTO fazer as coisas!" A integração aconteceu diante dos meus olhos.

Comentário

Em sessões anteriores, lidamos com as expectativas elevadas do pai atlético de Andrew em relação ao menino, por isso eu já tinha uma noção de onde vinha esse sentimento de ser desastrado. O pai de Andrew participava de boa vontade das nossas sessões familiares mensais e reconheceu essas expectativas em relação ao filho. Na verdade, esse era o único jeito que ele conhecia de se relacionar com Andrew. Apesar da disponibilidade do pai para mudar, os sentimentos ruins em relação ao *self* persistiam no filho.

A crença negativa que a criança desenvolve a respeito si mesma nunca pode ser totalmente modificada por um agente externo. A autoaceitação de todas as suas partes, até mesmo as mais odiosas, é um componente vital do desenvolvimento sólido e desimpedido. Essa autoaceitação acontece por meio do contato com e do crescimento da parte amorosa e nutritiva da criança, que deve se juntar ao *self* "mau" para aceitá-lo, entendê-lo, confortá-lo e amá-lo. Quando experimenta e aceita todos os aspectos de si mesma sem julgamento, ela cresce e se expande alegremente. Quando trazemos à tona esses aspectos mais sombrios, os iluminamos e os colocamos em contato com esse *self* interno nutritivo, a criança experimenta uma integração saudável.

A autoaceitação é um pré-requisito importante para esse trabalho. Pedi a Andrew que imaginasse que sua fada-madrinha aparecia atrás dele sempre que ele vivenciasse um episódio desastrado e dizia: "Tudo bem. Eu gosto de você até quando cai". Ele aceitou tentar fazer esse experimento e, na semana seguinte, relatou que quase não teve experiências desastradas.

EXEMPLO TRÊS

Ellen, 12 anos, se arranhava até ter feridas grandes e feias nos braços. Ela era uma criança adorável que se desprezava. Nasceu doente e chorou quase continuamente nos primeiros sete anos de vida. Depois de trabalharmos juntas por cerca de um ano, tivemos a sessão a seguir. Os pais estavam presentes, e senti que era importante que eles compreendessem esse trabalho. Os dois se sentiam cheios de culpa pelas dificuldades da filha, e frequentemente essa culpa se transformava em raiva que era despejada nela, piorando a situação. Eu queria que os pais de Ellen soubessem que agora era trabalho dela se curar.

Eu começo: "Ellen, vê aquela boneca? Vamos imaginar que ela é você quando bebê, e que está doente e chorando. Como acha que ela se sente?" Ellen responde: "Acho que péssima!" Olho para a mãe e o pai. "Tem alguma coisa que gostariam de dizer ao bebê?" A mãe começa a chorar. Ela diz: "Não chore, bebê. Eu queria que você não chorasse. Queria que não ficasse doente. Estou muito preocupada com você". O pai acrescenta: "Estamos tentando descobrir o que você tem. Amamos você". Eu digo a Ellen: "Imagine que você é essa bebezinha, e embora um bebê desse tamanho não possa falar, vamos imaginar que ela pode. O que acha que poderia dizer sendo esse bebê?" Ellen responde imediatamente: "Aaaaaa!!!!! Me ajudem! Me ajudem! Estou doente! Estou doente! Me ajudem!"

Pergunto: "O que acha que a bebê pensa sobre si mesma? Você provavelmente não consegue se lembrar de como você — a bebê — realmente se sentia em relação a si mesma". Ellen diz: "Não sei. É, não me lembro".

Explico a Ellen e a seus pais que, quando a criança está doente e com dor, ela, conforme a teoria desenvolvimental, se culpa e sente que é má. Além disso, quando o bebê chora muito, os pais ficam desesperados, enlouquecidos de ansiedade, sentem-se mal porque não conseguem ajudá-lo. O bebê sente esse estado dos pais, porque os bebês são muito sensíveis, e se culpa pelos sentimentos DELES também. Esses sentimentos reforçam os sentimentos desagradáveis do *self* do bebê, que é totalmente egocêntrico e não consegue entender experiências separadas. Ele não compreende que os pais têm os próprios sentimentos separados dos dele. Sente que é a causa dos sentimentos deles e, neste caso, de fato é. Ellen diz: "Eu lembro que, quando tinha uns 4 anos e ficava doente, me sentia uma menina má. Era como se tivesse algo de errado em mim como pessoa".

"Sim! E você provavelmente começou a sentir-se assim ainda bebê. Ellen, se pudesse voltar em uma máquina do tempo e falar com ela, o que diria para ela agora?" Ellen pergunta se pode segurar a boneca. Ela a aninha nos braços e diz: "Bebê, não é sua culpa. Você é um bebê maravilhoso. É muito bonitinha. A doença não é algo que se pode evitar". Ela embala o bebê e diz: "Isso, isso..." A mãe dela vira para mim e diz: "Nós sempre dissemos isso a ela". Respondo: "Foi difícil para ela acreditar em você. Agora ela precisa dizer isso a si mesma". Ellen está muito envolvida com a boneca. Ela a embala e repete muitas vezes essas palavras amorosas.

"Ellen", eu a chamo. (Ela olha para mim.) "Cada vez que se sentir mal por dentro, lembre-se de que é o *self* bebê que se sente assim. Ela precisa que você a abrace e a ame. E Ellen, cada vez que você se arranha, na verdade está arranhando a bebê. Acho que faz isso quando se sente mal por dentro. Então agora, em vez de arranhar a bebê, você pode segurá-la, embalá-la e falar com ela. Pode encontrar alguma coisa em casa para ser a bebê — uma boneca, um bichinho de pelúcia, um travesseiro?" Ela tem certeza de que consegue encontrar alguma coisa e aceita experimentar essa nova ideia para confortar e amar o *self* bebê dentro de si. Seus pais, agora, choram copiosamente; ela olha para eles, sorri e diz: "Está tudo bem. Eu vou cuidar da bebê".

Comentário

Essa sessão não constituiu, de maneira alguma, uma cura mágica. Foram precisos muito trabalho e muita prática para que Ellen integrasse esse conceito de autonutrição. Uma parte importante do trabalho foi ajudá-la a aprender a atender às próprias necessidades no dia a dia. Fizemos sua agenda diária em uma grande folha de papel e classificamos cada acontecimento em termos de satisfação e frustração. Ela falou sobre como poderia melhorar por si mesma sua qualidade de vida no cotidiano. Isso não queria dizer que ela nunca poderia pedir aquilo de que necessitava, e sim que precisava aprender a assumir a responsabilidade de pedir essa ajuda. Essa era uma ideia inteiramente nova para ela. Na verdade, ela sentia, como muitas pessoas, que fazer alguma coisa boa para si mesma era egoísmo, e pedir ajuda era sinal de fraqueza. Essa ideia é a razão pela qual muitas crianças, e adultos também, muitas vezes tentam suprir suas necessidades de maneiras indiretas, regressivas.

Ellen e eu fizemos uma lista de todas as coisas que ela podia fazer para se sentir melhor e de todas as coisas que gostava de fazer. Pedi a ela que tentasse fazer pelo menos uma coisa boa para si mesma todos os dias e me contasse na próxima sessão o que fez e como se sentiu fazendo isso. Muitos adolescentes me contam que se sentem autoindulgentes e pensam que já fazem muitas coisas boas para si mesmos, com base no que os pais lhes dizem. Mas descobrem que fazer alguma coisa boa para si mesmo com *awareness* consciente e permissão sincera é uma experiência muito diferente. Às vezes, a crença de que fazer coisas boas para si mesmo é egoísmo está tão enraizada na pessoa que precisamos passar um tempo explorando e trabalhando essa ideia prejudicial.

Mesmo quando já fizemos grande progresso no sentido de administrar a própria vida de maneira responsável e satisfatória, pode haver regressão. Algum acontecimento ou experiência estressante ou dolorosa pode causar fragmentação, isto é, nossa parte mais jovem, que é vulnerável e fácil de machucar — o bebê ou a criança pequena dentro de nós — se divide e deixa de ser uma parte do *self*. Essa parte mais jovem, então, parece assumir o controle de todo nosso ser e reage ao acontecimento doloroso de maneiras antigas, infantis. É nesse momento que temos de lembrar que não somos mais a criança pequena e indefesa. Precisamos mobilizar toda a energia que pudermos para acalmar, confortar, cuidar da criança ferida dentro de nós. Quanto mais fazemos isso, mais fácil fica. Quando isso é novidade para nós, muitas vezes necessitamos de alguém para nos lembrar — um amigo, pai ou terapeuta. É preciso tomar cuidado para não julgar nossas reações regressivas. Lembre-se de que a criança faz o que sabe fazer em suas tentativas de cuidar do *self*. E, às vezes, tudo que ela consegue fazer é chorar.

Um dia, Ellen teve uma experiência ruim na escola que a fez regredir ao antigo comportamento autodestrutivo. A mãe telefonou para mim em pânico. Ellen estava se arranhando vigorosamente, chorando de um jeito histérico, não conseguia respirar direito e estava completamente inconsolável. Pedi para falar com ela. Falei com um tom alto e firme, mais alto que seus uivos. "O que você pode fazer agora para que a garotinha machucada dentro de você se sinta melhor?" Em meio às lágrimas, eu a ouvi murmurar: "Música?" "Muito bem", gritei. "Faça isso!"

Mais tarde, Ellen me contou que ligou o rádio e dormiu. No dia seguinte, ela foi capaz de analisar o acontecimento de forma mais racional, conversar com a mãe sobre ele e acelerar as técnicas de autonutrição até sentir que sua vida estava novamente equilibrada. A rejeição e a dor que sentiu naquele dia na escola abriram velhas feridas na bebê. Não havia nenhuma maneira de pai e mãe a compensarem pelo que aconteceu com ela quando era pequena. Nem seu futuro parceiro, aliás. Só a própria Ellen podia fazer isso.

EXEMPLO QUATRO

Angie, 7 anos, e eu estávamos sentadas no chão com vários bonecos à nossa frente. Pedi a ela que escolhesse um boneco que mais a lembrasse de como se sentia naquele momento. Ela escolheu um cachorro verde de aparência triste. Peguei outro boneco, e meu boneco começou a falar com o cachorro.

Eu (como o boneco): "Oi."

Angie (como o cachorro): "Oi."

"O que você tem hoje?"

"Ah, nada."

"Queria saber, cachorro, o que você tem que fez a Angie te escolher."

"É que eu pareço triste."

"Está triste com o quê?"

"Ah, com a escola."

"Está com problemas na escola?"

"Sim, com leitura."

"E se sente mal por isso?"

Angie assente.

Meu boneco fala diretamente com Angie. "O que você poderia dizer para o seu cachorro que tem problemas com leitura?"

Angie (para o cachorro): "Você é tão burro!"

Eu (falando com o cachorro): "O que você tem a dizer sobre isso?"

Angie (como cachorro): "Bom, eu tento!"

Angie diz novamente para o cachorro quanto ele é burro.

Meu boneco fala com Angie: "Acho que você se sente burra como o cachorro quando tem problemas com leitura."

Angie resmunga um sim.

Eu (para Angie): "Seu cachorro diz que tenta. Acho que você tenta e ainda não consegue, e uma parte dentro de você diz que é burra."

Angie assente e faz uma careta.

"Que cara é essa?"

Angie: "Eu SOU burra."

"Angie, pegue outro boneco que possa ser legal com o seu cachorro que tenta e depois se sente burro. Talvez a fada-madrinha, ou qualquer boneco que seja legal." (Angie pega o boneco da fada-madrinha.) "O que ela diz para o cachorro?"

Como fada-madrinha, Angie fala sem hesitar: "Você se esforça muito. Eu sei que sim. E não é burro, porque consegue fazer outras coisas. É bom em matemática. Não pode ser burro e ser bom em matemática!"

Eu (para a fada-madrinha): "Pode dizer ao cachorro que o ama mesmo quando ele é burro?"

Angie (como fada-madrinha): "Eu amo você mesmo quando é burro."

"Como se sente dizendo isso?"

Angie: "Bom, não acho que ele seja burro. Acho que vai ficar bom em leitura. Só precisa de uma ajuda extra."

"Angie, pode dizer isso ao seu cachorro?"

Ela diz, depois abraça o cachorro.

Angie estava sofrendo de ansiedade de leitura. Na sessão seguinte, ela me contou: "Ontem foi dia de aula particular e eu não queria fazer nada. Depois, na minha cabeça, abracei a parte do cachorro que se sente burra, e então fui bem!"

Comentário

Fazer esse trabalho de autonutrição com crianças pequenas é muito gratificante. Elas respondem bem a esse trabalho. Não têm as inibições e restrições que alguns adolescentes e a maioria dos adultos têm em relação à ideia de nutrir a si mesmas. As crianças têm uma sabedoria interior que raramente demonstram. Fico tocada com a sabedoria que muitas vezes tenho o privilégio de testemunhar.

EXEMPLO CINCO

Fazer esse trabalho com adolescentes pode ser difícil, mas é muito necessário. Cathy, uma moça de 17 anos, foi molestada sexualmente na infância e sofria com diversos sintomas perturbadores, inclusive comportamento obsessivo e medos intensos de todo tipo. Sua autoestima era inexistente. Trabalhamos juntas por dois anos antes que Cathy conseguisse aceitar o conceito de nutrir a si mesma. Ela progrediu muito na terapia, e finalmente eu soube que precisávamos abordar a questão da autonutrição. Pedi a ela que levasse fotografias de quando era bebê e criança. Ela odiava cada retrato, sentindo-se feia e indigna de amor. Não conseguia ter nenhum sentimento de compaixão por seu *self* criança, até que olhamos uma foto dela com um mês de idade. Notei que seu rosto ficou mais suave e logo apontei essa reação. Ela começou a chorar e admitiu a inocência daquele bebezinho.

A cada semana, olhávamos suas fotos de bebê e falávamos com as imagens. Ela ficou completamente admirada por eu achar seu *self* bebê encantador e digno de amor, e por eu poder dizer palavras amáveis para ele. Cathy não conseguia sequer encontrar energia para projetar afirmações amorosas em uma figura de fada-madrinha ou para fantasiar sentimentos amorosos de qualquer tipo. Então, nessa situação, assumi o papel da fada-madrinha. Em dado momento, ela conseguiu admitir alguns sentimentos carinhosos de aceitação pelo bebê e pela menina até a idade em que foi molestada, o que aconteceu quando tinha 6 anos. As memórias retornaram como uma inundação. Até então, Cathy tinha dificuldade para se lembrar de cenas da infância. Eu lhe disse que a criança pequena dentro dela, tão viva, agora tinha alguém que nunca teve antes, alguém que estava sempre com ela. "Quem?", ela perguntou espantada. "Você", respondi. "Você está com ela o tempo todo — ela vive dentro de você." Cathy finalmente foi capaz de apreender essa ideia e começou a falar com a menina de 6 anos que fora tão brutalmente ferida e traída. No início, precisei fornecer as palavras — frases como: "NÃO foi sua culpa! Você é uma menina maravilhosa. Eu amo você. Sempre estarei com você. Vou proteger você. Nunca vou deixar você sozinha". Depois de cada afirmação, parávamos para examinar suas reações ao dizer essas palavras. Pouco a pouco, Cathy foi capaz de se apoderar dessas frases, acrescentando muitas outras. Às vezes, ela literalmente prendia a respiração durante essas sessões, e eu a incentivava a respirar fundo e sentir sua força vital. Vi-a desabrochar e se tornar uma jovem feliz e funcional em consequência — tenho certeza — desse trabalho. Ela mesma sentiu que tinha uma ferramenta própria poderosa para ajudar a si mesma, onde quer que estivesse.

Comentário

O trabalho de autonutrição é essencial no atendimento de crianças que sofreram abuso físico ou sexual, bem como de adultos que sofreram abuso na infância. Entre os efeitos debilitantes do abuso estão a culpabilização do *self*, a autodepreciação, a fragmentação, o anestesiamento de aspectos do *self* e sentimentos de impotência, vergonha e culpa. Ajudar o cliente a entrar em contato com a raiva que está retrofletida para o *self* e colocá-la para fora é o primeiro passo. Só por meio da autoaceitação e do cuidado com o *self* a cura completa pode acontecer.

EXEMPLO SEIS

Até mesmo uma criança de 2 anos pode responder a técnicas de autonutrição. Uma dessas crianças, Molly, sofreu abuso, foi abandonada e levada para um abrigo. A terapeuta designada para acompanhá-la fazia parte de um dos meus grupos de supervisão. Um dia, depois de discutir a ideia da autonutrição, ela voltou ao abrigo e abordou a criança, que chorava sem parar desde que fora levada para lá. A terapeuta segurou uma grande boneca e disse à criança: "Esta é a Molly — a bebê Molly". Então embalou a boneca, murmurando: "Coitada da Mollie. Sei que você está triste. Eu amo você. Estou aqui com você". Ela entregou a boneca à criança, que imediatamente parou de chorar, abraçou a boneca e começou a embalá-la e a cantar para ela.

EXEMPLO SETE

Este exemplo é de uma sessão com um menino de 16 anos. John é muito tímido e tinha dificuldade para falar com meninas. Seu processo — seu jeito de ser no mundo — era inibir-se, restringir-se, falar o mínimo possível. Trabalhávamos havia uns seis meses quando decidi apresentar o conceito de autonutrição. Pedi a John que desenhasse uma parte de si de que não gostava. Ele se desenhou deitado em sua cama ouvindo música. E explicou: "Tem um mundo do lado de fora, e tudo que eu faço é ficar no meu quarto". Pedi a ele que fosse o menino na cama e descrevesse o que estava acontecendo. "Estou na minha cama ouvindo música. Isso é tudo que eu faço, e estou cansado disso."

"O que o impede de sair?", perguntei (focando meus comentários no desenho do menino).

John fez uma pausa, como se estivesse pensando, e por fim disse: "Ele tem medo de ninguém gostar dele. Tem medo de não ter nada interessante para dizer".

"John, o que você acha desse menino na cama?"

John (sem hesitação): "Odeio ele!"

"Diga isso a ele."

John: "Odeio você! Por que não se levanta? Pare de ter medo. Que covarde. Você me dá nojo."

"John, consegue se lembrar de um tempo em sua infância quando tinha medo de falar?"

John tinha muitas lembranças. Ele escolheu uma de quando tinha 5 anos e estava na pré-escola. A professora gritou com ele por falar quando não devia, e aquilo o assustou sobremaneira. Sugeri que ele fizesse um desenho daquele garotinho:

"Imagine que pode voltar em uma máquina do tempo e estar com ele. O que diria a ele?"

John olhou para o desenho por alguns momentos. "Não é sua culpa. Você não sabia que não devia falar. A professora estava errada."

Seguindo minha sugestão, ele fez um desenho rápido da professora e começou a gritar com ELA.

Expliquei a John que aquele menininho ainda estava vivo dentro dele e quando ele, John, tinha medo de falar, era o medo de um menino de 5 anos que sentia. Mas agora esse menino tinha o John de 16 anos para estar com ele, entendê-lo e ajudá-lo. Afinal, ele sabia muito mais agora do que naquela época. Podia até dirigir e levar o pequeno John a vários lugares. John riu, pois havia acabado de tirar a carteira de motorista. Eu disse a ele que, na próxima semana, sempre que ele tivesse medo de falar, devia dizer a seu *self* criança que podia sentir medo e não precisava falar. John ficou surpreso com a tarefa, mas concordou. Expliquei que era importante ele aprender a se aceitar antes de poder ensinar à criança maneiras de falar; que quanto mais se julgasse, mais ficaria em silêncio. A seguir eu pediria a ele que se permitisse experimentar mais plenamente os sentimentos que tinha quando não conseguia falar — SENTIR o medo e a frustração, mas sem julgamento. Por fim, eu o incentivaria a segurar a mão do John de 5 anos, digamos assim, e se arriscar a falar, e garantir a ele que estaria ali para ajudá-lo, ensiná-lo, apoiá-lo e amá-lo, independentemente do que acontecesse. Posso dizer com satisfação que com o primeiro passo de autoaceitação, quando John disse a si mesmo que tudo bem não falar, paradoxalmente ele se descobriu falando mais que nunca (sobretudo com meninas).

Comentário

As partes detestáveis que trazemos para fora em geral estão ligadas a um período no início da infância. Para John, o incidente na escola provavelmente foi uma das muitas experiências que ele teve que reforçaram o introjeto de que, se falasse, seria um menino mau. Na verdade, a origem nem sempre é importante — usamos uma lembrança como exemplo com o qual trabalhar. É interessante notar que esses introjetos negativos que assimilamos quando crianças, e que nos levam a desenvolver comportamentos para evitar rejeição e desaprovação, tornam-se nosso processo ao longo da vida e aprofundam a autodepreciação. John decidiu parar de falar para se proteger, e manteve esse comportamento ao longo dos anos. Agora, na adolescência, odeia essa parte de si mesmo. Sente que não tem controle sobre esse comportamento — que essa é uma parte dele. Como eliminou de si mesmo essa parte que um dia certamente teve, sente que não pode entrar em contato com ela, que de fato não a tem ou a perdeu por completo. Ajudá-lo a aceitar, tranquilizar e amar essa criança mais nova, mesmo quando ela não fala, é o incrível paradoxo no caminho para encontrar seu *self* falante.

EXEMPLO OITO

Mais um exemplo de um procedimento de autonutrição com uma criança que molhava a cama. Julie, 10 anos, fez xixi na cama durante toda sua vida. Os pais tinham tentado inúmeros programas e equipamentos, sem sucesso. Julie respondia bem à terapia, e trabalhou muito para aprender a expressar suas ansiedades e seus sentimentos e aumentar sua *awareness* corporal. Os pais eram cooperativos e participavam regularmente das sessões familiares. O ponto de transformação surgiu quando apresentei a ideia de autonutrição. Pedi a Julie que trouxesse de casa uma boneca ou um bicho de pelúcia. Expliquei que a menininha dentro dela tinha começado a molhar a cama porque procurava um jeito de se sentir melhor. Alguma coisa tinha acontecido para deixá-la preocupada e perturbada, e ela não tinha palavras para falar sobre isso, então molhava a cama como forma de alívio. "Na próxima vez que for ao banheiro", expliquei, "perceba como se sente relaxada depois." Eu lhe disse que, quando algumas crianças se sentem tensas e ansiosas, molhar a cama é um jeito de aliviar a tensão do corpo. Isso começa cedo e se torna um hábito. Agora temos de ajudar a garotinha a encontrar novas maneiras para expressar seus sentimentos e relaxar. "A primeira coisa", eu disse, "é ajudar a menininha dentro de você a sentir-se boa e digna de amor." Pedi a Julie que falasse com o ursinho de pelúcia que seria seu *self* menininha — que dissesse ao urso que tudo bem molhar a cama. Expliquei que, se ela dissesse para não molhar a cama, a menininha se sentiria tensa e preocupada e faria xixi na cama! Propus que abraçasse o urso todas as manhãs e falasse coisas boas para ele fingindo que era seu *self* menininha, molhando a cama ou não. Ela seguiu minhas instruções e não molhou a cama por três semanas. Então, houve um episódio de enurese depois de um dia particularmente estressante na escola. Em nossa sessão, relacionamos tudo que aconteceu naquele dia e examinamos cada acontecimento com atenção. Essa atividade provocou muitos sentimentos, e Julie pareceu entender a relação entre expressar os sentimentos e molhar a cama e a necessidade de expressá-los de algum modo. Desse dia em diante, ela nunca mais fez xixi na cama.

A esta altura, eu gostaria de resumir algumas características relevantes do trabalho de autonutrição. O processo pode ser delineado em vários passos:

1. Incentivamos a criança a ser muito específica. "Eu me odeio" é convertido em partes específicas do *self* que são odiadas.
2. Então elaboramos, personificamos essas partes odiadas.
3. Às vezes as comparamos com o extremo oposto ideal.
4. A raiva que foi retrofletida, voltada para dentro contra o *self*, é incentivada a sair, a ser posta para FORA contra aquelas partes odiadas.
5. Entramos em contato com o aspecto acolhedor e cuidadoso dentro da criança e o trazemos para fora, às vezes como uma projeção, usando a fada-madrinha ou outra figura amorosa.
6. O cliente é então incentivado a dizer e reconhecer para si mesmo as palavras acolhedoras, amorosas e nutritivas para a parte odiada sem o uso de um auxílio projetivo.
7. Às vezes, voltamos a uma parte mais nova do *self*, o *self* que originalmente acreditava nas ideias imperfeitas sobre o *self* e as aceitava sem questionar.
8. Sugerimos experimentos específicos de autoaceitação e autonutrição para que o cliente pratique fora da sessão.
9. Incentivamos a criança a criar, de maneira consciente e intencional, um ambiente nutritivo para si mesma, como fazer coisas boas para si mesma todos os dias e sobretudo quando mais precisa delas.

Existem outras maneiras de ajudar a criança a aprender a cuidar de si mesma de forma amorosa e curativa. Permitir que o *self* experimente e expresse sentimentos, como raiva e tristeza, é nutritivo em si mesmo. Em nossas sessões, as crianças aprendem maneiras seguras e apropriadas de fazer isso. Elas também encontram maneiras de apoiar a si mesmas quando necessário. Por exemplo, uma criança com quem trabalhei sempre chegava ao meu consultório dizendo que só queria desenhar ou pintar arco-íris. Depois de fazer isso por um tempo, ela começava a me falar sobre seu dia ou sobre um acontecimento particularmente frustrante e difícil. No entanto, as atividades que devem servir para fazer a criança sentir-se bem não devem ser impostas para protegê-las e ajudá-las a evitar fatos dolorosos. As próprias crianças sabem quando precisam de apoio, de uma força interior, antes de conseguirem encontrar coragem para lidar com acontecimentos dolorosos. Por exemplo, quando pedi a uma jovem cliente que desenhasse a mãe que a tinha abandonado, ela insistiu em ME desenhar primeiro. Depois de fazer meu retrato, ela se dispôs a desenhar a mãe e a lidar com os sentimentos dolorosos que essa tarefa provocava. Outra cliente, orientada por mim, fez um boneco de argila representando o padrasto que a havia molestado, e quando lhe pedi que expressasse um pouco da raiva que sentia por ele batendo na argila com um martelo de borracha (depois de garantir que aquilo era só argila e ele nunca saberia), ela se levantou e começou a examinar alguns bonecos que havia notado em uma prateleira. Depois de falar sobre esses bonecos comigo, ela disse: "Agora estou pronta", e começou a bater no boneco de argila com grande energia.

Exercícios de respiração, relaxamento e concentração são ferramentas importantes para a autonutrição. As crianças aprendem esses exercícios e se apropriam deles para usá-los sempre que sentirem necessidade. Uma atividade de autonutrição muito apreciada é fantasiar um lugar maravilhoso, que chamamos de lugar seguro. A criança desenha esse lugar, ou o cria na caixa de areia, e pode ir para lá em sua imaginação a qualquer momento. Falamos sobre o conceito de "nutrir os sentidos" e o praticamos. Que tipo de coisa acalma seus sentidos? Olhar para uma flor bonita ou um pôr do sol; ouvir o barulho das ondas ou boa música; sentir o cheiro de uma rosa ou de canela; saborear um sorvete; tocar alguma coisa aveludada e macia; passar a mão na areia. As crianças criam as próprias atividades sensoriais relaxantes depois que levamos essa ideia para sua *awareness*.

Um dos meus objetivos no processo terapêutico é dar às crianças um sentimento de força, uma sensação de poder próprio. Dedicar-se a atividades para aumentar o autossuporte, expressar sentimentos, experimentar sua agressividade de maneiras positivas e aceitáveis, tudo isso alcança esse objetivo. Quando as crianças começam a ter um senso de si mesmas e sentir um pouco de seu poder, isso fortalece o *self*. Por sua vez, aprender ferramentas e técnicas para cuidar de si mesmas, para ter consideração, respeito e apreciação pelo *self* e saber nutri-lo ativamente dá a elas vitalidade para crescer com alegria e enfrentar cada tarefa do desenvolvimento com plena capacidade. Além disso, quando aprendem a se nutrir, as crianças desenvolvem uma atitude amorosa e atenciosa para com os outros.

8. Trabalhar com crianças muito pequenas

Quando eu tinha acabado de completar 5 anos, uma panela com água fervendo caiu em cima de mim, causando queimaduras graves. Passei três ou quatro meses no hospital e fui submetida a cirurgias para enxerto de pele. Cada "neura" que me atormentava na vida adulta parecia derivar desse trauma. Isso aconteceu antes do surgimento da penicilina, e fui mantida em isolamento. Não podia ter brinquedos e naquele tempo não havia distrações, como rádio ou televisão. Minhas mãos foram amarradas para impedir que eu me tocasse. Eu era sempre advertida por médicos e enfermeiras quando chorava: "Seja boazinha, pare de chorar" — refrão que ouvi muitas e muitas vezes. As cobertas ficavam elevadas para não tocar no meu corpo, e, embora fosse verão, eu tremia de frio. Até hoje hesito antes de admitir alguma dor (para não ser uma menina má) e preciso de um cobertor para dormir, mesmo no calor. Não tenho lembranças de minha mãe me visitando, apesar de terem me contado posteriormente que ela ia ao hospital todos os dias. Lembro de minha amada avó sentada ao lado da cama algumas vezes, e de ela me alimentar com cerejas. Minha tia levou um brinquedo que me deixou muito feliz, mas a enfermeira gritou quando o viu e o tomou de mim. É claro que agora sei que estava sendo protegida contra infecção, mas ninguém jamais se deu ao trabalho de me explicar isso. Meus pais, imigrantes judeus russos, tinham grande respeito pelos médicos e pelas enfermeiras que cuidavam de mim, e nem imaginavam o que eu estava passando. Mas me lembro de ouvir meu pai gritar com o médico que queria amputar minha perna porque a articulação não cicatrizava. (Eu sabia, de algum jeito, que ele estava gritando por mim.) Quando meu pai se negou a autorizar a amputação, um grande especialista foi chamado e tentou um novo procedimento: enxertos parciais de pele. Isso salvou minha perna.

Às vezes imagino como teria sido ter uma terapeuta como eu me visitando no hospital, me ajudando a enfrentar aquela terrível experiência.

Imagino que ela poderia ter usado fantoches, representado histórias para mim: uma menininha contando ao médico quanto estava brava, e depois, talvez, dizendo à mãe como estava triste. Sei que eu teria adorado. A terapeuta poderia ter lido uma história sobre outra garotinha no hospital e como era a situação para ela. Talvez tivéssemos cantado juntas algumas canções. Sei que ficava deitada naquela cama contando histórias para mim mesma e cantando canções em iídiche que minha mãe havia me ensinado. Quando me lembro disso, meus olhos até hoje ficam cheios de lágrimas por aquela menininha tão cheia de recursos. Acima de tudo, a terapeuta poderia ter encontrado um jeito de me informar que eu era uma boa menina, uma menina maravilhosa, não a menina má que se via naquela situação. Embora o acidente não tenha sido minha culpa, o egocentrismo normal das crianças me fez imaginar que era. Nunca falei com ninguém sobre esse sentimento, e precisava de uma terapeuta que entendesse esse fenômeno para garantir que a culpa não era minha.

Teria sido maravilhoso se eu pudesse conversar com essa terapeuta quando finalmente voltei para casa. Ela teria me incentivado a fazer desenhos sobre minha experiência, a bater na argila para pôr para fora os sentimentos de raiva e entender que não havia nada de errado em sentir aquela raiva, talvez encenar minhas experiências com um jogo de figuras hospitalares. Ela poderia incluir minha família inteira, às vezes: meus dois irmãos mais velhos, minha mãe e meu pai, para podermos contar uns aos outros nossos sentimentos sobre o que havia acontecido.

Às vezes me pergunto se a experiência no hospital influenciou minha decisão de me tornar terapeuta. Não há como ter certeza, mas sempre digo às pessoas para as quais leciono que o melhor professor é você mesmo quando criança, e que é fundamental conseguir se lembrar de como era ser criança.

O que acontece com uma criança pequena determina em grande parte como ela será mais tarde, já que é nesses primeiros anos que decidimos como ser no mundo para melhor atender às nossas necessidades. Nesses primeiros anos, ela absorve numerosas mensagens sobre si mesma — acredita em tudo que ouve sobre si mesma, uma vez que não tem capacidade cognitiva para descartar o que é falso e não serve para ela. A criança carrega emocionalmente essas mensagens por toda a vida, mesmo quando, mais tarde, consegue saber cognitivamente que são erradas.

Para dar início ao encontro terapêutico, começamos com o relacionamento. Um componente fundamental para estabelecer uma relação eu-tu é encontrar o cliente onde ele está, com honra e respeito. Entender o desenvolvimento natural das crianças facilita esse processo. No entanto, nunca devemos subestimar o que uma criança pequena é capaz de fazer e como ela pode responder no encontro terapêutico. Eu gostaria de apresentar alguns exemplos para confirmar essa ideia.

Alex tinha 4 anos quando o conheci. Os pais viviam separados, nunca se casaram, tinham guarda compartilhada e ambos eram muito dedicados a ele. Como o menino gaguejava muito, eles o levaram a um fonoaudiólogo, que recomendou aconselhamento psicológico. Quando uma criança pequena gagueja, presumo que ela não é capaz de dizer o que realmente quer dizer, talvez contendo sentimentos de raiva, ou sua mente funciona mais depressa do que ela consegue articular.

Alex aceitou ir ao consultório sem um dos pais, e em pouco tempo estabelecemos uma relação, certamente graças à ajuda dos muitos brinquedos interessantes pela sala. Ele não falava, mas sorria e assentia. Depois de olhar em volta, foi direto para a casa de bonecas, sentou-se diante dela e começou a mudar os móveis de lugar, enquanto resmungava consigo mesmo. Sentei-me ao lado dele e perguntei: "O que eu devo fazer?" Com expressão surpresa, ele gaguejou: "Pega a família". Peguei a cesta de personagens da casa de bonecas e mostrei uma mãe, um pai, um menino e uma menina, esperando sua aprovação. Ele então juntou os bonecos à mobília, sempre resmungando sozinho. Depois de um tempo, eu disse: "Aposto que queria morar em uma casa com sua mãe e seu pai, como essas crianças!" Alex olhou para mim, deu um suspiro profundo, assentiu e foi olhar outros brinquedos no consultório. (Não tenho uma "sala de brinquedos". Tenho um consultório grande com um sofá, almofadas, duas cadeiras perto do sofá, mesinha de centro, uma bola grande onde se pode sentar, uma mesa em um canto e uma grande mesa baixa com quatro cadeirinhas em volta dela, resistentes o bastante para que adultos possam se sentar nelas. Nas paredes há prateleiras com brinquedos e jogos, caixas de areia com miniaturas nas prateleiras acima delas, uma mesa com uma casa de bonecas e cestos de móveis e personagens embaixo dela. Há um armário com papel para desenho e giz pastel, argila e coisas do tipo. Apoiado em uma das paredes, um palco para teatro de bonecos. Perto dele ficam os cestos de bonecos e instrumentos de percussão, bem como um "joão-bobo". Mesmo quando eu tinha um consultório bem pequeno, a mesinha de café servia como mesa de argila ou desenho, e os brinquedos e materiais eram arranjados em prateleiras. Uma caixa de areia ficava embaixo da mesa de café. Cada espacinho era usado e a sala era convidativa e atraente. (Meus clientes adultos muitas vezes usavam alguns desses materiais.)

Nas três sessões seguintes, Alex foi diretamente para a casa de bonecas, e assim que eu fazia a afirmação: "Aposto que queria morar...", ele abandonava a casa e ia examinar outras coisas. Às vezes jogávamos algum jogo para encerrar a sessão. De repente, tudo mudou. Alex pegou o Super-Homem e o Batman da prateleira e foi diretamente para uma caixa de areia. Ele os movia pela areia resmungando para si mesmo, enquanto eu permanecia sentada a seu lado. Levantei-me e peguei um boneco grande de um leão com dentes afiados. Falei: "Vou pegar esse Super-Homem... não me interessa se ele é o homem mais forte do mundo!" Alex gritou (gaguejando): "Guarda isso! Guarda isso!" Devolvi o leão à prateleira, sentei-me de novo e falei em tom arrependido: "Desculpe!" Alex olhou para mim por alguns segundos, depois disse (gaguejando): "Pega o leão". Peguei o boneco e o aproximei dos outros na caixa de areia. "Vou pegar o Super-Homem! É bom ele não me bater!" E quando me aproximei do Super-Homem, ele me bateu de leve. Gritei: "Você me bateu! Você me bateu!" E o leão caiu na areia. Alex gritou alegre e sem gaguejar: "Faz isso de novo! Faz isso de novo!" E eu fiz, várias vezes. Depois ele disse, sem gaguejar: "Eu vou ser o leão". E o Super-Homem respondeu: "Você não pode me pegar! Mas é bom não me bater!" E é claro que o leão bateu no Super-Homem, que caiu na areia. Brincamos disso durante a sessão inteira, e ele não gaguejou nenhuma vez. Mas quando foi para a sala de espera, contou à mãe sobre o que havia acontecido gaguejando como sempre.

Depois de fazer isso por um tempo na sessão seguinte (sem gaguejar), propus que usássemos argila. Enquanto Alex brincava com a argila e as ferramentas, fiz uma mãe, um pai e um menino de argila. Disse a Alex que ele poderia falar pelo menino e contar à mãe e ao pai de que gostava e não gostava. Enquanto eu manipulava o menino em direção a cada personagem, ele disse (sem gaguejar) para a mãe: "Gosto quando você me leva a lugares, mas não gosto quando grita comigo". Para o pai: "Gosto quando você brinca comigo, mas não gosto quando vai embora". (O pai viajava muito a trabalho.) Fizemos isso várias vezes, com algumas sugestões minhas: "Não gosto quando tenho que ir de um lado para o outro". "Queria que todos nós morássemos juntos!" Na sessão seguinte, pedi aos pais que entrassem e participassem desse jogo, com cada pessoa dizendo às outras de que gostavam ou não gostavam. Alex não gaguejou durante essa sessão, para espanto dos pais.

Ainda havia alguma gagueira fora das sessões, então sugeri várias coisas:

1. Que Alex passasse algum tempo gritando "NÃO" com toda a força dos pulmões.
2. Que houvesse uma sessão-raiva na hora de dormir.
3. Que houvesse uma hora especial do Alex todos os dias.

Alex frequentava uma escola de educação infantil, e os professores permitiram que ele gritasse NÃO no parquinho. Ele andava pelo parquinho gritando NÃO, e logo se formou uma fila de crianças atrás dele gritando NÃO. Não houve prejuízo em sala de aula, e a gagueira parou por completo.

Em nossa última sessão (quatro meses depois), Alex me contou um sonho que o deixou com medo. "Eu estava dormindo em uma casa, e minha mãe e meu pai dormiam lá também. Chovia forte. Minha mãe e meu pai entraram no meu quarto, me pegaram e me jogaram na chuva. Tinha um pássaro grande lá, e ele me pegou no bico e voou para longe. Então acordei. Não gostei daquele sonho!" (Ele acordou a mãe e foi para a cama dela quando teve esse sonho.)

Eu disse: "Vamos fazer esse sonho de argila". Fizemos uma casa bem rústica, com buracos no lugar dos quartos. Fizemos um boneco dele e outros dos pais e os colocamos nos respectivos quartos.

"Aqui tem um menino — você — dormindo. E aí, o que acontece?"

Alex: "Minha mãe e meu pai entram no meu quarto."

"Imagine que eles falaram no sonho. O que eles disseram?"

Alex: "Vamos jogar você lá fora!"

"E o que imagina que teria dito, se você falasse no sonho?"

Alex: "Não! Não!"

"Mas eles jogaram você para fora?"

Alex assente e eu imito os pais o jogando na chuva.

"E depois, o que acontece?"

Alex: "Depois o pássaro grande me leva embora." (fizemos um pássaro) "Aí eu acordei. Não gostei desse sonho — fiquei com medo."

"Vamos mudar o sonho. Aqui nós voltamos para a casa. Sua mãe e seu pai entram no seu quarto gritando: 'Vamos jogar você na chuva!' O que você diz?"

Alex: "Eu digo: 'VOLTEM PARA A CAMA!'"

Eu (movendo os bonecos de volta para os quartos): "E eles voltam. E o pássaro?"

Alex: "Temos que matar o pássaro." (Ele pega um martelo de madeira e bate no pássaro, esmagando-o.)

"Agora ele não pode te machucar! É claro que nunca faríamos isso com um pássaro de verdade. Mas esse é só argila, tudo bem. Você põe para fora muitos sentimentos de raiva quando faz isso."

Alex (sorrindo): "É!"

Quando revejo essas sessões, tomo consciência de vários pontos pertinentes que levaram à melhora de Alex.

1. A terapia é como uma dança: às vezes eu conduzo, às vezes é a criança quem conduz. Estou alerta para o momento apropriado de interferir, como quando digo: "Aposto que queria que sua mãe e seu pai morassem em uma casa como essa família". Sei que esse é o desejo de toda criança pequena.
2. A conexão com Alex é fundamental. Eu não queria só observar.
3. Decidi experimentar nossa "energia agressiva" quando peguei o leão. Se houvesse alguma raiva suprimida, esse tipo de energia daria à criança o apoio para expressar suas emoções. Novamente fiz uma suposição, e comprovei que estava correta. Se estivesse errada, ele teria me mostrado.
4. Passamos dessa brincadeira para a expressão dos sentimentos com bonecos de argila que representavam os pais, para normalizar seus sentimentos.
5. Depois disso, Alex expressou seus sentimentos diretamente para os pais.
6. Gritar "NÃO" proporcionou uma experiência de expressar-se de maneira apropriada.

OUVIR

A maioria das crianças não se sente ouvida. Acho que é isso que causa tantos problemas, sobretudo com crianças muito pequenas, uma vez que elas não têm as habilidades e o vocabulário para expressar o que precisam dizer. Lembro-me de uma mãe e do filho de 4 anos que me procuraram algum tempo atrás. A mãe estava no limite da paciência por causa do menino e suas crises de birra, e sentia que estava perdendo o controle. É muito difícil para a criança pequena participar de uma conversa que parece ser de adultos, por isso pedi aos dois que desenhassem o que mais os incomodava no outro. A mãe imediatamente começou a desenhar um menino deitado no chão, tendo uma crise de birra. O menino a observou por um tempo, depois desenhou um menino tendo uma crise de birra e uma figura materna em pé ao lado dele. Pedi à mãe que dissesse ao menino no desenho com o que ela estava brava. Ela disse: "Não gosto quando você faz birra. Não sei o que fazer". Pedi ao menino que falasse com sua figura materna. "Não gosto quando você fica perto de mim gritando enquanto tenho uma crise de birra!" Enquanto cada um falava com os desenhos, em vez de falar um com o outro, o menino disse: "Você não me ouve". Aparentemente, a mãe havia pedido para ele guardar os brinquedos, que estavam todos espalhados, antes do jantar. Ele tentou explicar que alguns brinquedos foram deixados jogados pelo irmão mais novo. De algum jeito, ela não recebeu a mensagem e ergueu a voz, ordenando que ele arrumasse tudo, o que o fez se jogar no chão esperneando e gritando. Esse cenário aconteceu muitas vezes, por razões variadas.

Depois dessa sessão, a mãe relatou que houve uma grande melhora e admitiu que foi porque ela aprendeu a ouvir.

Basicamente, as crianças podem ser bem razoáveis se sentem que são ouvidas. Eu me lembro de quando um dos meus filhos chegava da escola reclamando de alguma injustiça. Eu queria fazer alguma coisa para reparar a situação ou dar a ele algum conselho sobre como lidar com ela. Mordia a língua e só ouvia, e depois de me contar sua história ele saía correndo e ia brincar, como se o incidente tivesse sido esquecido.

Aqui vão alguns pontos básicos sobre ouvir — úteis para terapeutas, professores e pais:

1. Esteja presente — esteja em contato. Não deixe a mente se distrair. Bloqueie tudo que não seja seu contato com a criança.

2. Siga o ritmo da criança e, se possível, coloque-se no mesmo nível que ela. Se ela estiver em pé, levante-se. Se estiver no chão, junte-se a ela. Se estiver agitada, ignore. Provavelmente, ela está nervosa e ansiosa. Fique com ela.
3. Repita suavemente para que ela saiba que você a ouviu: "Johnny bateu em você".
4. Esclareça — se não entendeu, não finja que entendeu.
5. Use uma voz normal, natural, NÃO um tom professoral, condescendente, debochado ou jovial.
6. Leve a criança a sério.
7. Linguagem: use palavras que a criança consiga entender.
8. Use som, gestos, expressões faciais para mostrar que está ouvindo. Mantenha-se presente.
9. Não faça sermão, não explique nada, não tente consertar nada nem dê conselhos nesse momento. (Você pode conversar com a criança sobre isso mais tarde. "Sabe, eu estava pensando no que você me contou, e queria saber se você gostaria de ouvir alguns pensamentos que tive sobre isso.)
10. Observe os olhos da criança, seus gestos e movimentos, e ouça o tom da voz dela para ter dicas de como ela está se sentindo. Verbalize essa percepção, mas se a criança negar, aceite a negação. "Parece que você está com muita raiva por causa disso." "Não! Não estou!" "Ah, tudo bem."
11. Articule para a criança, em vez de fazer perguntas. Diga: "Aposto..." "Aposto que isso deixou você muito bravo." "Aposto que o papai te deixou com muita raiva quando não te levou ao zoológico como disse que levaria." Se sua dedução estiver errada, a criança vai lhe dizer.
12. Use personagens para encenar as coisas. Ou desenhos, fantoches ou bonecos de argila. Ou só encene — trocando os papéis.

O pai de Alex telefonou para mim algumas semanas depois de nossa última sessão para me dizer que o filho tinha voltado a gaguejar. Perguntei a ele se havia acontecido alguma coisa fora do comum. "Bom, eu tive de viajar, mas perguntei ao Alex se ele estava bravo por isso, e ele disse que não." Aconselhei o pai dizer a Alex: "Aposto que você não gostou quando eu tive de viajar". Ele fez isso, e relatou que o menino respondeu com um retumbante "Sim!" e parou de gaguejar.

Quando fazemos perguntas, colocamos as crianças no foco, e a tendência é que elas forneçam a resposta que pensam que queremos ouvir. Fazer uma afirmação hipotética alivia muito a criança. Se a hipótese estiver errada, ela vai corrigir você.

Mais uma coisa para lembrar: as crianças sempre levantam a voz quando querem ser ouvidas e não têm consciência disso. Adverti-las por estarem falando de maneira grosseira só vai tornar a situação ainda pior. Definitivamente, elas vão se sentir julgadas e criticadas, e não ouvidas. Seja o exemplo do comportamento que você quer ver. Tenha em mente que expressões de raiva são um modo que a criança tem de expressar o *SELF*. Ela não tem capacidade cognitiva, do ponto de vista desenvolvimental, para ser diplomática, nem tem as palavras para o que quer dizer, por isso usa, com frequência, terminologia grosseira. Lembre-se também que, no sentido desenvolvimental, a criança ainda é egocêntrica, sobretudo quando há emoções envolvidas, e tem dificuldade para entender o ponto de vista do outro.

Outro exemplo:

Julie, 3 anos e meio, foi levada ao consultório pela mãe porque chorava e gritava toda vez que a mãe, comissária de bordo, saía para trabalhar. Ela não fazia isso antes, e Carol, a mãe, achava que talvez fosse só uma nova fase, mas as coisas só pioravam. Acontecia quando a criança ficava aos cuidados do pai, ou quando a babá, que Julie adorava, era responsável por cuidar dela e dos dois irmãos mais velhos. Pedi a Carol que descrevesse em detalhe o que estava acontecendo na casa antes de ela sair. Sentamo-nos no chão, fiz cômodos com blocos e usei bonecos para representar a situação.

Carol: "Bem, todos se levantam e tomam café da manhã na cozinha." (Mudei os bonecos para a "cozinha".) "As crianças mais velhas pegam o material para ir à escola. Elas vão a pé, porque a escola fica na mesma rua. Julie se despede delas com um abraço. Depois nos abraçamos e nos despedimos, e é então que Julie começa a gritar, chorar e me puxar."

Peguei um carro da prateleira e perguntei se ela vai dirigindo para o aeroporto. Carol assentiu. Perguntei a Julie se tudo bem Carol ir de carro para o aeroporto (enquanto punha o boneco da mãe no carro.) Julie concordou balançando a cabeça. Depois peguei um avião da prateleira e quando ameacei colocar o boneco no avião, Julie começou a choramingar e disse:

"Tudo bem a mamãe entrar no carro, mas não no avião". "Ah", eu disse, "o avião pode cair!" "Sim!" Julie respondeu veemente.

Meses antes, havia ocorrido um desastre aéreo, e Julie provavelmente ouviu a mãe e o pai conversando sobre isso. De fato, Carol se lembrou de ter conversado com amigos sobre o assunto por telefone, mas não pensou que Julie a tivesse ouvido, ou que prestasse atenção à conversa. Sugeri a Carol que, na próxima vez que tivesse de sair para trabalhar, dissesse a Julie algo como: "Sei que tem medo de que meu avião caia. Lamento que tenha de se preocupar comigo. Amo você e vou amar sempre, aconteça o que acontecer". Carol não podia dizer a Julie que o avião não ia cair, porque não havia como ter essa certeza. Ela fez o que eu disse, e em dois dias Julie parou de chorar quando ela saía. Aliás, Julie estava na sala quando dei essas instruções a Carol. Acho que a menina precisava ser ouvida — ela se sentia ouvida no meu consultório, e agora se sentia ouvida quando a mãe saía para trabalhar.

9. Sugestões para pais e terapeutas

Sempre dou sugestões aos pais, embora não muitas de uma vez só.

Sessão-raiva: essa é uma das técnicas mais bem-sucedidas que conheço. Inclua uma "sessão-raiva" na rotina da hora de ir para a cama. A criança fala tudo que a deixou com raiva naquele dia, ou de que não gostou. Não tem discussão — só escuta ativa. Recentemente, uma mãe telefonou para me contar que, depois de fazer uma "sessão-raiva" com a filha de 3 anos, a criança a abraçou e disse: "Amo você, mamãe!" Não existe limite de idade para a sessão-raiva.

Dê à criança experiência com algum poder bom: reserve 15 ou 20 minutos por dia (ou o que sua agenda permitir) para passar um tempo muito específico com seu filho. Dê a esse tempo o nome da criança: tempo da Sara. Durante esse tempo, a criança tem poder total para orientar você a fazer alguma coisa, como se deitar no chão e pintar desenhos ou brincar de carrinho. É diferente de passar o tempo de outras maneiras — esse é um período em que a criança tem total controle e você entrega o poder a ela. Se a criança ultrapassa os limites do aceitável, você sai do seu papel por um momento para orientá-la quanto a isso e depois volta ao seu papel. É melhor usar um cronômetro para marcar o tempo estipulado.

Dar poder à criança também é uma boa técnica no encontro terapêutico. Usei-a com crianças de até 15 anos, porque elas sempre regridem no consultório do terapeuta. Os adolescentes sabem que você nunca vai contar para ninguém!

(Uma menina de 14 anos adorava brincar de "loja" desde que teve certeza de que eu nunca contaria a ninguém.)

É comum planejarmos nosso tempo juntos: "Durante 20 minutos, vamos fazer alguma coisa que eu quero, e no resto do tempo fazemos o que você quer". O cronômetro é acionado.

Exemplo com uma criança de 6 anos:

Lynn, uma menina coreana, foi adotada por uma família caucasiana aos 5 anos de idade. O pai a tinha trancado em uma caixa depois da morte da mãe e, finalmente, quando ela ficou grande demais para a caixa, a entregou aos pais dele. A avó pegou o avô molestando a criança, a levou para as autoridades e disse apenas: "Não podemos ficar com ela". Depois de passar um tempo em um orfanato, ela foi adotada. Lynn aprendeu rapidamente a falar inglês e dava sinais de um bom ajuste à casa nova. Ficava brava se alguém mencionava a Coreia e se recusava a ouvir ou a falar de sua vida lá. Ela também sofria com pesadelos e angústia de separação, o que fez que os pais a levassem para a terapia. Depois de algumas sessões nas quais nossa relação foi bem estabelecida, Lynn começou a comandar as sessões. Ela adorava brincar de escola e me dava o papel de aluna. Depois de repetir isso por duas ou três sessões, Lynn decidiu de repente que devíamos brincar de bebê. Determinou um lugar que seria minha "casa", escolheu um lugar para ela e deu uma boneca a cada uma de nós. "Agora vamos alimentar os bebês." "Agora vamos pôr os bebês para dormir." De repente, eu a ouvi cantando para seu bebê — claramente uma canção coreana. Mais tarde, perguntei sobre a música. Ela me disse que a avó cantava para ela, e até se dispôs a me dizer qual era o significado da letra. Depois disso, foi como se uma porta se abrisse para examinarmos sua vida anterior.

Quando a criança assume o comando da sessão, isso indica que ela se sente segura e forte o bastante para isso. É um fenômeno muito positivo, já que ela sente algum poder — algo que nunca sentiu antes.

Não faça muitas perguntas. Perguntas colocam a criança no foco, e elas se preocupam em dar a resposta certa. É muito mais produtivo fazer afirmações, como sugeri ao pai do menino que gaguejava.

Trabalhar com crianças pequenas pode ser divertido e gratificante. Em geral, não atendo individualmente crianças com menos de 4 anos; prefiro trabalhar com a criança e os pais. Mas sempre há exceções. Uma das minhas alunas contou sobre uma menina de 2 anos e meio que estava em um abrigo onde ela trabalhava. A criança, Suzie, chorava e gemia o dia todo. Nada ajudava, nem todos os abraços, doces ou brinquedos. A aluna havia assistido a uma aula minha sobre ajudar crianças a nutrir a si mesmas e decidiu tentar algo diferente. Ela segurou uma boneca e disse a Suzie: "Esta é a bebê Suzie. Ela está muito, muito triste. Quer a mãe dela. Você pode segurá-la?" Suzie pegou a boneca e andava com ela murmurando "bebê Suzie, bebê Suzie". E parou de chorar.

10. Trabalhar com grupos

A terapia em grupo tem a vantagem de ser um pequeno mundo blindado onde se pode apresentar o comportamento atual e experimentar novos comportamentos. O jeito de a criança ser no mundo, e como isso afeta os outros de maneira positiva ou negativa, torna-se evidente. O grupo se torna um laboratório seguro para experimentar novos comportamentos com o apoio e a orientação do terapeuta.

O grupo é um *setting* ideal para a criança melhorar suas habilidades de contato. Habilidades de contato ruins são indicação de um senso de *self* ruim, que leva a habilidades sociais ruins. É natural — além de ser uma importante tarefa desenvolvimental — que as crianças procurem outras crianças. O grupo proporciona uma arena para que os que têm dificuldades sociais descubram e trabalhem o que quer que esteja bloqueando o processo natural de se conectar e relacionar bem com os outros. O processo do indivíduo em um grupo pode ser muito diferente em um *setting* terapêutico individual. Quando o comportamento fica em primeiro plano, podemos examiná-lo de todos os lados, jogar com ele, mudá-lo.

Jimmy, 9 anos, era extremamente disruptivo em reuniões de grupo. Muitas vezes, o tempo do grupo era usado para focar seu comportamento inaceitável, com os participantes oferecendo sugestões variadas, sem nenhum resultado. Comecei a olhar o que realmente estava acontecendo: Jimmy recebia toda atenção possível — na verdade, ele parecia estar obtendo exatamente o que queria e necessitava, independentemente do efeito no grupo.

Na reunião seguinte, apresentei um cenário a ser representado por Jimmy e o grupo. Pedi a ele que imaginasse que era um recém-nascido, talvez o Menino Jesus (era perto do Natal), e nós seríamos as pessoas que levavam presentes para o bebê. Com muitas risadinhas, Jimmy se deitou no tapete estendido para ele. Encenei que levava um presente imaginário e falava com muita emoção sobre que lindo bebê era aquele, e como estávamos felizes por ele ter nascido. As outras crianças acompanharam a encenação, e muitos presentes imaginários foram levados para o bebê, com grande admiração. Jimmy ficou deitado e quieto durante esse tempo, com um grande sorriso no rosto. Finalmente reuni o grupo e pedi a Jimmy que contasse o que achou dos presentes e da atenção. Ele disse que adorou tudo, e sua sinceridade era evidente pelo sorriso no rosto e pela atitude calma. Ele comentou que sentiu que recebia presentes de verdade! Refleti em voz alta sobre se Jimmy sentia falta de atenção na vida. Ele falou sobre essa falta com um profundo sentimento, e houve muitos comentários atenciosos das outras crianças ligadas a experiências delas com atenção.

Depois dessa sessão, fiz questão de sorrir e falar com Jimmy assim que ele entrava na sala, e as outras crianças fizeram o mesmo. Ele nunca mais perturbou as reuniões do grupo. Aquela encenação permitiu que ele experimentasse atenção positiva exagerada. Embora fosse uma situação cênica, a experiência foi muito real para ele. Sentindo-se seguro e amado, Jimmy conseguiu falar sobre a polaridade representada em sua vida real. Expressar os sentimentos e aprender a pedir aquilo de que precisava de maneira direta foram temas subsequentes nas sessões. Todas as crianças podiam se identificar e se beneficiar com essas atividades.

Em outra ocasião, levei vários joguinhos — *jacks*, pega-varetas, dominós, Blockhead, Connect 4 — para um grupo de oito crianças entre 11 e 12 anos de idade. As crianças foram divididas em duplas e cada par foi orientado a escolher. (Foi interessante observar essa tarefa.) Um cronômetro foi programado para marcar dez minutos. No fim do tempo, pedi às crianças que trocassem de jogo e de parceiros. Todos os jogos e parceiros foram revezados. Quando todos tiveram uma vez com jogos e parceiros, o grupo falou sobre a experiência. Aqui vão alguns comentários:

"Foi a primeira vez que joguei *jacks* com um menino. Tive que ensinar o jogo para ele. Foi ótimo!"

"Acho que fui o primeiro menino a jogar *jacks*. Gostei."

"Chris roubou, mas parou quando eu disse que não gostava disso."

"Comigo Chris não roubou. Foi divertido jogar com ele."

O tom das crianças foi, de maneira geral, gentil e tolerante. Um ar de contentamento e calma dominou a sala durante e após o período do jogo.

Houve muito barulho, o tipo de ruído que se ouve quando pessoas falam umas com as outras. Teria sido difícil acreditar que cada uma daquelas crianças fora encaminhada ao grupo por ter "habilidades sociais ruins".

As projeções muitas vezes interferem na capacidade da criança de se relacionar com seus pares.

Por exemplo:

Philip: "Não gosto de como o Allen está olhando para mim!"

"O que imagina que ele está dizendo para você com aquele olhar?"

Philip: "Ele está dizendo: 'Você é burro!'"

"Finja que este fantoche de macaco é você, e você é o Allen e diz essas palavras a si mesmo." (Eu seguro o fantoche.)

Philip (como Allen): "Você é burro!"

"Philip, dentro de você tem uma voz que às vezes diz isso?"

Philip: "Sim!"

As crianças precisam aprender que ver uma careta não é a mesma coisa que conhecer os pensamentos por trás dela. A outra criança pode estar com dor de estômago. É claro, as projeções são mais ativas com crianças que têm baixa autoimagem e fronteira turva. Em outra sessão, apresentei o que chamo de trabalho de "autonutrição". Pedi às crianças que pensassem em uma parte de si mesmas de que não gostavam e fizessem um desenho dela. Philip se lembrou do incidente do "burro" e fez um desenho que chamou de "Sr. Burro". Ele disse: "Essa é minha parte que é burra — quando digo e faço coisas burras". Eu lhe pedi que fosse o sr. Burro e falasse sobre si mesmo.

Philip: "Sou muito burro! Faço coisas burras o tempo todo. Sou realmente burro. Não sei nada! Sou burro, é isso. Todo mundo pensa que sou burro."

Eu (para o Sr. Burro): "Há quanto tempo está com o Philip, Sr. Burro?" (para Philip): "Philip, o Sr. Burro estava com você quando tinha uns, digamos, 3 anos de idade?"

Philip: "Não me lembro."

"E uns 4 anos?"

Philip: "Sim. Eu lembro que me senti burro na educação infantil, porque não conseguia saltar como as outras crianças."

"Se pudesse voltar em uma máquina do tempo e falar com o Philip de 4 anos, o que acha que diria?" (Seguro o desenho feito por Philip.) "Aqui está ele."

Philip: "Bem, acho que diria alguma coisa como: 'Você é só uma criança. Não é burro porque não consegue saltar. Você vai ver, logo vai conseguir fazer isso'. Algo assim."

"Philip, esta semana, cada vez que pensar que disse ou fez alguma coisa burra, quero que lembre que está falando com aquele menino de 4 anos que vive dentro de você e pensa que é burro. Veja o que acontece."

Todas as crianças desse grupo ficaram fascinadas com esse encontro e começaram a compartilhar as próprias lembranças sobre de onde vinham essas partes de si mesmas de que não gostavam. É claro que as autoimagens negativas podem ter raízes mais profundas, mas as crianças estavam aprendendo a aceitar e a cuidar daquelas partes mais jovens do *self*, que faziam parte da vida delas no presente.

Muitas atividades para fortalecer o *self* são eficientes em *settings* de grupo, e são mais divertidas e interessantes de fazer com outras crianças. Jogos que envolvem o uso dos olhos, como Vejo, Vejo (um jogo do Unicef), livros *Onde está Wally* ou jogos de ouvir, como Sound Safari, e aqueles que envolvem olfato, paladar e tato são agradáveis e produtivos.

Aqui vai um exemplo de exercício que permite que as crianças usem à vontade todos os sentidos, pré-requisito para que se apoderem do *self*.

Cada membro de um grupo recebeu uma laranja. Cada um examinou a própria laranja minuciosamente, a devolveu a uma pilha e conseguiu encontrá-la novamente com facilidade. Começamos todos a descascar as laranjas e a examinar a casca com atenção, sentindo seu cheiro e sabor. Então foi a vez de remover a parte branca, cheirá-la e provar seu gosto. Depois de notar e sentir a camada brilhante, as laranjas foram divididas em gomos e saboreadas. Em seguida, as crianças trocaram gomos entre si. Elas notaram que alguns eram mais doces, outros mais ácidos, alguns mais suculentos e assim por diante. Todas concordaram que cada gomo era delicioso, independentemente da aparência (Brown, 1990). Esse exercício foi usado com diversos grupos diferentes de todas as idades. Uma menina de 12 anos me disse: "Não consigo mais comer fruta nenhuma sem pensar naquele exercício que fizemos com a laranja!"

Muitas vezes, experiências do tipo sensorial incentivam uma boa conversa social em grupos. Argila e pintura a dedo são particularmente adequadas para esse propósito.

Um grupo de crianças em uma classe para portadores de transtorno emocional grave recebeu velhas bandejas de refeitório onde havia pequenas quantidades de tinta para pintura a dedo. Esse grupo era composto por doze meninos de 11 a 13 anos. A reação deles ao ver as bandejas foi, como se podia prever: "Isso é coisa de bebê!" Senti que aqueles garotos precisavam olhar uns para os outros em vez de ficar sentados em sua carteira, e providenciamos mesas para que seis meninos se sentassem de cada lado, uns de frente para os outros. Eu esperava que eles encontrassem uma maneira nova de se relacionar, além de bater, socar, chutar e xingar. Pedimos aos meninos que pintassem as bandejas com os dedos. Quando terminassem, eu criaria uma impressão de cada pintura colocando um papel sobre ela, pressionando e levantando a folha. Demonstrei o processo, e cada menino terminou a primeira pintura rapidamente e ficou muito feliz com a impressão criada.

Muitas dessas crianças tinham dificuldade com a coordenação de pequenos e grandes músculos e normalmente evitavam desenhar ou pintar com pincel. A pintura a dedo é relaxante e fluida. É possível experimentar desenhos e figuras e borrá-los rapidamente, e o sucesso é garantido. Durante a atividade, os meninos começaram a conversar entre si, primeiro sobre seus desenhos, depois sobre outras coisas. Um menino fez algo que parecia ser um pássaro, e a conversa começou a se concentrar em voos e aviões. Muitos assuntos foram abordados com calma e de maneira amigável. Sim, havia barulho — mas era o som de riso, felicidade e boa conversa. Ninguém chutou, bateu ou disse alguma coisa abusiva. Havia satisfação no grupo. Essas crianças sempre solicitavam a experiência de pintar com os dedos, e às vezes a terapeuta conseguia obter histórias sobre seus desenhos, promovendo *awareness* e levando a experiência a lugares mais amplos e mais profundos. Muitos desses garotos não tinham vivido a experiência de fazer um amigo, ou, na verdade, de ser tratado ou tratar outras pessoas com respeito, por isso essa experiência foi particularmente importante. A atmosfera durante as sessões de pintura a dedo se generalizou pelo resto do tempo de aula. E, embora houvesse comportamento inadequado de vez em quando, o ambiente geral era de respeito e amizade.

Há certas variáveis presentes nesse tipo de experiência. A terapeuta estabelece limites e fronteiras claros. Ela é respeitosa com cada criança o tempo todo. As crianças estão lidando com um meio que logo descobrem que só pode levar ao sucesso. (As impressões das pinturas ficaram incríveis.) Elas podem experimentar e explorar cor e desenho. (Descobriram depressa que vermelho, amarelo e azul criam um marrom turvo.) Há uma característica relaxante nos movimentos cinestésicos e nas sensações táteis. O *self* é fortalecido e o bom contato acontece. E elas descobrem que *gostam* desse tipo de contato e querem mais dele.

Um tema comum entre as crianças em terapia, e provavelmente fora dela, é a sensação de ser diferente. A criança se esforça para estabelecer o *self* e vai e volta da confluência para o isolamento. Confluência implica ter um senso de *self* de outra pessoa — ela precisa ser como todo mundo, uma vez que não tem uma noção de quem é. Como o contato saudável envolve ter um bom senso de *self* e sentir apoio suficiente para ser capaz de encontrar alguém sem perder o *self*, a criança com transtorno precisa recuar sempre para um lugar muito solitário para talvez encontrar alguma coisa do *self*. O grupo é um cenário ideal para ajudar as crianças a manter a própria integridade enquanto se relacionam com outras pessoas. O grupo é um microcosmo seguro do mundo exterior, e, com a orientação do terapeuta e fronteiras claras, a criança pode realmente se encontrar entre outros indivíduos.

Um grupo de 12 crianças, cujos pais estavam em um centro militar para tratamento de alcoolismo, foi convidado a compartilhar seus sonhos. Elas tinham entre 8 e 16 anos e havia vários subgrupos de irmãos. Na época em questão, esse grupo pouco ortodoxo se encontrava havia um ano, e os membros se sentiam bem à vontade uns com os outros, apesar das diferenças de idade. Tinham descoberto muitas experiências em comum. Uma menina de 12 anos descreveu um sonho no qual estava em um carro dirigido pelo pai, descendo uma encosta íngreme. No fim da descida havia um lago. O carro avança muito depressa, e ela está gritando para o pai ir mais devagar. Ela tem medo de que o carro mergulhe direto no lago. O pai a ignora, e quando o carro está prestes a dar o mergulho, ela acorda. Em geral, depois de ouvir o relato de um sonho, peço à criança que o encene como se estivesse acontecendo, e Sally fingiu que estava no carro gritando: "Pai, para! Para!" As outras crianças ouviam atentas, e assim que Sally parou de gritar, um menino de 8 anos disse: "Tem uma estrada na minha vida exatamente assim".

Descobrir que outras crianças têm pensamentos, preocupações, medos, ideias, dúvidas semelhantes, bem como experiências, é uma revelação para a maioria delas. Quanto mais elas sentem esse elo, mais apoio demonstram sentir. O apoio exterior fortalece seu apoio interno, e desenvolve-se um *self* mais forte. Paradoxalmente, elas se tornam então mais disponíveis e capazes de apresentar ao grupo essas partes de si mesmas que são diferentes.

Vários adolescentes receberam argila e foram incentivados a fazer alguma coisa com os olhos fechados. O grupo se encontrava uma vez por semana havia dois meses, e Joe não tinha participado de nenhuma atividade. Ele não era disruptivo, só ficava sentado e quieto, como se ouvisse e observasse. Orientei os meninos a completar suas peças de olhos abertos e cada um foi chamado a se tornar a peça e se descrever.

Joe: "Eu não fiz nada."

"Joe, você tem alguma coisa aí, é só descrever."

Joe (olhando para a argila): "É só um bolo de nada." (Joe olhou para mim.) "E é isso que eu sou! Um bolo de nada!"

"Como se sente agora, Joe, neste grupo com todos nós?"

Joe: "Eu me sinto um bolo de nada."

"Acho que o que está dizendo é que sente que não vale muito."

Joe: "É isso mesmo. Não valho."

"Joe, agradeço muito por ter compartilhado conosco como se sente. Isso demonstra que talvez você confie um pouco em nós. Obrigada."

Joe (sorriso pálido): "Tudo bem."

O que é evidente aqui é a baixa autoestima de Joe, que ele compartilhou abertamente com o grupo. Quando fez isso, ao falar sobre sua existência como a percebe, ele deu um passo gigantesco em direção ao *self* renovado. Senti vontade de falar com Joe sobre seu valor, mas isso teria invalidado o sentimento dele naquele momento. Quis aceitar respeitosamente a autopercepção dele, de forma que ele pudesse começar a se aceitar. Mais tarde ouvi um dos meninos contar a Joe como ele muitas vezes se sentiu do mesmo jeito, e às vezes ainda se sentia, mas agora nem tanto.

PROCESSO DO GRUPO

Um grupo, embora formado por crianças individuais, tem uma vida própria distinta. Cada grupo segue mais ou menos o mesmo padrão. As crianças nos grupos descritos acima geralmente tiveram alguma experiência individual comigo, e estabeleceu-se uma relação. No entanto, as crianças não se conhecem e normalmente chegam ao grupo se sentindo muito sozinhas. No começo, ficam incomodadas e tendem a manifestar vários comportamentos negativos para encobrir a ansiedade. Preciso usar esse tempo para fazer que se sintam seguras e respeitadas, e se conheçam por meio de atividades não invasivas, não ameaçadoras. Os limites e as fronteiras são esclarecidos conforme necessário.

Depois de quatro a seis semanas com um grupo que se reúne uma vez por semana, esse grupo começa a dar liga; as crianças se sentem confortáveis no *setting*, e as ansiedades com relação às trocas abaixo daquela camada superficial desaparecem. De maneira geral, existe um sentimento de companheirismo e o conhecimento de que os outros vão prover apoio e compreensão quando necessário. Papéis emergem: uma criança se torna o líder, outra se comporta mal por todas, uma é rotulada de a esperta, outra é a palhaça — e assim por diante. Quando esses papéis se tornam evidentes, posso trazê-los para a *awareness* do grupo por meio de várias técnicas. E às vezes as próprias crianças inventam ideias para experimentar papéis.

Um grupo de oito meninos e meninas entre 11 e 12 anos se encontrava semanalmente havia vários meses. Eles se conheciam bem. Susan emergiu claramente como a líder. Em determinada sessão, apresentei um exercício para promover comunicação direta, chamado "gosto, não gosto". Cada criança tinha sua vez de fazer afirmações para todas as outras. Um membro disse a Susan: "Não gosto de você sempre decidir o que devemos fazer". No fim do exercício, a discussão era aberta a respostas. Susan disse: "Eu sei o que devemos fazer. Cada pessoa vai ser a terapeuta em uma reunião e decidir tudo". As crianças gostaram da ideia de Susan — de fato, as ideias dela eram boas. E assim, durante um tempo, a cada semana uma criança decidia se devíamos fazer desenhos relacionados a elas, usar fantoches ou argila, conversar sobre alguma coisa ou fazer outra atividade. A criança que era a "terapeuta" não só decidia o que o grupo ia fazer, como me imitava com precisão surpreendente. Todos tiveram sua chance de liderar, muitas vezes encontrando um lado de si mesmos que até então não tinha sido apresentado abertamente.

ESTRUTURA DO GRUPO

Experimentei grupos de vários tamanhos, de duplas a grupos de doze membros. Para mim, o ideal são grupos de seis a oito integrantes para crianças acima de 8 anos e de três a seis integrantes para crianças abaixo dessa idade.

Tive uma experiência interessante com a formação de pares — duas crianças juntas. Eu tinha terminado de escrever *Descobrindo crianças* e voltara ao trabalho. Havia fechado o consultório durante um ano para me concentrar em escrever o livro, e quando comecei a atender clientes, aceitava todo mundo que aparecia, porque, àquela altura, estava afundada em dívidas. No entanto, fiquei sem horários disponíveis para atender crianças. Lembrei-me de uma história que Virginia Satir contou em um *workshop* de que eu havia participado. Um dia, sem perceber, ela marcou duas famílias no mesmo horário. Quando abriu a porta para a sala de espera e as viu, ficou assustada. Recuperando-se, convidou-as a entrar no consultório para o que se tornou conhecido como terapia multifamiliar. Então, comecei a juntar duas crianças, geralmente do mesmo sexo e idade. Lembro-me de dois meninos de 7 anos que tinham grande dificuldade de se relacionar com outras crianças. Nas primeiras quatro sessões, cada menino se esforçou muito para ser simpático e acomodar o outro. Depois esses esforços foram ficando escassos, e a maneira de se relacionar de cada um, que causava dificuldades, ficou evidente. Tornou-se possível para mim, então, parar o que quer que estivesse acontecendo para focar no comportamento específico e nos sentimentos por trás dele. Eu tinha atendido cada menino individualmente antes de colocá-los em dupla e nunca tinha visto o comportamento que se apresentou quando eles estavam juntos. Era como se aquela experiência fosse um bom prelúdio para se tornar parte de um grupo maior. Sei que não teria tido tempo para dar a eles esse tipo de atenção em um grupo maior.

É importante ter um coterapeuta presente no grupo, se possível, pois pode haver momentos em que uma criança precise de atenção individual. Basicamente, o grupo é um *setting* ideal para crianças que precisam de conexões com outras crianças.

Alguns grupos podem ter tempo limitado, em vez de ser contínuos, sobretudo os que são criados para crianças que tiveram experiências semelhantes, como vítimas de abuso na infância ou divórcio. Às vezes, esse grupo tende a rotular as crianças e separá-las das outras. Crianças que sofreram abuso, por exemplo, têm interesses e problemas de vida mais amplos que apenas o abuso, e essas necessidades também precisam ser abordadas.

Os grupos, que se reúnem por uma hora e meia a duas horas, dependendo da idade das crianças, são bem estruturados. Cada grupo começa com "rodadas" — um tempo no qual cada criança relata alguma coisa que queira compartilhar sobre sua semana. Isso já constitui uma lição de escuta. No começo, as crianças podem relutar em falar muito, mas com o passar das semanas surge a necessidade de estabelecer um limite de tempo para cada uma delas. Não pode haver discussões ou questões (exceto para esclarecimento ocasional) — a criança tem a palavra. Os dois terapeutas também participam. Passar alguma coisa que represente um "bastão da fala" é útil. É claro, algumas crianças não conseguem evitar comentários, risadinhas, provocações etc. Enquanto isso for um ruído de fundo e a criança que estiver falando não der sinais de incômodo, aprendi a ignorar. Aparentemente, as crianças conseguem tolerar muito mais comoção do que os adultos. Porém, se o burburinho se torna disruptivo e perturbador, interrompo e discuto a questão com o grupo. O resultado é que isso se torna assunto do grupo em uma parte da sessão. Perto do fim da sessão, as crianças arrumam tudo e sentam-se novamente em seus lugares. Esse é um momento de fechamento, todo mundo tem a oportunidade de dizer alguma coisa que queira dizer a mim ou a qualquer pessoa na sala, criticar a atividade, mencionar alguma coisa de que tenha gostado particularmente durante esse tempo, ou algo de que não gostou. Preciso controlar o ritmo da sessão para garantir esse tempo de arrumação e fechamento.

Na hora do fechamento de um grupo, Carrie, 11 anos, disse a Tommy com muita hesitação e cautela: "Não gostei de você ter tentado sentar sempre perto de mim hoje, e quando conseguiu, ficou perto demais, não gostei disso". Reforcei o esforço de Carrie para falar com Tommy sobre seu desconforto e disse: "Tommy, fico feliz por você estar ouvindo Carrie; o que ela está dizendo é muito importante para ela". No fechamento da sessão seguinte, Carrie disse: "Tommy, gostei de você não ter tentado sentar perto de mim o tempo todo, e quando se sentou, não ficou perto demais". Tommy sorriu como se tivesse recebido um grande presente.

CONTEÚDO DO GRUPO

O conteúdo do grupo varia, é claro, de acordo com a faixa etária e as necessidades específicas das crianças. A menos que o propósito seja observar o livre brincar, o grupo é estruturado. Começa com as rodadas e termina com o fechamento. Entre uma coisa e outra, planejo a experiência para a reunião. Embora eu tenha objetivos e planos, eles podem ser descartados a qualquer momento. Às vezes surge alguma coisa nas rodadas que precisa de atenção; às vezes, as crianças tomam uma decisão diferente. Com frequência, a sessão evolui a partir de outra, anterior.

De maneira geral, as atividades são variadas e agradáveis. Basicamente, facilitam a expressão de sentimentos e a definição e o fortalecimento do *self*. São usadas muitas técnicas projetivas, como desenhos, colagens, argila, cenas na caixa de areia, teatro de bonecos, música, movimento corporal, dramatização criativa, histórias metafóricas, fantasia e imaginação. Com frequência são apresentados temas relevantes para as crianças, como solidão, deboche, rejeição, constrangimento, perda, divórcio e assim por diante. Esses temas muitas vezes surgem durante sessões em grupo ou são sugeridos pelas próprias crianças. Diversos jogos, bem como testes projetivos, são usados como veículos terapêuticos. Em determinada sessão, as crianças podem desenhar seu lugar seguro e compartilhar seus trabalhos umas com as outras. Às vezes, foco o desenho de uma criança em particular. As crianças raramente riem do desenho de alguém — minha atitude de respeito com cada trabalho estabelece o tom.

Um tema importante em quase todos os grupos é a raiva. Pode-se solicitar às crianças que desenhem alguma coisa que as deixa com raiva, que façam um boneco de argila representando alguém com quem estão bravas, que usem uma variedade de instrumentos de percussão representando seus sentimentos, que criem um teatro de bonecos retratando uma cena de raiva, e muito mais. Adquirir habilidades para expressar sentimentos de raiva de forma segura e adequada é um aspecto importante dessas atividades. Há mais discussão e exemplos em torno do tema da raiva no capítulo específico sobre esse assunto.

Um dia, levei uma câmera de vídeo pensando em gravar parte das sessões. No entanto, as crianças tiveram outras ideias, e essa se tornou uma importante ferramenta terapêutica. Sam, 14 anos, tem um amigo que os pais não aprovam. Recentemente, Sam convidou esse menino para ir à casa dele, ignorando a regra estabelecida pelos pais de não receber amigos quando eles não estivessem em casa. Enquanto Sam assistia impotente, o menino foi ao quarto dos pais e mexeu em tudo. Sam estava se esforçando muito para ter um senso de *self* mais forte e se posicionar; no entanto, capitulou completamente com esse menino. Como ele teve problemas sérios com os pais por causa do incidente, fiz dele um tema central em uma das nossas sessões em grupo. Sugeri que o grupo representasse o episódio diante da câmera de vídeo. Sam escolheu alguém para o papel do menino indisciplinado, enquanto ele mesmo se representou, e os dois recriaram a cena com a câmera ligada. Incentivei o exagero a fim de tornar a situação mais óbvia. Com grande energia, o menino "mau" bateu na porta, entrou na casa e começou a revirar tudo, descrevendo em voz alta o que estava fazendo. Mansamente, Sam tentava protestar. Quando a cena terminou, sugeri que eles tentassem refazê-la, com Sam fazendo o oposto do que tinha feito. Nessa cena, Sam advertia o menino em voz alta e o mandava embora de sua casa. Por sugestão de um dos membros do grupo, uma terceira cena mostrou a mãe de Sam (as crianças insistiram para eu ficar com o papel, já que esse era um grupo só de meninos) voltando para casa e reagindo com alegria e orgulho por Sam ter obedecido às regras. O grupo assistiu a todas as representações pelo monitor da câmera, e todos riram muito.

Sam anunciou que sabia que poderia ser assertivo com aquele menino se o episódio se repetisse e, de fato, questionou-se em voz alta por que era amigo dele. Seguiu-se uma discussão animada.

As sessões em grupo são uma forma gratificante e eficiente de trabalhar com crianças. O grupo se presta ao desenvolvimento de habilidades sociais, a um sentimento de pertencimento e aceitação; trata-se de um lugar para expressar sentimentos até então não expressados e para experimentar novos comportamentos. Um grupo bem-sucedido é aquele em que cada criança sente segurança para ser vulnerável. As sessões em grupo precisam ser agradáveis para os participantes, independentemente do assunto abordado. Na verdade, a satisfação e o cuidado que a criança sente nessas sessões a incentivam a adentrar lugares dolorosos. Quando se sentem livres para revelar emoções, pensamentos, opiniões e ideias, as crianças sabem que encontrarão apoio e conexão com o terapeuta e com seus pares. Dessa maneira, cada criança faz descobertas sobre o *self* que levam a um maior autossuporte e ao contato saudável dentro e fora do grupo.

11. Tratar crianças com sintomas de transtorno de déficit de atenção e hiperatividade (TDAH)

Nos vários *workshops* que conduzi, o déficit de atenção com ou sem hiperatividade sempre foi tema de perguntas. Muito foi dito e escrito sobre esse transtorno, mas bem pouco desse material discute o tratamento, além de medicação e gestão de comportamento. Embora seja comum prescrever medicamentos, não existe um exame definitivo para o transtorno. O diagnóstico se baseia em uma variedade de comportamentos. O *Manual Diagnóstico e Estatístico de Transtornos Mentais* (DSM-5) da Associação Americana de Psiquiatria (2013), amplamente usado por médicos, psicólogos, assistentes sociais e orientadores, relaciona vários comportamentos, e para esse diagnóstico devem estar presentes seis deles em duas categorias por seis meses, pelo menos. Além disso, eles devem estar presentes em um grau inadequado e incoerente com o nível de desenvolvimento. Os critérios só devem ser considerados se o comportamento for mais frequente que na maioria das pessoas com a mesma idade mental. Em outras palavras, todas as crianças exibem esses comportamentos em um momento ou outro — portanto, o diagnóstico pode bem ser subjetivo. Esses comportamentos são:

DESATENÇÃO

1. Deixa de dar atenção a detalhes ou comete erros por descuido nos deveres escolares, nas tarefas ou em outras atividades.
2. Tem dificuldade para manter a atenção nas tarefas ou brincadeiras.
3. Não parece ouvir quando é abordado diretamente.
4. Não segue instruções nem termina tarefas escolares ou outros deveres.
5. Tem dificuldade para organizar tarefas e atividades.
6. Evita, não gosta ou reluta em se dedicar a tarefas que requerem manutenção do esforço mental.
7. Perde coisas necessárias a tarefas e atividades.
8. Distrai-se facilmente com estímulos externos.

9. É esquecido nas atividades diárias.

HIPERATIVIDADE-IMPULSIVIDADE

1. Movimenta as mãos ou os pés e se agita no assento.
2. Levanta-se com frequência da cadeira em sala de aula ou em outras situações nas quais se espera que permaneça sentado.
3. Corre ou sobe nas coisas em situações em que isso é impróprio.
4. Tem dificuldade para brincar ou para se envolver em atividades de lazer tranquilamente.
5. Está sempre "em movimento" ou age como se estivesse "ligado numa tomada".
6. Fala demais.
7. Responde a perguntas que ainda não foram completadas.
8. Tem dificuldade para esperar sua vez.
9. Interrompe os outros frequentemente (isto é, se intromete em conversas ou brincadeiras).

Pesquisas indicam que 4% de todas as crianças em idade escolar atendem a esses critérios diagnósticos. Desde a popularização desse transtorno, uma porcentagem muito maior que esses 4% recebe esse rótulo. O problema foi descrito pela primeira vez no início dos anos de 1900 e passou por diversas mudanças de nome, como disfunção cerebral mínima, síndrome da criança hiperativa, transtorno de déficit de atenção com ou sem Hiperatividade, e agora transtorno de déficit de atenção e hiperatividade (ou TDAH).

Há muita controvérsia sobre o uso de medicação estimulante. Existem algumas pesquisas em andamento sobre isso, mas ainda pouco é sabido, pelo menos por parte do consumidor. Algumas crianças parecem responder à medicação. Há cerca de 35 anos, quando eu lecionava para uma turma de crianças com graves transtornos emocionais, havia um menino que não era capaz de permanecer sentado por tempo suficiente para aprender a ler. Ele foi medicado (Ritalina), e os resultados foram quase milagrosos. Mas, para mim, essa é uma exceção. Acho que alguns médicos recomendam medicação depressa demais. E muitos professores pressionam por isso. Pouco se sabe sobre os resultados do uso dessas drogas em longo prazo.

Reconheço dois grupos de crianças que apresentam os sintomas desse transtorno. Um deles é o das que manifestam os comportamentos cedo, talvez desde o nascimento. Alguns pesquisadores hoje indicam que o verdadeiro TDAH começa muito cedo — certamente por volta dos 3 ou 4 anos, e com frequência no nascimento. Ainda não se descobriu a causa desse transtorno. Talvez seja genético ou tenha alguma base neurobiológica. Talvez seja um sistema nervoso imaturo por conta de algum trauma que pode ter ocorrido no útero ou no parto. Talvez a criança tenha alguma sensibilidade aos alimentos que recebe. A culpa pode ser de toxinas ambientais, ou até de iluminação fluorescente. Ninguém sabe, por enquanto.

Outro grupo é o das crianças que começam a mostrar sinais de comportamento de TDAH depois dos 3 ou 4 anos, sobretudo por volta dos 5 ou 6, quando começam a escolarização formal. Algumas passam a exibir esses sinais até mais tarde que isso. Embora recebam frequentemente o rótulo de TDAH, acredito que existem causas emocionais e psicológicas para seus comportamentos.

Do ponto de vista da Gestalt-terapia, vejo esse transtorno como um problema de fronteira de contato, isto é, uma incapacidade de manter o contato com alguém ou alguma coisa, bem como um prejuízo no senso de *self*. O EU precisa estar intacto para a interação saudável com o ambiente.

Partindo desse ponto de vista, existe uma grande implicação para o tratamento. Se a criança tem um senso de *self* ruim, muito se pode fazer para ajudá-la a renovar, recuperar, fortalecer esse *self*.

Outro aspecto a ser considerado no planejamento do tratamento é que sintomas de TDAH podem ser vistos como deflexões, defesas ou evitações de emoções. De fato, houve um tempo em que a hiperatividade era considerada um sintoma de depressão infantil, e algumas formas de depressão podem ser vistas como sentimentos represados, em particular a raiva.

Para complicar ainda mais a situação, as crianças que exibem esses comportamentos, seja desde cedo ou um pouco mais velhas, e independentemente da etiologia, recebem muitas reações negativas, que exacerbam o senso ruim de *self* da criança. Como, no aspecto desenvolvimental, as crianças são confluentes — extraem seu senso de *self* do outro — e têm fronteiras imprecisas, os sintomas são muitas vezes acelerados devido a essas respostas negativas de outras pessoas. Desde o início da vida, as crianças lutam por separação, senso de *self* e definição de fronteiras na busca de saúde e maturidade. Como o *self* já é reprimido, elas aceleram o comportamento impróprio a serviço dessa busca, sem ter maturidade cognitiva e emocional para entender o que está acontecendo. Além disso, por serem egocêntricas (uma característica desenvolvimental) e assumirem responsabilidade por tudo que acontece, as crianças se culpam pelas respostas negativas que recebem e se sentem impotentes, incapazes de mudar. De novo, o impulso de vida as impele a encontrar meios de sentir algum poder. Provavelmente, é por isso que muitas dessas crianças — talvez 40% delas — também exibem comportamentos de transtorno de conduta.

Antes do tratamento vem a avaliação. Apesar dos sintomas comuns, cada criança é única, com suas experiências de vida e dinâmica familiar. Faço um histórico cuidadoso para ter uma ideia da vida do cliente. Nessa primeira sessão com a criança e os pais, dirijo a maioria das perguntas a ela. Como você dorme — tem pesadelos? De que tipo de comida gosta mais? Os pais podem colaborar em todas as perguntas (e algumas, é claro, tenho de fazer diretamente a eles). Quero saber quais são os padrões de sono e alimentação da criança (acredito que a dieta pode afetar o comportamento — certamente afeta o meu), histórico de saúde, relacionamentos com pares, situação da família, vida escolar, desenvolvimento inicial, perdas, trauma e assim por diante.

Depois dessa primeira sessão, faço mais umas quatro sessões avaliativas. Não uso procedimentos formais de testagem. A avaliação se baseia em observação e na minha experiência com a criança. Tenho interesse na capacidade dela para manter contato e em como ela usa habilidades de contato, como audição, visão, toque, fala. Avalio sua energia e seu nível de animação: há envolvimento, interesse, animação, empolgação — ou a falta deles? Sua voz é expressiva ou neutra, audível ou sussurrante? Presto atenção ao corpo da criança — como ela anda, senta, fica em pé, sua postura e como se move pelo ambiente de maneira geral. O corpo é restrito ou flexível? Tenho interesse no nível de resistência da criança e em como ela o manifesta. Essas são algumas das áreas que analiso, junto com o afeto, a capacidade para entender e expressar emoções, habilidades cognitivas gerais e apresentação geral. Preciso saber essas coisas a fim de determinar que tipo de experiência posso precisar oferecer em nossas sessões.

A relação entre mim e a criança é o elemento mais importante durante o trabalho que fazemos juntas, e nessas primeiras sessões presto muita atenção a isso. Para construir essa relação, preciso encontrar a criança onde quer que ela esteja em relação a desenvolvimento e comportamento.

Não posso esperar que ela seja alguém que não é. Tenho a responsabilidade de estar inteiramente presente e em contato, mesmo que ela não esteja. Vou esperar e honrar essa criança, e vou ser meu *self* autêntico sempre que estiver com ela. Respeito minhas fronteiras e não perco o senso de mim em nossos encontros. Acredito que esse tipo de relação constitui a essência de toda terapia. Embora essas primeiras sessões sejam avaliativas, também são terapêuticas.

Antes de discutir algumas abordagens específicas de tratamento, gostaria de dizer algumas palavras sobre a questão da estimulação. Quando trabalhava em escolas com crianças com transtornos sérios, algumas delas extremamente hiperativas — literalmente subindo pelas paredes —, a ideia popular da época era que essas crianças funcionavam melhor em ambientes neutros, não estimulantes. As crianças eram postas em cubículos para que não houvesse distrações enquanto faziam seus deveres escolares. Essa ideia contrariava tanto minha impressão e meu estilo de vida que era impossível, para mim, cumprir essa regra. E não cumpri. Minha sala era CHEIA de estímulos. Havia cores por todos os lados: cartazes, móbiles, interessantes centros de atividade. Nunca tive problema com isso, e acreditava, na verdade, que todas aquelas coisas maravilhosas na sala ajudavam a criança a manter o foco! Se eu levava alguma coisa nova, as doze crianças — meninos, na maioria — se reuniam em torno dela com interesse e atenção enquanto examinávamos e conversávamos sobre o que estava ali. Depois disso, muitas vezes eu via uma criança desviar a atenção do que estava fazendo e olhar para aquilo com prazer, evidente no sorriso em seu rosto. Também notei que, quando um avião passava, várias crianças corriam para a janela, abandonando as tarefas, e eu também corria para a janela, chamando os outros alunos para se juntarem a nós. Olhávamos o avião, dizíamos algumas coisas sobre ele, e todos voltavam satisfeitos e calmos para suas tarefas. Descobri que, quando nos concentrávamos na tal distração, eles se mantinham extremamente sintonizadas no contato e, depois disso, ficavam calmos e satisfeitos por um tempo.

Algumas pesquisas indicam que a estimulação melhora o desempenho de crianças com TDAH. Elas precisam de variabilidade, cor, novidade. Distração não é um grande problema com essas crianças e, de fato, um ambiente tedioso, sem nada que as distraia, acaba promovendo problemas. As crianças encontram maneiras de criar o próprio estímulo, nesses casos. É claro, todas as crianças respondem melhor a coisas coloridas, interessantes, que sejam novidade — e mais as que têm TDAH. A descoberta manda uma forte mensagem para as escolas. Nem preciso dizer que meu consultório é um lugar amigável, confortável, colorido, interessante.

Descobri, no entanto, que estrutura é importante. Crianças com TDAH têm fronteiras muito imprecisas e dificuldade para seguir regras. É claro que, quanto mais claros são para mim minhas fronteiras e meus limites, mais facilidade tenho para estabelecer esses limites com as crianças. Na sala de aula tínhamos estrutura, embora esta não fosse rígida e inflexível. Havia um tempo para trabalhar, um tempo para brincar e assim por diante. No meu consultório, temos um tempo determinado para as sessões e coisas que podemos ou não podemos fazer. Não podemos entrar e sair da sala. Todas as crianças me ajudam a arrumar tudo antes de irem embora, e controlo o ritmo das sessões para garantir que haja tempo para isso. Guardamos uma coisa antes de pegar outra. Não respingamos tinta pela sala, e minha mesa é território inacessível. É claro que nem todos acatam essas regras de início. Eu as repito com paciência sempre que necessário, e logo elas se tornam naturais nas sessões. Parte do meu tempo é dedicado a incentivar os pais a criar estrutura e limites para os filhos. As crianças ficam ansiosas em um ambiente onde não há estrutura nem limites claros, e, na busca de alívio para essa ansiedade, costumam se comportar mal.

À medida que a relação se desenvolve, presto atenção ao nível de contato da criança. Se ela tem dificuldade para manter contato — estar totalmente presente e envolvida comigo em alguma atividade —, ajudá-la a sustentar esse contato se torna minha prioridade. Crianças com TDAH não costumam sustentar contato. Billy, 8 anos, não ficou sentado quieto nem por um momento na primeira sessão, feita com a presença dos pais. Às vezes ele respondia a alguma das minhas perguntas, mas passou a maior parte do tempo sentado em uma cadeira que vira e balança. Billy a adorou. Em nossa primeira sessão sem os pais, ele correu de um objeto para outro, pegando uma coisa aqui, jogando ali. Eu o segui recolhendo tudo e falando sobre a regra de guardarmos uma coisa antes de pegarmos outra. É claro que ele me ignorou enquanto eu guardava cada objeto. Não ficava comigo por mais que alguns segundos. Não havia contato com nada nem comigo. Era importante que eu mantivesse uma atitude de aceitação genuína do comportamento dele. Eu sorria, falava sobre as regras de um jeito casual, embora firme, fazia comentários breves sobre coisas que ele pegava, apesar de ele já ter corrido para o objeto seguinte. Fiz todo esforço para me juntar a ele, mas ele não fez nenhum para se juntar a mim. No fim da sessão, Billy teve dificuldade para sair, e precisei levá-lo com gentileza e firmeza para a sala de espera, onde a mãe estava sentada, enquanto ele gritava e chorava sem parar. Tudo indicava que ele continuaria igual na sessão seguinte, mas não. Quando ele pegou um fantoche, eu peguei outro rapidamente e disse "oi" para o fantoche dele, como tinha tentado na sessão anterior. Dessa vez, no entanto, Billy hesitou antes de jogá-lo e correr para pegar outra coisa. Meu objetivo era fazer contato com ele e ajudá-lo a manter contato com alguma coisa. Ficar sentada observando enquanto ele corria por ali não teria sido produtivo.

O envolvimento e a interação do terapeuta com a criança, junto com uma atitude de não julgamento e aceitação, são aspectos essenciais, vitais do trabalho com crianças TDAH. O progresso pode parecer muito lento, isso se for visível. Não canso de enfatizar quanto é importante estar consciente das pequenas mudanças de segundos. Pense nisso como uma foto de *Onde está Wally* (Handford, 1987), em que você precisa observar com toda atenção o que está acontecendo. A menor mudança é progresso. Na quarta sessão, Billy foi capaz de se envolver comigo, sobretudo com fantoches, por alguns momentos. Senti o contato dele comigo e com os fantoches.

Na sexta sessão, uma coisa incrível aconteceu. Billy voltou ao cesto de instrumentos musicais, que tinha descoberto e examinado rapidamente em uma sessão anterior. Ele passou a sessão INTEIRA experimentando os instrumentos e participou comigo do processo musical básico (descrito em outro capítulo). Esse processo musical foi uma das atividades mais úteis no meu trabalho com crianças que têm TDAH. Envolve muito contato comigo, é agradável, interessante, variado, e proporciona um bom sentimento de autonomia para a criança. A essa altura, eu acreditava que Billy sentia confiança suficiente em mim para permanecer envolvido. Ele continuava tendo dificuldade para se separar da sala, e às vezes de mim, no fim de cada sessão. Eu dizia a ele com gentileza e firmeza que seu tempo tinha acabado, e passava um braço sobre seus ombros para conduzi-lo à sala de espera, onde um dos pais o aguardava. Depois de dois meses, isso deixou de ser um problema.

Sei que crianças com TDAH se saem melhor em situações um-para-um, nas quais têm total atenção do adulto. Alguns pais e professores manifestaram ressentimento por isso. "É claro que ele é ótimo com você, tudo que tem a fazer é estar com ele." O ressentimento desaparece quando explico que por isso a psicoterapia é especial. Posso tirar proveito desse tipo de interação para ajudar a criança a desenvolver fronteiras saudáveis e um forte senso de *self* que vai possibilitar que ela tenha um bom funcionamento no mundo exterior. É POR CAUSA desse tempo que temos juntos que isso pode acontecer. As experiências que a criança pode ter comigo são diferentes de todas as que ela pode ter em outro lugar. Experiência é tudo no trabalho com crianças. Jamais devemos minimizá-la.

O trabalho sensorial é um aspecto importante na construção do *self*. Quero ajudar a criança a se apoderar de seus sentidos: olhar, ouvir, tocar, saborear, cheirar. Na sala de aula, tantos anos atrás, doze meninos de 11, 12 e 13 anos, hiperativos e com transtornos graves, passaram longas horas tranquilas em torno de uma mesa fazendo pintura a dedo. A sensação escorregadia da tinta era deliciosa para eles, e enquanto pintávamos (sim, eu também pintava), eles tinham conversas maravilhosas entre si, compartilhavam pensamentos, opiniões e ideias e expressavam sentimentos represados de raiva e tristeza. Argila molhada também era algo de que gostavam. Muitas daquelas crianças não tinham tido oportunidade de experimentar atividades que são naturais ao desenvolvimento na primeira infância. Nunca é tarde para proporcionar essas experiências. Várias atividades sensoriais podem ser encontradas em livros de atividades para crianças muito pequenas, e algumas são descritas em meu livro *Descobrindo crianças*. Billy não gostava de argila, mas pintava com os dedos; ele adorava cheirar, tocar e sentir o sabor dos gomos no exercício com a laranja, descrito em meu livro; pintava enquanto ouvia música; e passou uma sessão inteira olhando com grande entusiasmo para várias coisas no meu consultório através de um caleidoscópio. O caleidoscópio estava sobre a mesinha na frente do sofá quando ele entrou. Rápido para perceber alguma coisa diferente, ele o pegou e gritou: "O que é isto?" Sugeri que olhasse através do instrumento. A melhor coisa que aconteceu foi que ele quis que eu também olhasse pelo caleidoscópio para cada coisa nova que descobria. Ali houve contato real.

Crianças hiperativas podem dar a impressão de que usam muito o corpo, mas essa utilização é sem objetivo, sem rumo. Elas têm uma imagem corporal pobre, falta de controle dos movimentos corporais, uma noção imprecisa das fronteiras do corpo. Então, fornecer várias experiências corporais é essencial. O terapeuta deve ser criativo, dependendo do espaço disponível. Pedi a uma criança que me mostrasse jeitos diferentes de cair sobre as almofadas. Experimentei alguns dos jeitos mais fáceis para ver qual era a sensação. Descobri que isso exige muito controle do corpo. Dramatização criativa, sobretudo mímica, é um modo excelente de usar o corpo. Encenar coisas que podemos fazer com os dedos (e adivinhar o que são), braços, cabeça, pés e assim por diante. Representar esportes e jogos, vários animais e situações específicas é divertido. Posso garantir, pela experiência que tenho com esses exercícios, que se adquire grande sintonia com o corpo, CONSCIÊNCIA do corpo quando se tenta transmitir uma mensagem sem usar palavras. Billy adorava representar (com palavras) enredos inteiros que ele desenvolvia e dirigia. Às vezes eu escolhia alguns objetos: um chapéu de feltro, um cinto, qualquer coisa, apresentava a ele e dizia: "Vamos fazer uma peça". Billy adorava fazer peças usando esses objetos. Muitas vezes, ele incluía alguma coisa do consultório — o par de algemas de brinquedo era sua escolha favorita. Eu era o ladrão e ele me prendia, ou às vezes ele me dirigia para ser quem o prendia. De qualquer maneira, havia movimento controlado, com propósito, como haveria em um palco de verdade. Ele dizia, por exemplo: "Não, você fica lá e eu vou me esconder aqui, e você não vai saber, e aí eu pulo e prendo você". Às vezes lutávamos com bastões de espuma resistente, dentro de um espaço pequeno e com regras bem específicas (começar e parar quando eu fizesse o barulho de um sino, sem bater na cabeça ou na frente do corpo). Às vezes lutávamos fingindo ser espaguete cru, depois espaguete cozido, ou duas pessoas de 100 anos de idade, ou um rei e uma rainha etc.

A respiração também é importante. Encher balões, mantê-los no ar soprando e fazer disso um campeonato é uma atividade popular. Acredito que as crianças com TDAH, bem como as ansiosas e medrosas, não respiram bem. A respiração plena, saudável, acalma e é relaxante. Exercícios de respiração que usam a imaginação também são muito úteis. A maioria dessas crianças relaxa. A musculatura é tensa e rígida, e há grande restrição dentro do corpo. Muitas das crianças com TDAH com quem trabalhei adoram artes marciais, e eu certamente recomendo essas aulas, se forem possíveis. Usei alguns exercícios interessantes de aiquidô no consultório.

Recentemente, me interessei pelo método Feldenkrais (Shafarman, 1997), desenvolvido pelo finado neurofisiologista israelense Moshe Feldenkrais. Trata-se de uma prática suave para ajudar pessoas com uma variedade de dores e transtornos físicos, bem como reações físicas ao estresse da vida, a se sentir saudáveis, plenas e confortáveis. Muitos profissionais praticantes de Feldenkrais trabalham com crianças e alcançam resultados impressionantes. Acredito que crianças com TDAH se beneficiariam muito com essa experiência.

Há várias terapias mente/corpo que podem beneficiá-las e que os pais podem aprender, como a terapia do campo energético (Arenson, 2001), que envolve ativar certos pontos de acupressão, e a escovação, atividade sensorial desenvolvida por Jean Ayres (1995). Ambas são fáceis de fazer e muito eficientes.

Alguns profissionais têm usado *biofeedback* com crianças com TDAH e alcançado resultados impressionantes.

Quando a criança começa a se conhecer por intermédio de experiências sensoriais e corporais, seu próprio ser começa a se fortalecer. Continuamos procurando abordagens para dar às crianças meios de definir suas fronteiras e sentir seu autossuporte.

Quero enfatizar a importância de dar a elas a oportunidade de fazer escolhas. Todas precisam dessa experiência, e aquelas com TDAH precisam ainda mais. No entusiasmo de criar limites, estrutura, rotina e ordem na vida dessas crianças, muitas vezes deixamos de permitir a elas prática suficiente no processo fortalecedor de fazer escolhas. Fazer uma escolha é exercitar vontade e julgamento. Requer sintonia com as funções de sentimento e pensamento, e até mesmo com o sentido intuitivo. Assumir a responsabilidade por uma escolha é uma experiência de aprendizado. Já vi até a criança mais agitada, inquieta e distraída ficar parada por muito tempo diante de uma pilha de folhas de papel cartão de cores variadas, escolhendo as três cores que foi orientada a selecionar. É quase possível ver o cérebro funcionando dentro da cabeça dela enquanto ela olha para a pilha de papéis, fortalecendo-se com o exercício. Frequentemente, ela pode ter medo de fazer a escolha errada, de se arrepender de sua escolha. Vai preferir que eu dê a ela as três cores, de forma que possa me culpar se não forem as certas para o seu projeto. Quando a criança desenvolve um *self* mais forte em nosso trabalho conjunto, as escolhas se tornam mais fáceis. Ela pode começar a dizer internamente: "Quero esta. Gosto desta. Não, não quero aquela". Ser capaz de fazer essas afirmações implica segurança de *self*, uma força de ser. Dou alternativas às crianças sempre que possível, e incentivo os pais a fazerem o mesmo. Ofereço vários materiais de artes para que elas escolham: giz de cera, marcadores, giz pastel, lápis coloridos, lápis comuns e diversos tamanhos de papel. Posso dizer: "Hoje você quer trabalhar com argila ou prefere criar uma cena na caixa de areia com essas miniaturas?" Às vezes a criança fica parada, em silêncio por vários minutos antes de decidir. Se ela é muito insegura, talvez diga: "Não sei", ou "o que você quiser que eu faça". Se sua energia estiver desaparecendo, faço uma sugestão. Se ela diz: "Não quero fazer nada disso", certamente reforço essa afirmação direta. Posso dizer: "Tudo bem, escolha alguma coisa que queira fazer".

Às vezes fazemos uma brincadeira que envolve fazer uma afirmação sobre o *self*, seguida de uma declaração de verdadeiro ou falso. Dou a afirmação à criança e ela responde com outra, por exemplo: "Você gosta da cor cinza". Ela repete a declaração: "Gosto da cor cinza. Humm. Falso", e assim por diante. Falamos sobre como ela soube que era falso — onde estava a pista em seu corpo. Às vezes usamos objetos reais ou imaginários: "Eu queria ter uma TV grande, colorida, só para mim. (Pausa) Verdadeiro!" A regra é que temos de fechar os olhos e esperar alguns segundos antes de responder. "Eu queria ir para a cama cedo todas as noites e nunca assistir à TV. (Pausa) Falso!" Esse exercício tem diversas variações e ajuda a criança a se sintonizar com aquela parte "intuitiva" do *self*, com as mensagens fornecidas pelo corpo. Experimente. Imagine que precisa dividir tudo que existe na sua casa com outra pessoa. Imagine-se pegando cada objeto e dizendo: "Quero isto — verdadeiro ou falso". É incrível como o corpo vai mandar mensagens para que saibamos o que escolher. Lembre-se de prestar atenção ao sinal do corpo e de não usar pensamento racional ou argumentativo.

Repito, a experiência de fazer escolhas reforça a individualidade da criança. Muitas coisas que fazemos juntos reforçam o senso de *self* — um requisito importante para crianças com TDAH. Vale a pena repetir que a relação em si mesma é um fator. Não represento um papel (exceto no contexto dos nossos jogos) — sou eu mesma. Não manipulo. Encontro a criança com honra e respeito. Mantenho minha integridade. Imponho regras e limites naturais ao *setting* em que estamos trabalhando de maneira gentil, clara e firme. À medida que a criança melhora as habilidades de contato, o *self* é melhorado. Olhar, ouvir, tocar, cheirar, saborear, mover-se, fazer declarações, expressar emoções: todas essas são funções de contato. Muitas crianças com TDAH são isoladas, restritas, inibidas, bloqueadas, interrompidas em uma, mais de uma ou todas essas funções. Quando elas se sentem mais elas mesmas por meio de experiências com suas funções de contato, quando sentem a confiança e a força para permanecer presentes e envolvidas comigo e com o que estão fazendo, seu *self* é fortalecido.

Oferecer oportunidades para a criança fazer muitas afirmações sobre o *self*, compartilhar pensamentos, opiniões, ideias, imaginações — isso favorece o autossuporte. Há numerosos jogos disponíveis para que isso se torne fácil e divertido de fazer. É importante ajudá-la a sentir autonomia. Muitas crianças com TDAH, bem como as que sofreram trauma ou viveram com famílias disfuncionais, não têm a oportunidade de conquistar a autonomia de que precisam em cada nível de desenvolvimento. Quando falamos em autonomia, geralmente pensamos em grandes realizações. Não é a esse tipo de autonomia que me refiro. Cada pequena realização é um tijolo para que a criança construa o senso de *self*. Quando o bebê se alimenta ou bebe sozinho de um copo, isso é autonomia. Quando ele descobre qual cubo se encaixa no outro cubo, isso é autonomia. Cada nível de desenvolvimento tem suas áreas de autonomia. Às vezes precisamos voltar e dar às crianças as experiências que elas perderam — como brincar de ser bebê e engatinhar, por exemplo. Billy, citado anteriormente, passou um tempo em algumas sessões lavando, com energia e prazer, as ferramentas e vasilhas que tínhamos usado com argila. Outra criança trabalhou na limpeza da mesa de argila e a deixou mais limpa do que jamais tinha sido. Outras gostam de entender um novo jogo, ou pensar em um jeito de dar a impressão de que um pássaro está voando na caixa de areia. As experiências de autonomia são muitas vezes inerentes às atividades em que estamos envolvidos, e às vezes preciso introduzi-las.

Sentir algum poder e controle dá à criança um sentimento de autonomia. Quando ela está em contato a ponto de começar a organizar a sessão e assumir o controle, sei que estamos fazendo grande progresso. Esse controle é importante e, é claro, deve sempre estar dentro dos limites e fronteiras do que é apropriado.

Outra maneira de ajudar as crianças a ganhar um forte sentimento de *self* é por intermédio de experiências com sua energia agressiva de maneiras seguras, positivas. Crianças com TDAH são confundidas por essa energia, já que com grande frequência é manifestada por atos de agressão, o que só cria problemas para elas. As crianças que são tímidas, medrosas e retraídas têm pouco acesso a essa energia, e aquele maravilhoso sentimento de poder nela contido é reprimido ou perdido. Esse tipo de energia precisa ser celebrado. Proporciono uma variedade de experiências para as crianças sentirem e expressarem seu poder de maneiras seguras, permissíveis, divertidas. Bater na argila com toda força possível usando um martelo de borracha, lutar com bastões acolchoados, desenvolver uma história na qual os bonecos se atacam, tudo isso serve a esse propósito. Tenho vários jogos que demandam esmagar ou bater em alguma coisa. O que é importante nessas atividades é nossa interação. A criança precisa saber que entro nessa brincadeira com ela e que isso é permissível. Fronteiras e limites são claramente estabelecidos. As crianças reprimidas encontram seu poder aos poucos, e as que estão livres de amarras podem desfrutar dessa energia que é controlada e usada com segurança. Nos dois casos, há um forte sentimento de *self*. Há quatro requisitos para o uso terapêutico da energia agressiva: 1. Ela deve ser experimentada em contato com o terapeuta. 2. Deve acontecer em um lugar seguro (o consultório do terapeuta) e com fronteiras claras. 3. A energia agressiva é exagerada. 4. Deve ser divertido.

O processo de Julie, 10 anos, era se desligar, demonstrando acentuado déficit de atenção. Isso é bem típico de uma criança que, como ela, sofreu abuso sexual durante vários anos por parte do padrasto. Desligar-se era seu *modus operandi* na vida, sobretudo em situações que considerava estressantes, como a escola. Julie recebeu o diagnóstico de TDAH, apesar de a medicação não surtir efeito. Isso não me surpreende, considerando que havia claras razões emocionais para ela ser desatenta. Acho que o ponto crucial no nosso trabalho juntas foi quando começamos a focar em acessar a energia agressiva. Julie era tímida e medrosa nesse tipo de atividade, mas na arena da diversão imaginária logo conseguiu se permitir participar. Eu me lembro de ter pedido a ela que pegasse um fantoche de que gostasse e, de maneira característica, ela escolheu um gatinho fofo. Peguei um grande jacaré com uma boca enorme e dentes que pareciam afiados. Ela ficou um pouco surpresa com isso. Eu falei como se grunhisse: "Oi, gatinho. Estou com muita fome e você parece bem bom para comer". Julie começou a recuar com o gatinho. "Você não pode fugir de mim", disse o jacaré. "Vou comer você. Mas É MELHOR NÃO ME BATER!" O jacaré gritou isso várias vezes enquanto se aproximava até chegar bem perto do gatinho. Julie, então, fez o gato tocar o jacaré com a pata de um jeito hesitante. "Ah! Você me bateu!

Você me bateu! Eu disse para não me bater!", gritou o jacaré, e caiu no chão. Julie respondeu: "Faz isso de novo! Faz isso de novo!" Essa é uma frase que ouço muitas vezes de várias crianças quando uso um cenário semelhante. Repetimos a cena diversas vezes a pedido dela — toda a hesitação desapareceu. De fato, uma história completa se desenvolveu a partir desse início, com outros fantoches malvados surrados pelo gatinho. Esse tipo de apoio ajudou Julie a confrontar o boneco de argila que representava seu padrasto — coisa que ela nunca tinha se disposto a fazer antes. Quando os sentimentos dela emergiram, os sintomas de TDAH desapareceram.

Tive esse tipo de experiência com crianças inúmeras vezes. Como vimos, muitas delas, sobretudo as que manifestam sintomas de TDAH depois dos 4 anos de idade, estão simplesmente evitando sentimentos que são dolorosos ou que causam muita pressão ou confusão quando encarados. A criança que não consegue (ou não se dispõe a) expressar sentimentos contidos certamente pode ter dificuldade para ficar sentada e quieta, prestar atenção, se concentrar. Sei que quando estou aborrecida ou brava com alguma coisa e não lido com isso, nem sempre sabendo o que é, fico muito agitada, tenho problemas para me acomodar, esqueço coisas, perco coisas. Finalmente, em algum ponto, vou me obrigar a prestar atenção ao que estou sentindo. Às vezes choro. Às vezes preciso esmurrar um travesseiro. Às vezes escrevo o que me vem à mente. Às vezes converso com alguém sobre o que for. De qualquer maneira, a clareza vem e me sinto muito melhor. As crianças não têm capacidade cognitiva e emocional para se dedicar a esse tipo de reflexão sobre si mesmas. Crianças ansiosas vão ter medo de se envolver em qualquer tipo de atividade — de fazer contato real. Vão se mover constantemente de uma coisa à outra, incapazes de dar toda sua atenção a alguma coisa. Aquelas que têm medo, raiva, estão de luto ou ansiosas sempre terão todos ou vários sintomas de TDAH.

Alguns anos atrás, Jeff, um menino de 12 anos, foi levado ao meu consultório por causa do comportamento gravemente hiperativo. Os pais pensavam que ele era daquele jeito desde que conseguiam se lembrar, e que estava piorando. Tinham tentado medicação, mas não ajudou. Todos os professores estavam perturbados; os pais estavam perturbados. Levá-lo para a terapia não os agradava, mas eles decidiram tentar esse último recurso. Enquanto fazia a anamnese, soube que aos 7 anos Jeff sofreu um grave acidente de automóvel com a mãe, que morreu. Ele se recuperou e, depois de um tempo de hospitalização, foi morar com o pai e a madrasta. (Os pais se divorciaram quando ele era muito pequeno.) Quando perguntei aos pais como lidaram com a situação, eles exclamaram: "Queríamos que ele esquecesse aquilo quanto antes e começasse uma nova vida. Não adianta olhar para trás". O pai achava que Jeff exibia sintomas de hiperatividade bem antes do acidente, mas não tinha muita certeza. "Ele sempre foi uma criança ativa", disse. Embora Jeff definitivamente manifestasse comportamento hiperativo depois do acidente, os pais nunca o relacionaram ao trauma.

Quando pedi ao menino que me contasse sobre o acidente de automóvel, ele me disse que não se lembrava de nada. Também não conseguia lembrar muita coisa da vida com a mãe. Na verdade, ele mal se lembrava da aparência dela.

Jeff e eu dedicamos muitas sessões a *awareness* sensorial e corporal. Ele fez alguns desenhos, trabalhou com argila, criou cenas na caixa de areia. Gostou dessas atividades e nunca foi hiperativo no meu consultório. Seu trabalho era bem superficial. Isso não é um julgamento; só quero apontar que nunca nos aprofundamos muito no *self* e nos sentimentos de Jeff. Ele ia só até certo ponto, depois se fechava. Então, um dia, depois de nove meses comigo, Jeff sonhou com a mãe. (Incentivo as crianças a tentarem se lembrar de seus sonhos.) Ele fez um desenho do sonho (às vezes peço à criança que crie uma cena do sonho com argila), e trabalhamos com isso. Depois desse trabalho, as comportas de sua memória se abriram. Ele se lembrou de tudo. Fez desenhos sobre o acidente. Pintou o sangue na cena do acidente. Fez desenhos do hospital e de sua casa antes de ir morar com o pai. Fez desenhos da mãe e de algumas coisas que se lembrou de terem feito juntos. Ele falou com um boneco de argila da mãe e expressou sua tristeza. E também sua raiva por ela o ter deixado. Isso tudo não aconteceu ao mesmo tempo, mas ao longo de uma série de sessões. Às vezes só jogávamos juntos. As crianças não têm apoio suficiente para manter o *momentum* em uma situação como essa; precisam de um tempo para interromper o movimento e assimilar o que emergiu. Isso não é resistência no sentido de se fechar. Depois de um tempo, eu voltava de um jeito casual e gentil ao assunto do trauma. É claro que havia muitas questões a elaborar, algumas com a família. No fundo, Jeff sentia que era um menino muito mau. Em primeiro lugar, ele se culpava pelo acidente e pela morte da mãe, como fazem as crianças. Em segundo lugar, recebia muita reação negativa por causa da hiperatividade. E, no início, a madrasta não estava muito animada com a ideia de ter um novo filho em tempo integral. Já era mãe de dois outros filhos, o que complicava a situação.

Quando Jeff se abriu para os lugares profundos dentro de si, seu comportamento mudou por completo. Ele não exibiu mais sintomas de TDAH, começou a ir bem na escola e em casa. De vez em quando se desligava ou se tornava hiperativo novamente, e aprendeu que fazia isso para encobrir os sentimentos sobre alguma coisa que estava acontecendo em sua vida. Sabendo disso, ele podia escolher um jeito seguro de expressar esses sentimentos.

Uma menina de 11 anos foi encaminhada para a terapia por causa do comportamento de grave "desligamento". Cathy era desatenta às aulas, sempre esquecia de fazer o dever de casa e sempre perdia coisas. Como estava ficando atrasada na escola, a professora recomendou que ela fosse levada a um médico para ser medicada. Os pais decidiram falar comigo primeiro. É claro que era aconselhável ter certeza de que Cathy gozava de boa saúde, mas instei os pais que evitassem a medicação naquele momento. A história da criança indicava que ela provavelmente estava reagindo ao estresse de sua vida. Os pais tinham se divorciado quando ela tinha 5 anos, mais ou menos. Ambos se casaram novamente. A mãe teve outro filho. Ela passava uma semana com a mãe e uma semana com o pai no esquema de guarda compartilhada. Pai e mãe eram atentos e participativos. Embora não houvesse nenhum grande trauma na vida de Cathy, as mudanças e o estresse eram suficientes para afetá-la.

Cada criança desenvolve um processo na vida, um jeito de ser a fim de lidar com as coisas, sobreviver, ter suas necessidades atendidas, crescer. Não se sabe por que uma criança escolhe um jeito de ser e outra escolhe um jeito diferente. O processo de Cathy era "se desligar" a fim de se proteger de situações e sentimentos desagradáveis. À medida que as crianças crescem, os comportamentos de *coping* não desaparecem sem intervenção — são acelerados, apenas. Ao se tornar mais velha, Cathy poderia encontrar jeitos mais adolescentes de "se desligar", como usar drogas e, na vida adulta, consumir álcool. A vida raramente fica mais fácil para as pessoas — só mais complicada. Mudanças de vida afetam as crianças. Vivemos em uma sociedade mutável, muito estressante, e devemos estar alertas para como as crianças são afetadas. Os pais precisam de habilidades para ajudá-las a passar por essas mudanças e ocorrências da vida. As crianças muitas vezes se culpam por quaisquer coisas negativas que aconteçam, como um divórcio, e têm dificuldade para falar sobre isso — ou mesmo para entender o que é aquele sentimento vago, desconfortável. Além disso, têm sentimentos mistos sobre acontecimentos como um novo casamento, o nascimento de um bebê ou ir de uma casa para outra a fim de passar semanas alternadas com cada um dos pais. Podem se sentir felizes, empolgadas e aliviadas, mas também sentem raiva, ciúme, tristeza, medo e preocupação. Os sentimentos mistos confundem as crianças, e elas vão tentar evitá-los e afastá-los. Podem mostrar os bons, pois esses recebem aprovação. Mas os sentimentos negativos fervem dentro delas e causam uma variedade de comportamentos e sintomas inadequados. Os pais precisam saber que devem encontrar meios de ajudar os filhos a expressar esses sentimentos negativos, ruins e feios sem fazer a criança se sentir mal ou culpada por expressá-los. Perguntar "você se sente aborrecido com isso?" não ajuda. Perguntas fazem as crianças se fecharem ou se sentirem expostas. Elas vão dizer "não", ou "não sei", ou vão dar de ombros. Às vezes, fazer uma afirmação para a criança, como "aposto que você não gostou quando a mamãe e o papai se divorciaram", ou "aposto que você fica cansado de ir e voltar para estar com a mamãe e o papai" é extremamente eficiente. A criança muitas vezes assente com grande alívio por ter seus sentimentos articulados.

Presumo que muitos desses sentimentos negativos existem e depois encontro maneiras interessantes e divertidas de ajudar as crianças a lidar com eles. Posso errar de vez em quando — e, se erro, as crianças me informam de maneiras que sei que são autênticas. Normalmente estou certa. Precisamos proporcionar maneiras de tornar essas expressões divertidas e interessantes, porque as crianças têm medo do peso e da seriedade das situações e de seus sentimentos. Por isso exageramos vários sentimentos de um jeito que faz as crianças rirem. Por exemplo, para Cathy, fiz uma apresentação de teatro de bonecos em que um casal de bichos discutia em voz alta sobre coisas comuns. A cena termina com os pais decidindo se divorciar. A cena seguinte mostra uma filha (um boneco de animal de novo — raramente uso bonecos de aparência humana, a menos que sejam caricaturas) falando com a plateia (Cathy) de forma exagerada sobre como se sentia em relação ao divórcio. "Odeio isso! Não QUERO que eles se divorciem. O que vai acontecer comigo? Oh, céus, oh, céus. O que devo fazer? A culpa deve ser minha!

Se eu tivesse sido uma menina melhor, isso não teria acontecido." Na cena seguinte, o boneco da filha expõe aos pais todos os seus sentimentos. Eles se desculpam, a abraçam, dizem que a amam e que ela não fez nada para provocar o divórcio. Ela grita: "Mesmo assim, não gosto disso!" O espetáculo termina aí. O propósito aqui não é tornar a coisa melhor, encontrar uma solução ou pacificar a situação, mas trazer à tona os sentimentos que presumo que Cathy está tendo, e que muitas, muitas crianças têm em situações como essa. Cathy adorou esse espetáculo e fez um parecido para mim. Em dado momento, eu disse: "Aposto que às vezes VOCÊ se sente como o boneco se sentiu". Não foi uma pergunta, só uma afirmação que Cathy poderia aceitar ou rejeitar. Sua resposta foi um sincero "É!" Já ouvi crianças dizerem enquanto assistiam a um espetáculo semelhante: "Isso é como a minha vida!"

Técnicas similares foram usadas com outros acontecimentos na vida dela usando desenhos, argila, a caixa de areia, dramatização criativa, música, jogos. As possibilidades são infinitas. Eu lhe pedi que fizesse uma cena na areia que representasse o divórcio em sua vida, e ela fez um cemitério com uma lápide de brinquedo que comprei em Nova Orleans (era uma embalagem de doces), com um boneco da mãe de um lado da caixa de areia e um boneco do pai do outro lado. O boneco de uma menina foi posto na frente da lápide. "Divórcio é como alguém morrendo", ela disse. Pedi-lhe que fizesse o boneco da menina falar com o do pai e o da mãe. Diversos sentimentos emergiram, sobretudo raiva. Cathy ficou muito satisfeita com essa atividade, e o prazer de fazer a cena na areia deu apoio para a expressão de seus sentimentos negativos.

É muito difícil para a criança expressar a raiva que é mantida escondida. Às vezes ela sai de maneira descontrolada, o que só piora as coisas. Se a criança se sente culpada pelo divórcio, por exemplo, como expressar sua raiva? Ela ama o pai e a mãe — como pode ficar com raiva deles? Ela odeia quando os dois ficam bravos com ela. Eles vão morar em casas separadas — talvez ela seja abandonada e não tenha mais um lugar onde morar. É melhor guardar os sentimentos só para si. A criança pode não articular esses pensamentos para si mesma. Quase sempre, são sentimentos viscerais. O organismo, em sua eterna busca de saúde, procura se livrar da energia bloqueada, levando a criança, acredito, a se comportar de maneira problemática. No caso de Cathy, a busca do organismo por equilíbrio pressionando os sentimentos bloqueados resultou nos sintomas de TDAH. A menina conseguiu expressar muitos de seus sentimentos no nosso trabalho e para os pais, em sessões familiares. O comportamento de "se desligar" desapareceu. Tudo isso levou cerca de nove meses de sessões semanais de 45 minutos.

Sinto que é importante acrescentar aqui que, embora tenha planos e objetivos para minhas sessões com crianças com base nas questões pertinentes à minha avaliação de suas necessidades terapêuticas, não tenho expectativas. O que acontecer na sessão, no meu encontro com a criança, ou com a criança e os pais dela, é o que acontece. É importante que eu mantenha esse tipo de atitude — aceitar o que acontecer —, pois acredito que ter expectativas é plantar o fracasso. Isso não significa que não avalio a sessão e revejo o que aconteceu. Há muito o que aprender com isso.

Trabalhar com os pais é uma parte contínua e vital do que faço. Quando eles são interessados e envolvidos, o progresso acontece mais depressa. É importante que os pais entendam o processo de terapia e que eu dedique um tempo a explicar isso a eles. A maioria deles fica grata por essa informação. Vejo os pais com a criança a cada quatro ou seis semanas. Às vezes usamos esse tempo para discutir questões, como o pequeno cliente está se saindo em casa e na escola, preocupações que os pais podem ter, e às vezes eles participam com a criança de alguma técnica expressiva, como desenhar, um exercício com argila, um jogo. Se há outras crianças na família, envolvo a todos conforme for necessário.

Uma das questões mais importantes que abordo com as famílias tem que ver com a raiva — como cada família expressa raiva, o que acontece quando a expressam, que tipo de coisa os deixa com raiva, como sentem a raiva no corpo. Às vezes peço a cada um que desenhe algo que o deixa com raiva. Um exercício que dá bons resultados é pedir a cada pessoa que diga a cada um dos membros da família: "Uma coisa de que gosto em você é..." E depois: "Uma coisa que me deixa furioso (ou não gosto, ou me irrita de vez em quando) é..." Não há discussão durante o jogo — isso fica para mais tarde. Esse exercício ajuda a criança a ver que a raiva é natural e permissível, e pode ser declarada com calma e sem explosão. Às vezes peço a cada pessoa que classifique a família em uma escala de 1 a 10, ou 1% a 100%, sendo o número mais alto o perfeito. Por exemplo, em uma família, o pai deu uma classificação de 80%, a mãe, 60% e Allen, 12 anos, 40%. Pedi a cada um que argumentasse sobre o que faltava na família para chegar a

100% e falasse sobre a parte boa também. Essa foi uma das sessões mais esclarecedoras que tivemos.

Muitas vezes dou "dever de casa" aos pais. Essa lição de casa é apresentada como um experimento a ser feito por um tempo limitado — uma ou duas semanas, e deve ser dividida em itens pequenos, viáveis, práticos. Por exemplo, peço ao pai ou aos pais que pratiquem estabelecer limites, decidindo sobre um limite específico e tratando de mantê-lo. Muitos pais de crianças com TDAH têm dificuldade para estabelecer e impor limites, e acredito que isso causa muita ansiedade em seus filhos, o que piora os comportamentos e sintomas de TDAH. Ajudo os pais a entenderem que leva um tempo para a criança responder aos limites estabelecidos, sendo necessário estipular regras com paciência, firmeza e consistência. Falamos sobre "consequências naturais" adequadas ao nível de desenvolvimento da criança. Sou totalmente contra violência, inclusive tapas. Há métodos mais gentis, eficientes e duradouros, e só vi resultados negativos de bater em uma criança por QUALQUER razão. É claro que, no início, ela vai se rebelar contra os limites. Isso é completamente natural e esperado. As crianças têm o direito de ficar com raiva, azedas, mal-humoradas. Alguns pais querem que os filhos acatem os limites e fiquem felizes e animados com eles, provavelmente porque isso os faz se sentir melhor.

Uma das partes mais importantes do processo terapêutico tem que ver com ajudar a criança a aprender a autonutrição. Como vimos, crianças com TDAH absorvem inúmeras mensagens negativas sobre si mesmas. As crianças pequenas não só se culpam por todas as coisas ruins que acontecem com elas, mas, por causa da sintomatologia desagradável, recebem muitas respostas desfavoráveis, o que reforça ainda mais a culpa e os sentimentos ruins em relação ao *self*. Sem intervenção terapêutica, esses introjetos negativos permanecem por toda a vida. Grande parte do trabalho que fazemos envolve ajudar a criança a recuperar e fortalecer o *self* que foi isolado, inibido e restrito. No entanto, à medida que ela faz ganhos, existe aquela parte do *self*, em geral uma parte mais nova, que ainda retém essas mensagens negativas. Portanto, devemos ajudar a criança a fazer contato com essa parte e nutri-la. Atitudes parentais modificadas são maravilhosas, mas, via de regra, não mudam essas crenças prejudiciais a respeito do *self*. Essa é uma tarefa para a própria criança — tarefa que se torna mais viável quando o autossuporte está presente.

Posso pedir à criança que faça um desenho, ou escolha um boneco, ou faça uma forma com argila para representar uma parte de si mesma de que não gosta. (Essas partes geralmente representam a mensagem negativa em relação ao *self*, ou o introjeto negativo.) Por exemplo, Billy, 8 anos, já mencionado neste capítulo, escolheu um boneco que lembrava aquela "minha parte que me cria problemas". Meu boneco — costumo escolher um bem neutro — conversou com o de Billy, que me contou todas as maneiras de criar problemas para Billy. "Como se sente sobre essa sua parte?", perguntei diretamente a Billy. "Odeio!", ele respondeu com veemência. Incentivei-o a falar com o boneco "Criador de Problemas" e dizer isso a ele. Billy gritou para o boneco: "ODEIO você! Queria que fosse embora!" Eu o incentivei porque sabia que, embora estivesse gritando consigo mesmo, o que vivia era a experiência de manifestar externamente muita raiva reprimida, em vez de permitir que voltasse para si mesmo. Dessa forma, o menino dava a si mesmo o apoio de que precisava para entrar em contato com seu *self* cuidadoso. Perguntei a Billy há quanto tempo essa parte estava com ele. Ele respondeu: "Toda minha vida". Eu disse: "Você se lembra dele aos 4 anos?" Billy fez que não, balançando a cabeça. "E aos 5, quando você começou a ir à escola?" Ele fez que sim. Propus: "Vamos fingir que ele tem 5 anos — é só um menino pequeno. Pegue um boneco que possa ser a fada-madrinha dele". Ele pegou. "O que a fada-madrinha diz para ele?" Com um pouco de ajuda, Billy conseguiu dizer coisas como: "Você é legal. Gosto de você. Não faz as coisas por maldade. Você é um menino legal, bom. Às vezes só quer que as pessoas escutem, brinquem com você". Eu lhe pedi que deixasse o boneco da fada-madrinha de lado e ele mesmo dissesse essas coisas ao boneco que criava problemas. Ele disse. "Como se sente dizendo essas coisas a si mesmo?", perguntei. Billy respondeu: "Bem!" Pedi-lhe que escolhesse em casa alguma coisa para ser aquela parte dele com 5 anos, talvez um ursinho de pelúcia, e dissesse coisas agradáveis para ela todas as noites durante uma semana. Assim, Billy começou a integrar aquelas partes negativas ao *self* mais forte, mais saudável. Veja o capítulo sobre autonutrição para ter mais informações sobre esse processo.

Como se vê o tratamento de crianças diagnosticadas com transtorno de déficit de atenção e hiperatividade não é muito diferente do tratamento de qualquer outra criança em terapia. O processo terapêutico é natural ao desenvolvimento de toda criança. O terapeuta só o adapta às necessidades do cliente, levando em consideração a singularidade e as experiências de vida de cada um. Toda criança tem o direito inerente de desenvolver, fortalecer e expressar todos os aspectos de seu organismo: o corpo, os sentidos, as emoções e o intelecto. Quando elas começarem a conhecer tudo de si mesmas e forem capazes de conectar-se com seu mundo de maneiras gratificantes, saudáveis, seu caminho de vida e seu crescimento serão alegres.

12. Um jeito inovador de usar música

Vários anos atrás, tive o privilégio de participar de um *workshop* de uma semana com o renomado músico Paul Winter em sua comunidade musical, na fazenda dele em Connecticut. Fiquei profundamente tocada com a experiência e pensei que, se me afetou daquele jeito, talvez eu pudesse adaptar esse método para o meu trabalho com crianças. A resposta foi ainda melhor do que imaginei. Gostaria de descrever para vocês algumas experiências que tive com as crianças, os vários formatos que usei e, o mais importante, os efeitos terapêuticos. Tenham em mente que sempre é difícil traduzir com palavras algo que precisa ser experimentado.

Antes de começar, reúna uma coleção de instrumentos, como tambores de vários tamanhos, pandeiros, chocalhos, castanholas, apitos, gongos, xilofones e outras coisas que produzam som. Todos esses objetos podem ser guardados em um cesto grande. Não importa com quem estou trabalhando — uma criança, família ou um grupo de crianças, adolescentes ou adultos —, todo mundo precisa de um tempo para experimentar os instrumentos. Geralmente, esvazio o cesto no chão (o que já é um acontecimento) e cada objeto é escolhido e examinado por sua qualidade sonora. (Recomendo que se sentem no chão para essa experiência.)

DESCRIÇÃO DO PROCESSO BÁSICO

Esse exercício costuma ser feito com uma pessoa, mas já o utilizei com sucesso com mais duas, ou até mais três. Cada pessoa escolhe um instrumento da pilha para começar. O cliente começa a tocar o instrumento como desejar. Depois de alguns momentos, eu começo a tocar junto. Depois de alguns momentos tocando juntos, o cliente para e eu toco sozinha. O cliente então escolhe outro instrumento e se junta a mim. Depois de alguns momentos, eu paro de tocar e o cliente toca sozinho. Escolho um novo instrumento e me junto ao cliente. Depois de um tempo, o cliente para e eu toco sozinha.

O cliente então escolhe um novo instrumento e toca comigo, e assim por diante. Pode levar algumas rodadas para "decolar", mas em geral acontece depressa. Não falamos. De vez em quando posso ter de sinalizar com a mão para parar, tocar sozinho, tocar comigo.

O que exatamente está acontecendo aqui? A experiência e os benefícios variam conforme a criança. Por exemplo, James, 11 anos, é fisicamente tenso e rígido, controlador na relação com colegas, irmãos e parentes. As emoções estão presas dentro dele. Durante o tempo em que fizemos essa experiência com música, seu corpo relaxou visivelmente e ele se mostrou solto e fluido. Gostou da estrutura do processo e começou a me dar sinais com as mãos para eu parar e começar, assumindo um controle apropriado. Fizemos esse processo diversas vezes; aos poucos, a resposta do corpo se expandiu para outras áreas da vida, e ele passou a expressar alguns sentimentos contidos em nossas sessões.

Outro cliente, Steve, 8 anos, está sempre em movimento. Ele recebeu o diagnóstico de TDAH e nem medicação o acalma. Quando fazemos música, ele fica focado e relaxado e permanece na atividade durante toda a sessão, por escolha própria. Em nossas últimas sessões, ele se interessou por muitas outras atividades, e seu novo senso de *self* está se expandindo para a vida doméstica e escolar.

Eu mesma tenho um maravilhoso sentimento de vivacidade quando participo desse processo. Eu me sinto — é um sentimento de mim mesma. Tenho consciência da minha respiração, do meu corpo, das minhas fronteiras. É difícil traduzir esse sentimento em palavras — é preciso experimentá-lo. Quando a criança e eu fazemos música juntos, olho para ela e imagino que sente o *self* como eu. Escrever sobre essa experiência é difícil para mim. O que fazemos é basicamente "do lado direito do cérebro", não linear e não verbal. Estou tentando descrever uma experiência com palavras, embora repita várias vezes que é difícil expressá-la desse modo. Espero poder transmitir pelo menos a essência dessa experiência tão valiosa.

Na terminologia da Gestalt-terapia, podemos dizer que está acontecendo contato em seu melhor sentido. Contato requer que se tenha um senso de *self* ao encontrar o outro. Implica fazer bom uso das funções de contato: ouvir, olhar, tocar, saborear, cheirar, mover-se. Contato requer *awareness* dos vários aspectos do organismo: os sentidos, o corpo, as emoções, o intelecto. Crianças que fazem contato pobre com outras pessoas —

pares, irmãos, pais, professores — são isoladas, restritas em alguns ou todos os aspectos do organismo. Essas crianças adotam defesas inadequadas, ou manifestam sintomas físicos prejudiciais. O fluxo saudável de autorregulação organísmica é interrompido. Elas não só têm dificuldade para fazer contato satisfatório e saudável, como costumam ter um senso de *self* fraco e baixa autoestima.

As experiências desse processo de música melhoram e fortalecem o *self* e as funções de contato. A criança experimenta um sentimento de autonomia. Juntar-me ao ritmo da criança enquanto tocamos nossa música é, provavelmente, a parte mais significativa desse processo.

Johan, meu aprendiz da Alemanha, observou a experiência musical descrita acima entre mim e Steven, 8 anos. Ele disse: "Quando você estava tocando os ritmos com Steven, acompanhando o ritmo dele, eu o observava. Ele estava tão envolvido — seu rosto — que tinha aquela expressão de extrema satisfação por sentir que você estava com ele. O menino mudava o ritmo, você mudava o seu para acompanhá-lo e ele respirava muito fundo. Era como se estivesse testando você para ver se de fato estava com ele. A cor do rosto mudou — ele se iluminou. Dava para ver que ele gostava daquilo de verdade, que ganhava alguma coisa com aquilo. É muito difícil expressar com palavras". Aí está essa declaração de novo. É difícil descrever essa experiência com palavras. Definitivamente, trata-se de uma aventura em um reino não verbal.

Essa forma básica tem infinitas possibilidades. Muitas vezes, em algum ponto, depois de tocarmos juntos, pergunto à criança como ela se sente. A resposta típica é "bem" ou "feliz". Então, sugiro que toquemos "bem" ou "felizes" usando quaisquer instrumentos diante de nós. Talvez peça outro sentimento a seguir. "Que tal triste? Pense em alguma coisa que faz você se sentir triste. Eu me senti muito triste quando meu gato desapareceu. Sobre o que é seu sentimento de tristeza? Não precisa me dizer, se não quiser. Agora vamos tocar triste."

Pensamos em outros sentimentos ou estados do ser: com medo, bravo, entediado, com raiva, bobo.

É comum que, quando percorremos os sentimentos, eu sinta uma espécie de espiral expressando mais e mais do sentimento, até decidir que é o bastante; estou satisfeita. Terminei por ora. Fiz algum fechamento. Fazer os sentimentos soarem juntos me dá uma sensação de apoio; não estou sozinha com meu sentimento. Há um amigo comigo, olhando para mim, sorrindo para mim, mesmo que eu esteja triste, brava ou com raiva. Sinto que alguém me entende, alguém me aceita. Não importa como é o som aos seus ouvidos, eu estou sentindo alguma emoção profunda e sem palavras dentro de mim. Como seria muito difícil para a criança articular o que está experimentando, só posso projetar a minha experiência e imaginar que ela se sente como eu.

VARIAÇÕES

Melissa, 10 anos, é uma criança silenciosa que recebeu o diagnóstico de mutismo seletivo. Quando estou com ela, fico quieta, a encontro tanto quanto posso onde ela está. Ela faz alguns desenhos, cria cenas na caixa de areia, forma objetos de argila e balança a cabeça para dizer sim ou não quando faço perguntas. Seu nível de energia costuma ser baixo. Quando fizemos o processo musical, houve uma mudança clara em sua atitude: vi a empolgação e a energia crescerem dentro dela. Falamos uma com a outra por meio dos sons musicais. Quando passamos para a porção de sentimento, o entusiasmo de Melissa aumentou. Os olhos dela brilharam quando tocamos felizes e doidas. Os lábios se contraíram quando tocamos bravas. Os olhos se encheram de lágrimas, como os meus a observando, quando tocamos tristes. E no fim, quando perguntei como se sentia por dentro, ela respondeu: "Bem" — a primeira palavra que a ouvi pronunciar. Os sentimentos de Melissa eram esmagadores devido a um trauma grave. Tocar música era uma maneira de expressar não verbalmente alguns de seus sentimentos com mais poder e congruência do que com qualquer outro meio que tínhamos usado, e aos poucos a ajudou a sentir apoio suficiente para se expressar com palavras.

Às vezes crio uma história sobre sentimentos diferentes — uma história metafórica, talvez sobre um cachorro que se perdeu e está muito triste, e tocamos a música para essa história. "Era uma vez um cachorrinho que morava com uma família que ele amava muito. Um dia, ele decidiu fazer uma grande surpresa para o menino da família indo encontrá-lo na escola. Quando ninguém estava olhando, o cachorro saiu correndo. Ele tinha certeza de que conhecia o caminho, mas as ruas pareciam diferentes. Ele subiu uma rua e desceu outra. Começou a chover, e fazia frio e ventava. O cachorrinho se encolheu em uma soleira e não sabia o que fazer. O que você acha que aconteceu?" Cada criança cria um cenário diferente, e tocamos nossa música para cada um deles. É claro que muitas vezes a história da criança é uma projeção de alguma coisa na vida dela, algo sobre o que podemos conversar, se quisermos.

Percebo que minha história também é uma projeção, é claro! Quando eu estava no jardim da infância em Cambridge, Massachusetts, deveria esperar em certo local da escola por uma criança mais velha, que ia me encontrar e me acompanhava até em casa todos os dias. Certo dia, decidi declarar minha independência e fui para casa sozinha. E me perdi. Todas as ruas eram parecidas, mas nenhuma me levava para casa. Comecei a chorar quando percebi que o mundo era grande demais para mim. Um homem parou e perguntou se podia me ajudar, e eu disse a ele que estava perdida. Falei onde eu morava (na verdade, dei o endereço da alfaiataria do meu pai, onde passava muito tempo brincando). Confiei no homem e o segui até a loja do meu pai (logo na esquina). Meu pai ficou totalmente surpreso ao me ver, e eu fiquei tão cheia de alegria quando o vi que ele não foi capaz de me repreender. E nem precisou, porque com essa experiência aprendi a aceitar quem eu era — uma menina pequena em um mundo grande.

Às vezes conto a história de uma menina que ouviu os pais brigando certa noite, quando tentava dormir. A briga tinha esse som (tambores altos e barulho de chocalho). Ela ficou com medo quando ouviu a briga, porque talvez eles fossem se divorciar. Vamos tocar como ela deve ter se sentido. Saber alguma coisa sobre a criança é útil para a criação de histórias — embora haja muitos sentimentos e situações universais com os quais todos podemos nos identificar.

Às vezes uso imaginação. "Feche os olhos e imagine que está na praia. Sinta o sol em suas costas. Ouça o barulho das ondas. Abaixe-se e deixe os dedos brincarem com a areia. Sinta o cheiro do mar. Sinta o gosto do sal na boca. Você vê alguém empinando uma pipa. De que cor ela é? (Espere a resposta da criança.) Que formato ela tem? Você sente uma brisa leve na pele — a mesma que movimenta a pipa. Abra os olhos e vamos tocar música para a pipa." Essa imagem é particularmente boa para ajudar a criança a desacelerar, centrar o *self*, voltar ao chão antes de sair do consultório e retornar ao mundo exterior.

As crianças chegam com muitas ideias criativas para acrescentar à experiência. Uma cliente de apenas 6 anos de idade sugeriu que fizéssemos uma história de continuação e tocássemos música uma para a outra. Comecei uma história sobre uma menina perdida em uma floresta, e Lisa tocou música de perdida na floresta. "Era uma vez uma garotinha que foi dar um passeio na floresta. De repente, ela percebeu que estava perdida! Não sabia qual era o caminho de volta! (Outra história de criança perdida!) Então, ela ouviu um estalo. Olhou em volta e uma bruxa má apareceu de trás de uma árvore. O que aconteceu depois?" Quando comecei a tocar música de bruxa má, Lisa apontou para um dos instrumentos, dizendo-me com os olhos que AQUELE seria mais apropriado para música de bruxa má. E assim continuamos.

É importante mencionar que todas as variações que citei — expressar sentimentos, imaginação, contar histórias — vieram DEPOIS de termos feito o formato básico descrito no início. Penso que a experiência de contato que acompanha o processo — tocar sozinho, juntar-se ao outro e tocar junto, retirar-se, juntar-se novamente — é um pré-requisito essencial para mais nuances do processo. Fornece o autossuporte de que a criança precisa para se expressar mais.

Usei esse processo de fazer música com irmãos e com famílias. Susan, 9 anos, adorou esse processo musical e quis que a mãe participasse. Sua mãe era alcoólatra em recuperação, participava de reuniões do AA havia poucos meses. Susan fora vítima de abuso físico de pai e mãe, então divorciados. Ela quase nunca via o pai. Literalmente lutava pelo controle de sua vida em casa e na escola, com os colegas. Nós três nos sentamos no chão com os instrumentos e eu expliquei o processo à mãe dela. O formato que usamos foi o mesmo descrito anteriormente, mas agora éramos três, em vez de duas. De repente, Susan disse: "Mãe, só olha para as minhas mãos — eu vou dar os sinais quando você tiver que entrar e quando tiver que parar. Um dedo significa 'entra', e dois significam 'para'. Você também, Violet, olha para os meus dedos". Susan assumiu o controle da sessão dentro da estrutura e da moldura do formato musical. A mãe dela entendeu. Em vez de começar a habitual disputa de poder, deu à filha o controle nesse cenário aceitável e apropriado, que tinha fronteiras claras. Anteriormente, eu lhe havia pedido que proporcionasse situações em que Susan pudesse sentir algum poder e controle de maneira segura. Depois dessa experiência musical, ela percebeu o valor da minha solicitação.

Como vimos, as crianças inventam inúmeras maneiras de usar a música. Em outra sessão, Susan pediu à mãe e a mim que tocássemos música para seu espetáculo de bonecos. Novamente, assumiu a persona de um autêntico maestro, movendo braços e dedos para nos mostrar quando tocar, quando parar e até que instrumentos tocar.

Quero descrever outro tipo de formato que uso com grupos. Pode ser uma família ou o tipo de grupo mais tradicional. A técnica funciona bem com um grupo de quatro, cinco ou até seis. Se o grupo é grande, o restante dos membros compõe a plateia, e depois os espectadores se tornam os músicos. Originalmente, este capítulo foi escrito como um roteiro para uma gravação de áudio, e, quando fiz a gravação, havia no estúdio três crianças (irmãos) e a mãe delas. Estas foram as instruções que dei às crianças:

"Quero que se sentem em volta dos instrumentos (amontoados no chão), um de cada lado, formando uma espécie de círculo. Vocês têm alguns minutos agora para testar os instrumentos e ver que sons eles produzem.

"Muito bem, agora quero que cada um de vocês escolha um ou dois instrumentos. Vamos fechar os olhos por alguns instantes. Os ouvintes vão manter os olhos fechados, mas depois de alguns instantes os que estão no centro podem abrir os olhos, se for preciso. Assim que cada um de vocês se sentir pronto, comece a fazer um som com seus instrumentos. Eu gostaria de enfatizar que não estamos interessados em melodia ou ritmo sustentado, apenas sons. Vocês podem experimentar vários tipos de som e maneiras diferentes de produzi-lo, como tocar baixinho, ou alto. Podem tocar depressa ou devagar. Podem querer ficar em silêncio por alguns instantes para ouvir os outros sons. Podem querer fazer contato com alguém entre os outros e se comunicar pelos sons. Se sentir uma urgência de pegar outro instrumento da pilha para fazer um som especial, como um sino, um gongo ou um tambor, vá em frente! Depois de um tempo, você vai sentir que é hora de parar, e vai precisar prestar atenção a esse lugar de parada. Se for necessário, eu aviso quando devem parar, porque temos um limite de tempo hoje.

"Então, vamos todos fechar os olhos e respirar fundo algumas vezes. Recolham-se dentro de vocês por alguns instantes. Ouçam o silêncio. Deixem-se cercar por ele. Quando alguém se sentir pronto, é só começar. Os outros, eu e a equipe do estúdio, vamos ficar de olhos fechados e ouvir. Podemos ver algumas imagens mentalmente enquanto vocês tocam, ou os sons talvez nos façam lembrar de alguma coisa."

O grupo fez esse exercício por cerca de oito minutos e parou sem eu precisar sinalizar. Pedi às crianças e às mães que contassem como foi a experiência, e depois aos ouvintes que contassem a deles. Sempre que estou ouvindo um desses exercícios, é como uma meditação. Às vezes imagino que estou no bosque ouvindo todo tipo de sons da natureza.

Não faz muito tempo, apresentei esse processo a uma família que estava em terapia comigo. Os pais tinham reclamado que as duas crianças, de 8 e 10 anos, não os ouviam nem cooperavam com nada. Os pais tinham pouca *awareness* de sua responsabilidade pelo comportamento dos filhos. "Como foi isso para vocês?", perguntei aos meninos depois da experiência deles com música. Os dois concordaram que foi divertido. "Contem o que viram as outras pessoas fazerem", pedi. Um deles respondeu: "Bem, eu notei que Jimmy (o de 8 anos) tocava muito alto".

Jimmy: "Tive que tocar alto para você me ouvir."

Eu: "Você sente que seus pais não te ouvem muito?"

Jimmy: "Sim, eles nunca me ouvem."

Eu: "Algum de vocês sentiu que, com seus sons, estava falando para outra pessoa?"

Jason (10 anos): "Eu estava fazendo aquele negócio no tambor com minha mãe, e acho que ela respondeu para mim com as baquetas."

Mãe: "É verdade, respondi. Foi legal."

Eu: "Isso faz você lembrar de alguma coisa na sua vida diária?"

Mãe: "Bem, às vezes acho que o Jason é mais parecido comigo."

Jimmy: "É, você gosta mais dele do que de mim."

Mãe: "Jimmy, isso não é verdade. Eu te amo muito!" (Jimmy se senta no colo da mãe.)

Eu me dirijo ao pai: "Como foi sua experiência com a música?"

Pai: "Não sei. Eu só estava tocando os instrumentos. Não estava prestando atenção ao que os outros faziam."

Mãe: "Isso é o que ele faz sempre! Segue sozinho, e sobra para mim fazer tudo com as crianças."

Eu: "Você parece brava."

Mãe: "Bom, eu estou! Odeio quando ele faz isso. Acho que reflete nos meninos, sobretudo no Jimmy."

Pedi à família que repetisse o processo musical com algumas mudanças. "Quero que você, pai, se envolva mais com o que os outros estão fazendo. E Jimmy, tente tocar um pouco mais baixo. Quanto aos outros, façam um esforço para ouvi-lo."

Depois da segunda tentativa, todos concordaram que houve uma grande diferença, exceto Jimmy. O pai exibiu um sorriso largo. Jimmy ainda sentia que ninguém o escutava.

Eu: "Escolha alguém da família, Jimmy, aquele que menos ouve você."

Jimmy escolheu o pai. Eles tentaram o processo mais uma vez, e dessa vez o pai, sem nenhum incentivo, sorriu para Jimmy e seguiu o ritmo dele. Jimmy ficou muito feliz. Pai e mãe concordaram sobre terem aprendido mais com essa sessão de música do que com qualquer outra sessão que tivemos. Algumas dinâmicas que causavam dificuldades foram apresentadas a eles de maneira simbólica através dessa agradável experiência. Eles me disseram que a metáfora da experiência musical tornou-se parte da comunicação familiar, e houve mudanças muito positivas. Depois disso, havia mais motivação para trabalhar nas sessões seguintes sobre as várias questões que emergiram quando a família fez música.

Sempre que famílias se dedicam juntas a algum tipo de exercício, a dinâmica familiar, isto é, como eles se relacionam e reagem uns aos outros, é cristalizada. Questões que precisam ser abordadas vêm à tona.

Examinando o que aconteceu nessa sessão, o que mais me impressiona são as percepções que os pais tiveram ao sair de uma experiência agradável e divertida. Acho que o prazer da experiência proporcionou um recurso muito positivo para lidar com alguns aspectos negativos e dolorosos das interações dessa família. Além disso, acredito que a experiência não verbal de fazer música melhora a *awareness* e permite que as pessoas sejam mais receptivas e menos defensivas. Vi o mesmo tipo de coisa acontecer quando propus às famílias exercícios com argila. Nem todas estão dispostas a "brincar" com música, argila ou outro meio criativo. Elas querem tratar dos assuntos sérios em questão. Preciso ser convincente em relação à importância da experiência. Mas é verdade que as famílias que se dispõem a participar dessas aventuras criativas, expressivas, são mais propensas a responder e realizar mudanças positivas. Uma das coisas que mais impressiona nos pais é que eles veem claramente quanto as crianças ouvem mais durante e depois da experiência. Como "não ouvir" é uma queixa importante de pais e filhos, só isso já é um bom argumento. Os filhos estão SEMPRE dispostos a fazer alguma coisa que exclua conversar.

Fazer música foi um ponto crucial no meu trabalho com Jeff, 13 anos. Ele tinha muitos motivos para sentir raiva, mas negava que havia alguma coisa que o deixasse bravo. Ele morava com o pai, que o levou para a terapia porque Jeff ia mal em todas as disciplinas na escola e não fazia nada em casa. Em determinada sessão com o pai, pedi a Jeff que dissesse algumas coisas que o pai fazia e o deixavam bravo. (O pai sempre falava com liberdade sobre o que o enfurecia no filho.) Jeff respondeu: "Nada". Seu corpo enrijeceu, ele desviou o olhar e sua energia desapareceu. O contato foi rompido. O pai disse: "Isso é o que sempre acontece quando tento conversar com ele". Sugeri que tentássemos algo novo e diferente — a experiência musical. Sentamo-nos os três no chão e participamos do primeiro processo descrito acima. Jeff disse: "Isso é bobo", enquanto tocava os instrumentos vigorosamente. Depois de um tempo, parei e pedi a pai e filho que "conversassem" um com o outro por meio dos instrumentos. Depois sugeri que tocassem música "brava" um para o outro. Jeff e o pai atenderam à solicitação rindo, com muita energia. Finalmente, perguntei se tinham alguma coisa a dizer um ao outro com palavras. Jeff respondeu: "Estou com muita raiva por você nunca se divertir comigo!" As linhas de comunicação estavam abertas.

Gostaria de descrever um formato que é maravilhoso para usar com grupos — quanto maior o grupo, melhor. Cada pessoa escolhe um instrumento. Alguém é escolhido para começar a tocar seu instrumento, fazendo um som contínuo. Depois de alguns momentos, a segunda pessoa se junta à primeira. Depois a terceira se junta às duas, e assim por diante. Então, todos estão fazendo seu som ao mesmo tempo. Os sons costumam ser consistentes, isto é, ninguém se desvia para um ritmo novo (embora sempre haja espaço para tentar e ver o que acontece). Os sons cumulativos são muito satisfatórios, sobretudo quando o grupo é composto por dez ou mais pessoas. Muitas vezes, pessoas acrescentam o som de vozes, ou se levantam e se movem enquanto tocam. Depois de um tempo, a pessoa que começou para de tocar. Depois a seguinte, e assim por diante, até que a última pessoa toca sozinha.

Sempre que participo dessa experiência, sinto-me parte de uma orquestra maravilhosa. Sinto que estou conectada a todo mundo. Sinto-me alegre e relaxada. Experimento um sentimento de autonomia. Sinto-me realizada e talentosa.

Há outras maneiras de fazer sons, além de usar instrumentos. Aliás, QUALQUER instrumento pode ser usado. Não é necessário saber tocar saxofone, piano, violão etc. Basta saber produzir o som de cada instrumento. (Isso pode ser complicado com alguns, como a flauta.) Podemos fazer sons com o corpo: bater em várias partes produz sons diferentes. Podemos fazer sons com a boca usando a língua e os lábios para soprar e estalar. Podemos fazer todo tipo de som com a voz. Podemos bater no chão com as mãos e os pés. É divertido fazer experiências com todos esses sons e usá-los sozinhos, ou associados aos instrumentos.

Escrevi sobre meu modelo do processo terapêutico em capítulos anteriores. Quero explorar com vocês as diversas maneiras como essas técnicas de fazer música se misturam com esse processo.

No começo, focamos em estabelecer uma relação com a criança. Em Gestalt-terapia, falamos sobre a relação eu-tu, na qual duas pessoas se encontram com respeito e honra uma pela outra. Esse tipo de relacionamento é um pré-requisito fundamental para qualquer trabalho terapêutico — na verdade, é terapêutico em si mesmo. Quando nos encontramos como dois seres com direitos, a criança é capaz de experimentar o próprio *self*, as próprias fronteiras. A própria natureza dessa experiência musical atende aos requisitos para uma autêntica relação eu-tu, e quando tocamos juntos a relação floresce.

O próximo passo está ligado à questão do contato. Falei sobre isso antes e gostaria de reiterar parte do que escrevi, já que esse é um passo muito importante. Se a criança é incapaz de sustentar contato, não há como fazer muita terapia. Contato implica a capacidade de estar plenamente presente no momento e usar as funções de contato para tornar isso possível. Se me pego distraída e fora de contato, só preciso voltar à *awareness* do que meus olhos veem à minha volta, dos sons que meus ouvidos escutam, do cheiro ou sabor que sinto, e do que minhas mãos podem tocar. Volto ao aqui e agora.

O contato se amplia quando reconheço as sensações presentes em meu corpo, como formigamento, dores e incômodos, tensão, relaxamento. Reconhecer as emoções, independentemente de escolher compartilhá-las ou não, fortalece ainda mais minha habilidade de estar presente. E, por fim, ser capaz de comunicar o *self* — meus pensamentos, opiniões, necessidades, vontades, desejos, gostos e desgostos, e assim por diante — amplia minhas habilidades de contato. Um bom contato também envolve a capacidade de se retrair de forma adequada, em vez de se tornar enrijecido em um espaço presumivelmente de contato. Contato é um fenômeno fluido — encontrar-se e afastar-se, encontrar-se e afastar-se.

As experiências musicais promovem o contato e a melhora de suas funções. O primeiro formato descrito é especialmente excelente para melhorar o contato através do processo de tocar sozinho, juntar-se no ritmo e ouvir um ao outro. Nossos sentidos estão operantes, em especial a audição. E na nossa contação de histórias e imaginação, os outros sentidos são acionados de maneira proposital.

Sempre direciono a *awareness* da criança para o corpo nessas experiências. Por exemplo: "O que temos que fazer para tocar pandeiro? Que partes do corpo usamos e o que acontece com o restante do corpo quando tocamos?" Descobrimos que tudo é conectado. Fazer sons com o corpo também cria nova *awareness* corporal. As crianças ficam tensas e relaxam durante o processo, tornam-se fluidas onde antes eram rígidas. A respiração tem papel importante nessas experiências. Às vezes, as mudanças na respiração são nitidamente visíveis. Crianças (e adultos) tensas e ansiosas prendem a respiração periodicamente e respiram de um jeito muito raso. Quando a criança participa da experiência musical, começa a respirar mais profundamente, de um jeito mais completo, saudável.

O passo seguinte no processo terapêutico demanda o que chamo de trabalho de *self*, ou ajudar a criança a desenvolver um forte senso de *self*, encontrar autossuporte dentro de si, sentir autonomia e poder, definir e fortalecer as fronteiras do *self* e usar a energia agressiva que impede a expressão do *self* e a expressão emocional. Todo o trabalho que fazemos para fortalecer as funções de contato e aumentar a *awareness* corporal visa aprimorar o *self*. Aprender a expressar o *self* de forma cinestésica e verbal confere mais autossuporte. Cada vez que a criança faz uma afirmação sobre si mesma, ganha autossuporte. Vejo as experiências musicais como uma forma de autoexpressão. Quando participo, sinto que a cada vez estou fazendo uma afirmação sobre mim mesma. Como descrevi antes, sinto a mim mesma de um jeito intenso. O processo da pessoa se torna mais claro no exercício musical, como ficou evidente pela descrição da experiência de uma família. Além disso, o exercício dá aos membros da família a oportunidade de experimentar novos tipos de autoexpressão.

Acredito que essa energia tem papel importante no aprimoramento do *self*. Sempre falo sobre ajudar a criança a encontrar sua energia agressiva. Não me refiro àquele tipo de agressão que fere ou prejudica as pessoas, mas a uma energia que permite à criança sentir toda a força de seu poder, ela mesma, e se apresentar ao mundo sentindo que tem esse direito. Muitas crianças que sofreram trauma, sobretudo abuso sexual, se apresentam de modo tímido, medroso, passivo. Louise era assim. Ela fora sexualmente abusada pelo padrasto durante vários anos antes que ele fosse descoberto. Louise lidava com o trauma sendo uma menina muito boazinha, passando despercebida tanto quanto podia. No nosso trabalho, eu esperava ajudá-la a restaurar aquele *self* animado que ela teve quando bebê. Embora se dispusesse a fazer tudo que eu sugeria (era sempre difícil para ela tomar decisões por conta própria), Louise resistia passivamente a tudo que se relacionava com a expressão da raiva. Preferia fazer biscoitos e pizza com a argila a bater nela; nunca conseguia pensar em nada que a deixasse brava; dizia gostar de tudo, até de couve-flor e brócolis; escolhia o boneco do gatinho fofo e nunca olhava para os monstros ou qualquer coisa com dentes afiados; e NUNCA aceitava travar uma luta comigo usando os bastões acolchoados. Durante o tempo em que trabalhei com Louise, o processo musical entrou em minha vida. Ela adorou e até pediu que o repetíssemos muitas vezes. Em todas elas eu notava que sua postura corporal, cor do rosto e nível de energia mudavam. Ela se sentava mais ereta, o rosto adquiria uma cor saudável e a energia era alta. A mãe dela, que participava com frequência, também notou esses fenômenos. Um dia, quando estávamos tocando vários sentimentos com os instrumentos, sugeri que tocássemos bravas (eu tinha sugerido isso antes, mas Louise tocou sem vontade, de um jeito letárgico.) Dessa vez, Louise disse: "Sim!", como se ouvisse essa sugestão pela primeira vez, e começou a bater nos tambores com grande vigor. "Consegue pensar em coisas que deixam você brava?", perguntei. Ela sorriu e assentiu. "Eu também!", respondi, enquanto batucava com ela, cheia de energia. Louise tinha encontrado sua energia agressiva, e desse ponto em diante nossa jornada terapêutica tomou um rumo novo. Todos os aspectos dela até então suprimidos passaram a fluir. Era como se ela tivesse derrubado a comporta que bloqueava a criança espontânea, viva e enérgica dentro dela.

Com o novo autossuporte recém-encontrado, Louise conseguiu trabalhar muitas de suas emoções contidas, o passo seguinte do processo terapêutico. A música foi uma de suas vias favoritas para expressar as emoções anteriormente sufocadas de raiva e tristeza, embora ela também fizesse bom uso de desenhos, argila, exercícios de imaginação e fantasia, fantoches, dramatização criativa e da caixa de areia. Todas essas técnicas são poderosas para ajudar a criança a expressar emoções profundas bloqueadas. Acho interessante que certas técnicas sejam mais eficientes com algumas crianças do que com outras. Em geral, não tenho consciência de que a música, por exemplo, vai ser um ponto crucial para a expressão emocional de um cliente específico. Às vezes sinto de um jeito intuitivo que a música vai funcionar com uma criança em particular. Ou estou apenas me agarrando a possibilidades. Ou estou empolgada para experimentar o processo. Quando comecei a experimentar o processo musical, meu interesse e minha motivação para usá-lo eram tão grandes que era difícil um cliente resistir à proposta! Eu o usei com todo mundo. Uma criança tinha uma tremenda revelação, enquanto outra só achava que era divertido. (Devo dizer que ainda não houve ninguém que não tenha gostado do processo.)

Às vezes, a música é o catalisador que permite que a criança expresse suas emoções. Outras vezes, o que permite isso é o apoio que as experiências com a música dão a ela. A música é um veículo para a expressão segura. Muitas vezes, quando a criança toca um sentimento em particular, vamos mais fundo nesse sentimento. Depois que Elise, tocou sentimentos tristes para uma história que criamos, perguntei se a história a fazia lembrar dos próprios sentimentos. Ela me contou sobre sua tristeza quando os pais a deixavam com a babá. Eu lhe pedi que se desenhasse triste nessa situação. Ela desenhou uma menina em uma casa, com lágrimas descendo pelo rosto. Pedi a Elise que fosse essa menina e falasse por ela. "O que ela estaria dizendo?", perguntei. Ela respondeu: "Estou chorando porque minha mãe e meu pai não estão aqui. Gosto da babá, mas quero minha mãe e meu pai. Não gosto quando eles saem". "Qual é a pior coisa que poderia acontecer?", perguntei. "Eles não voltarem", ela sussurrou. Elise tinha sido abandonada aos 7 anos pela mãe biológica. Nunca conheceu o pai biológico. Agora, aos 10 anos, depois de ter passado por dois lares provisórios, morava com a nova família que a adotara. Por isso ficava triste quando os pais saíam à noite. No entanto, antes da experiência musical, ela nunca fora capaz de expressar o sentimento. Elise tinha um medo de abandono que a debilitava. Trazer seus sentimentos à tona era um pré-requisito vital para sua jornada de cura.

Um passo importante nessa jornada de cura foi aprender a nutrir a menininha dentro dela, que havia sofrido tanto trauma. O trabalho de autonutrição, como o chamo, é um dos últimos passos no processo terapêutico. Em resumo, meu objetivo aqui não é só ajudar a criança a cuidar da criança menor dentro dela, mas ajudá-la a saber aceitar, gostar e cuidar de si mesma no presente. É comum que as crianças recebam uma mensagem dupla sobre se divertirem. Esperamos que elas brinquem e se divirtam, mas muitas vezes lhes transmitimos a mensagem de que só pensam em se divertir, são preguiçosas e irresponsáveis. Elas ficam confusas e sentem culpa por se sentirem bem. Crianças com transtornos, perturbações e traumas sentem que, de alguma maneira, são responsáveis pelas coisas ruins que lhes aconteceram. Fizeram alguma coisa errada. Elas introjetaram, engoliram inteiras, assimilaram muitas mensagens enganosas sobre si mesmas desde muito pequenas, e essas mensagens podem permanecer com elas e interferir em uma vida feliz, produtiva. Vejo que mesmo que os pais mudem a maneira de se relacionar com os filhos, que tentem dar a eles novas mensagens positivas, as crianças ainda conservam as antigas mensagens e um sistema de crenças danosas sobre o *self*. Ensinar a criança a se perdoar, amar e nutrir é um trabalho vital. Encontrar alegria em aspectos da própria vida, divertir-se, rir, fazer coisas de que gosta, pelas quais se interessa, com as quais sente prazer — esses são elementos essenciais para levar uma vida saudável, produtiva, nutritiva.

A experiência musical é uma experiência nutritiva. Cada vez que participo dela com uma criança, sinto alegria e felicidade dentro de mim. O prazer da criança é inconfundível. Há calma e serenidade para mim e para ela. Mesmo quando estamos batendo nos tambores para expressar raiva, fazemos isso com prazer.

A experiência musical pode ser usada como veículo para comunicar-se com a criança interior mais nova e nutri-la. Elise usou a música para me mostrar como aquela garotinha se sentiu em vários momentos da vida, quando as palavras não eram acessíveis para ela. Algumas dessas experiências foram pré-verbais, na verdade. Elise desenvolveu o próprio jeito de falar com sua criança interior por intermédio da música, com uma linguagem privada e própria.

Quando experimentar os vários formatos musicais com seus clientes, suas experiências podem ser diferentes das minhas. Talvez você descubra aspectos terapêuticos que não são mencionados aqui. Você e seus clientes vão inventar maneiras novas e criativas de usar essa abordagem. De qualquer maneira, sei que você vai ter uma experiência rica, excepcional.

Só não esqueça: não existe nota errada.

ADENDO

Esta é uma história que alguém mandou para mim há algum tempo.

Em 18 de novembro de 1995, Itzhak Perlman, violinista, subiu ao palco para um concerto no Avery Fisher Hall no Lincoln Center, na cidade de Nova York. Se você já esteve em um concerto de Perlman, sabe que subir ao palco não é uma conquista pequena. Ele teve pólio na infância. Por isso tem aparelhos nas duas pernas e anda com o apoio de muletas. Vê-lo atravessar o palco passo a passo, lentamente e com dificuldade é algo que impressiona. Ele anda com dificuldade, mas de um jeito majestoso, até chegar à cadeira. Então se senta e, lentamente, põe as muletas no chão, solta as presilhas dos aparelhos nas pernas, ajeita um pé para trás e estende o outro para a frente. Depois se abaixa e pega o violino, o acomoda sob o queixo, assente para o maestro e começa a tocar.

A essa altura, a plateia já está acostumada com esse ritual. Todos ficam sentados em silêncio enquanto ele atravessa o palco até sua cadeira. E continuam naquele silêncio reverente quando ele solta as presilhas nas pernas. Esperam até ele estar pronto para tocar. Mas, dessa vez, algo deu errado. Quando ele terminava as primeiras notas, uma corda do violino arrebentou. Deu para ouvir o estalo — foi como um tiro na sala. O significado daquele som era evidente. Como era evidente o que ele tinha de fazer. As pessoas que estavam lá naquela noite pensaram: "Agora ele vai ter de se levantar, fechar as presilhas dos aparelhos, pegar as muletas e sair do palco para ir buscar outro violino, ou procurar uma corda para aquele".

Mas não foi o que aconteceu. Em vez disso, ele esperou um momento, fechou os olhos e assinalou para o maestro começar de novo. A orquestra recomeçou, e ele seguiu tocando de onde havia parado. E tocou com paixão, poder e pureza como nunca tinham ouvido antes. É claro, qualquer um sabe que é impossível tocar uma obra sinfônica com três cordas. Eu sei disso, você sabe disso, mas naquela noite Itzhak Perlman se recusou a tomar conhecimento disso. Era possível ver que ele modulava, modificava, recompunha a peça em sua cabeça. Em dado momento, foi como se ele estivesse desafinando as cordas para tirar delas sons novos que nunca tinham sido produzido antes. Quando ele terminou, fez-se um silêncio terrível na sala. E em seguida as pessoas se levantaram e aplaudiram. Houve uma extraordinária explosão de aplausos de todos os cantos do auditório. Ficamos todos em pé, gritando e assobiando, fazendo tudo que podíamos para demonstrar quanto apreciávamos o que ele havia feito. Ele sorriu, limpou o suor da testa, levantou o arco para silenciar a plateia e então disse, num tom baixo, pensativo, reverente: "Sabem, às vezes é tarefa do artista descobrir quanta música é possível fazer com aquilo que restou".

Então, talvez nossa tarefa neste mundo instável, em rápida transformação e surpreendente em que vivemos seja fazer música. Primeiro com tudo que temos; depois, quando isso não for mais possível, fazer música com qualquer coisa que tivermos.

Epílogo

Eu poderia escrever muito mais, mas eu precisava parar em algum lugar. Como sempre disse nos *workshops* que conduzo, não posso atender às necessidades de todo mundo. Espero que você encontre aquilo de que precisa nos capítulos que escrevi. Conduzi *workshops* ao longo dos anos sobre alguns temas que não incluí aqui: divórcio, abuso na infância, uso da mídia a serviço da terapia. Não escrevi sobre usar fantoches, metáforas terapêuticas ou outras técnicas específicas. Também não escrevi sobre trabalhar com pais e famílias, ou o que acontece na primeira sessão. Não incluí cinco histórias infantis que escrevi há muito tempo e ainda adoro. Tenho um grande envelope cheio de perguntas que as pessoas fizeram em meus *workshops* e pensei que um capítulo (ou livro) sobre "As perguntas que as pessoas me fazem" seria útil. Não incluí um caso do início ao fim, como alguns solicitaram. (Ver meu capítulo chamado "From meek to bold" [De dócil a ousado] no livro *Play therapy in action* [Ludoterapia em ação].)

Provavelmente, não é bom focar o negativo, exceto por me ajudar a perceber que existe em meu coração e em minha mente uma riqueza de material sobre trabalhar com crianças e adolescentes, algo que pode demorar mais anos do que me restam para escrever e compartilhar. Esse tipo de percepção é uma coisa boa, porque me faz sentir muito viva.

Quando faço meu programa de treinamento anual de duas semanas, enfatizo que não quero que as pessoas me imitem, mas que encontrem o próprio caminho para usar o que aprendem ali.

Tivemos muitas conversas maravilhosas sobre esse assunto. Acredito que encontrar o próprio caminho abre incríveis possibilidades criativas e liberta você para se tornar um terapeuta vital. Então, espero que você use toda informação que considerar útil neste livro, e permita que ela seja assimilada pela pessoa maravilhosa que você já é.

Boa sorte e tudo de bom.

VIOLET OAKLANDER

Referências

AMERICAN Psychiatric Association. *Diagnostic and statistical manual of mental disorders (DSM-5)*. Washington: APA, 2013. [Ed. bras.: *Manual diagnóstico e estatístico de transtornos mentais (DSM-5)*. São Paulo: Artmed, 2014.]

ARENSON, G. *Five simple steps to emotional healing.* Nova York: Fireside, 2001.

AYRES, J. *Sensory integration and the child.* Los Angeles: Western Psychological Services, 1995.

BEISSER, A. "The paradoxical theory of change." In: FAGAN, J.; SHEPHERD, I. L. (orgs.). *Gestalt therapy now.* Nova York: Harper, 1970, p. 77-80.

BOWLBY, J. *Attachment, separation and loss.* Nova York: Basic Books (1973-1983). [Ed. bras.: *Apego e perda.* São Paulo: Martins Fontes, 2002-2004.]

BROWN, G. I. *Human teaching for human learning.* Nova York: The Gestalt Journal, 1972 e 1990.

BUBER, M. *I and thou.* Nova York: Scribner, 1958. [Ed. bras.: *Eu e tu.* 6. ed. São Paulo: Centauro, 1974.]

EOS Interactive Cards. *Oh Cards.* Victoria: Eos Interactive Cards, s/d.

GOODMAN, L. *Linda Goodman's sun signs.* Nova York: Bantam, 1971.

HANDFORD, M. *Where's Waldo?* Boston: Little Brown and Co., 1987. [Ed. bras.: *Onde está Wally?* 15. ed. São Paulo: Martins, 2011.]

JOLLES, I. *A catalog for the qualitative interpretation of the House-Tree-Person (H-T-P).* Los Angeles: Western Psychological Services, 1986.

KÜBLER-ROSS, E. *On death and dying.* Nova York: Macmillan, 1973. [Ed. bras.: *Sobre a morte e morrer – O que os doentes terminais têm para ensinar a médicos, enfermeiras, religiosos e aos seus próprios parentes.* São Paulo: Martins Fontes, 2017.]

LUSCHER, M. *The Luscher color test.* Nova York: Pocket Books, 1971.

MAYER, M. *There's a nightmare in my closet.* Nova York: Dial Books, 1968. [Ed. bras.: *Um pesadelo no meu armário.* São Paulo: Kalandraka, 2006.]

MCCONVILLE, M. *Adolescence — Psychotherapy and the emergent self.* São Francisco: Jossey Bass, 1995.

MOONEY, R. L. *Mooney Problem Check List.* Nova York: The Psychological Corporation, 1951.

Murray, H. A. *Thematic Apperception Test.* Lutz: Psychological Assessment Resource, Inc. 1943. [Ed. bras.: *Teste de Apercepção Temática.* São Paulo: Casa do Psicólogo, 2005.]

Oaklander, V. *Windows to our children.* Moab: Real People Press, 1978. [Ed. bras.: *Descobrindo* crianças. São Paulo: Summus, 1980. Uma nova tradução desta obra será publicada pela Summus em 2023.]

______. *Windows to our children.* Nova York: The Gestalt Journal Press, 1988.

Perls, F. *Ego, hunger and aggression.* Nova York: Vintage Books, 1947. [Ed. bras.: *Ego, fome e agressão.* São Paulo: Summus, 2002.]

Phillips Jr., J. *The origins of intellect, Piaget's theory.* São Francisco: W. H. Freeman, 1969. [Ed. bras.: *Origens do intelecto, a teoria de Piaget.* São Paulo: Cia. Editora Nacional, 1971.]

Polster, E.; Polster, M. *Gestalt therapy integrated.* Nova York: Brunner/Mazel, 1973. [Ed. bras.: *Gestalt-terapia integrada.* São Paulo: Summus, 2001.]

Rubenfeld, I. "Gestalt therapy and the BodyMind". In: Nevis, E. C. (org.). *Gestalt therapy – Perspectives and applications.* Nova York: Gardner Press, 1992, p. 14778.

Sams, J.; Carson, D. *Medicine cards.* Santa Fé: Bear and Co., 1988 (1951). [Ed. bras.: *Cartas xamânicas – A descoberta do poder através da energia dos animais.* Rio de Janeiro: Rocco, 2000.]

Segalove, I.; Velick, P. B. *List your self.* Kansas City: Universal Press Syndicate, 1996.

Sendak, M. *Where the wild things are.* Nova York: Penguin Books, 1970. [Ed. bras.: *Onde vivem os monstros.* São Paulo: Cosac Naify, 2014.]

Shafarman, S. *Awareness heels – The Feldenkrais method for dynamic health.* Reading: Addison-Wesley 1997.

Silverton, L. *Problem Experiences Checklist – Adolescent Version.* Los Angeles: Western Psychological Services, 1991.

Smith, R., Rotenbury.; Campbell, H. J. *I can't live with mum and dad anymore.* New South Wales: Burnside Press, 1996.

Terr, L. *Too scared to cry.* Nova York: Basic Books, 1990.

Viorst, J. *Alexander and the terrible, horrible, no good, very bad day.* Nova York: Aladdin Books, 1972.

Wagner, E. *The Hand Test.* Los Angeles: Western Psychological Services, 1969.

leia também

GESTALT-TERAPIA COM CRIANÇAS
Teoria e prática
Luciana Aguiar

Entrelaçando teoria e prática, Luciana Aguiar constrói uma obra dinâmica, atual e completa. Entre os temas abordados estão o desenvolvimento da psicoterapia infantil, a concepção de ser humano em Gestalt-terapia, a família na perspectiva gestáltica, o funcionamento saudável e não saudável, a compreensão diagnóstica em Gestalt-terapia com crianças, o processo terapêutico e o trabalho com os responsáveis e a escola.

ISBN 978-85-323-0944-0

INFÂNCIA NA GESTALT-TERAPIA
Caminhos terapêuticos
Rosana Zanella e Sheila Antony (orgs.)

Ampliando ainda mais o tema da clínica gestáltica na infância, Sheila Antony e Rosana Zanella compilam nesta obra um vasto conteúdo teórico, clínico e prático para tratar a criança em sofrimento. Escritos por profissionais extremamente experientes, os capítulos mergulham em temas caros à abordagem gestáltica, como a presença, o heterossuporte e o uso de atividades lúdico-terapêuticas para expandir a awareness desse público.

ISBN 978-65-5549-006-0

A CLÍNICA GESTÁLTICA COM ADOLESCENTES
Caminhos clínicos e institucionais
Rosana Zanella (org.)

São conhecidas as dificuldades vividas por professores, familiares, educadores e profissionais da área de saúde ao lidar com adolescentes. Neste livro, autores experientes mostram diversas modalidade de atendimento a adolescentes, tanto na clínica quanto em instituições. Temas como bullying, intervenção psicológica, orientação profissional e conflitos familiares são abordados em profundidade.

ISBN 978-85-323-0894-8

Grupo Summus
www.gruposummus.com.br
www.gruposummus.com.br
Acesse, conheça o nosso catálogo e cadastre-se para receber informações sobre os lançamentos.

www.gruposummus.com.br